CZEŚĆ,
JAK SIĘ MASZ?

PODRĘCZNIK DO NAUKI JĘZYKA POLSKIEGO
DLA POCZĄTKUJĄCYCH

A POLISH LANGUAGE TEXTBOOK
FOR BEGINNERS

JĘZYK POLSKI DLA CUDZOZIEMCÓW

POLISH

AS A FOREIGN LANGUAGE

SERIA POD REDAKCJĄ
Władysława Miodunki

1

INSTYTUT STUDIÓW POLONIJNYCH I ETNICZNYCH
UNIWERSYTETU JAGIELLOŃSKIEGO

A POLISH LANGUAGE TEXTBOOK FOR BEGINNERS

WŁADYSŁAW MIODUNKA

CZEŚĆ, JAK SIĘ MASZ?

PODRĘCZNIK DO NAUKI JĘZYKA POLSKIEGO
DLA POCZĄTKUJĄCYCH

level
THRESHOLD

Kraków

ISBN 83-242-0123-8
TAiWPN UNIVERSITAS

Podręcznik recenzowała
Zofia Kurzowa
Profesor Uniwersytetu Jagiellońskiego

Tłumaczenie
Marek Wójcikiewicz
Cara Thornton
(tłumaczenie lekcji "0")

Korekta tłumaczenia
Dr Jeff Mitcherling
Guelph University

Ilustracje
Andrzej Piątkowski

Redaktor
Wanda Lohman

Projekt serii
Ewa Gray

Projekt okładki
Sepielak

Płyta CD do książki ukazała się przy wsparciu finansowym
The Kosciuszko Foundation, New York

Przy nagrywaniu płyty swoich głosów użyczyli absolwenci szkół
teatralnych: Marcin Cząba, Marcin Huet, Krzysztof Korzeniowski (Michel),
Robert Koszucki (Robert), Marta Król (Agnieszka), Monika Kudłacz,
Kornelia Łysiak, Wojciech Markiewicz, Emilia Nadratowska, Mariusz
Zaniewski (narrator)

Nagranie
Radio Kraków Małopolska

Reżyser
Wojciech Markiewicz

Realizator dźwięku
Wojciech Gruszka

Five commandments
for Polish language learners

1. Speak Polish! A successful conversation is a great satisfaction!
2. Errare humanum est! Accept yourself as imperfect; you will make mistakes.
3. Get to know your own style of learning a language. It will give you a chance to get to know yourself better.
4. Ask for everything you would like to say in Polish.
5. Remember: Poland in Polish is more authentic than Poland in English!

Poland – administrative division

Poland – geographical map

ABBREVIATIONS

Ac., Acc.	accusative (case)	biernik
Adj.	adjective	przymiotnik
Adv.	adverb	przysłówek
coll.	colloquial	potoczne
Cond.	conditional mood	tryb przypuszczający
Conj.	conjugation	koniugacja
D, Dat.	dative (case)	celownik
f, fem.	feminin (gender)	rodzaj żeński
G, Gen.	genitive (case)	dopełniacz
I, Instr.	instrumental (case)	narzędnik
Imperat.	imperative mood	tryb rozkazujący
Imperf.	imperfective verb	czasownik niedokonany
Infin.	infinitive	bezokolicznik
L, Loc.	locative (case)	miejscownik
Lat.	latin	po łacinie
m, masc.	masculine (gender)	rodzaj męski
n, neut.	neuter (gender)	rodzaj nijaki
N, Nom.	nominative (case)	mianownik
Perf.	perfective verb	czasownik dokonany
p.	person	osoba
pl.	plural	liczba mnoga
sg.	singular	liczba pojedyncza
V	verb	czasownik
Voc.	vocative (case)	wołacz

 *Lekcja* **0**

0. Introduction to Polish pronunciation and spelling

0.0. Besides Russian and Ukrainian, Polish numbers among the most-often-used Slavic languages in the world. It is spoken by the approximately 40 million inhabitants of Poland, as well as about 12 million Poles living outside of Poland (in Lithuania, Belarus, the Ukraine, Russia, Kazakhstan and the Czech Republic) and foreigners of Polish origin (for example, in the USA, Brazil, Germany, France, Great Britain, Canada and Australia).

The oldest examples of written Polish come from the 12th century. Because Poland was under the influence of the Roman culture, Polish words were written using the Roman alphabet, the same one used in written English. The foundation for modern spelling was laid in the 16th century, the so-called 'golden age' of Polish culture. In later times, changes were introduced to bring the spelling into conformity with changes in pronunciation.

Polish spelling is not difficult, though such words as *Szczecin* 'a city in northern Poland', *Zdzisław* 'male first name' or *książka* 'book' take away the breath of foreigners, who think that they are impossible to pronounce. This opinion results from the fact that in these words, three letters (*dzi*) or two (*sz, cz, si*) are used to write single sounds. One has to admit, however, that for foreigners, the Polish language's consonant groups, which occur frequently (especially, for example, in numerals) are difficult.

0.1. For purposes of phonetic transcription of Polish, the Roman alphabet has been partially modified and looks as follows:

letter	name	phonetic transcription	letter	name	phonetic transcription
a	a	[a]	m	em	[m]
ą	ą	[ɔ̃]	n	en	[n]
b	be	[b]	ń	eń	[ɲ]
c	ce	[t͡s]	o	o	[ɔ]
ć	cie	[t͡ɕ]	ó	o kreskowane	[u]
d	de	[d]	p	pe	[p]
e	e	[ɛ]	r	er	[r]
ę	ę	[ɛ̃]	s	es	[s]
f	f	[f]	ś	eś	[ɕ]
g	gie	[g]	t	te	[t]
h	ha	[x]	u	u	[u]
i	i ʹ	[i]	w	wu	[v]
j	jot	[j]	y	y, igrek	[ɨ]
k	ka	[k]	z	zet	[z]
l	el	[l]	ź	ziet	[ʑ]
ł	eł	[w]	ż	żet	[ʒ]

In Polish there also exist letter combinations which are pronounced as individual sounds: ch [x], ci [t͡ɕ], cz [t͡ʃ], dz [d͡z], dzi [d͡ʑ], dź [d͡ʑ], dż [d͡ʒ], ni [ɲ], si [ɕ], sz [ʃ], rz [ʒ], zi [ʑ].

In describing the pronunciation of Slavic languages, the so-called Slavic phonetic alphabet is often used. We do not continue this tradition here, opting instead for the international phonetic alphabet, which allows for direct comparison of Polish pronunciation with that of other languages. The international phonetic alphabet is used, among others, in *A Pronouncing Dictionary of American English*, by J. S. Kenyon and T. A. Knott (1953); the *Longman Dictionary of Contemporary English* (1978); Collins *Słownik angielsko-polski* ed. J. Fisiak (1996), Collins *Słownik polsko-angielski*, ed. J. Fisiak (1996); *Słownik wymowy polskiej*, ed. M. Karaś and M. Madejowa (1977).

0.1.1. Letters which are identical in Polish and English have, in significant measure, similar pronunciation (except, for example *c*, *y*, *g*):

Letters standing for vowels:

Letter	Phonetic transcription	English examples	Polish examples
a	[a]	eye, bath [Brit.]	a, pan, pani
e	[ɛ]	yet, yes, yellow	efekt, ten, je, te
i	[i]	bee, sea, see	i, idol, Kowalski
o	[ɔ]	jaw, George [Brit.]	o, to, oto, dom
u	[u]	tooth, book	u, tu, guma
y	[ɨ]	it, pity	ty, my, syn

10

Letters standing for consonants:

b	[b]	bee, boy, Bob	bo, baba
c	[t͡s]	tsar, tsetse	co, lekcja, koc
d	[d]	dish, do, dude	do, dom, dam, dobry
f	[f]	face, feel, philosophy	fakt, flirt, futbol
g	[g]	go, gap, give	go, gdy, gol
h	[x]	how, history	herbata, historia
j	[j]	yet, yes, you	ja, jajko, lekcja
k	[k]	coca, club, Christ	kto, klub, kok
l	[l]	full, lecture, leg	lampa, lalka, dla, idol
m	[m]	me, mum	my, mam, mama, tam
n	[n]	name, vision	na, nad, ten, pan
p	[p]	pity, papa, pipe	pa!, papa, pan
r	[r]	rolled Scots "r"	rok, Kraków, para, tor
s	[s]	salt, sense	sok, sens, sesja
t	[t]	too, tall, target	to, kto, kot
z	[z]	zoo, zebra, using	za, zebra, zygzak

0.1.2. Roman letters modified in Polish with diacritical marks are pronounced as follows:

Letters standing for vowels:

ą	[ɔ̃]	nasal vowel like in French *bon, son, ton*	są, wąs, idą, mają
ę	[ɛ̃]	nasal vowel like in French *main, bien, saint*	tę, gęś, kęs
ó	[u]	tooth, book	Bóg, róg, wóz

Letters standing for consonants:

ć	[t͡ɕ]	softer than [tʃ] in *cheese*	ćma, robić, pisać, być
ń	[ɲ]	soft "n" like in French *baigner*	koń, koński, dzień
ś	[ɕ]	softer than [ʃ] in *she*	ślub, ktoś, coś, wieś
ź	[ʑ]	softer than [ʒ] in *gigue*	źle, źródło, mroźny
ł	[w]	we, wow, watch	ładny, głowa, łatwy, robił
w	[v]	value, velvet, votive	woda, głowa, Warszawa
ż	[ʒ]	vision, measure, genre	że, żandarm, żart

0.1.3. The Polish language uses the following groups of two or three letters to stand for single sounds:

si is pronounced like   ś   (się, siedem, siedzę),
zi is pronounced like   ź   (ziemia, zielony, zima, zimno),
ci is pronounced like   ć   (ciebie, ciemno, ciocia, cicho),
dź, dzi [d͡ʑ] softer than [dʒ] in *gene* (dzień, dziękuję, dźwig),
ni is pronounced like   ń   (nie, niebo, niania, nic),
ch is pronounced like   h   (charakter, chcę, chłodno, chłopiec),
dz is pronounced like [dz] in *Leeds, islands, adze* (dzban, dzwon),
sz is pronounced like [ʃ] in *she, dish* (szkoła, szpital, sztuka),
rz is pronounced like [ʒ] in *vision* (rzeka, rzecz, Rzym),
cz is pronounced like [tʃ] in *cheap, check* (czas, czy, czytam, rzecz),
dż is pronounced like [dʒ] in *jaw, edge, George* (dżem, dżokej, dżins).

As can be seen from the above information, three sounds have two different spellings each:

[u] = u, ó
[x] = ch, h
[z] = ż, rz

Information about how to choose between the two spellings can be found in paragraphs 0.5.2., 0.5.3., 0.5.4.

The principles for choosing between the two spellings for soft consonants (ś-si, ź-zi, ć-ci, dź-dzi) are discussed in paragraph 0.5.1.

0.1.4. In showing the pronunciation of letters and letter groups in Polish (see 0.1.1.), we noticed the only partial similarity between their pronunciation in Polish and English. This means, among other things, that many words which are similar in spelling and meaning in both languages are pronounced differently in each language:

English: Adam [ædəm]
Polish: Adam [adam]

English: Anne [æn]
Polish: Anna [anna] or [an.a]

English: idea [aɪdɪə]
Polish: idea [idɛa]

English: Jesus Christ [dʒizəs kraɪst]
Polish: Jezus Chrystus [jɛzus xrɪstus]

English: literature [lɪtərətʃur]
Polish: literatura [litɛratura]

English: sociology [soʃɪolədʒɪ]
Polish: socjologia [sɔt͡sjɔlɔgja]

12

English: television [tɛləvɪʒən]
Polish: telewizja [tɛlɛvizja]

English: zebra [zibrə]
Polish: zebra [zɛbra]

English: zoo [zu]
Polish: zoo [zɔɔ]

The English pronunciation given here corresponds to the first pronunciation variant given in *A Pronouncing Dictionary of American English*, by J. S. Kenyon and T. A. Knott (1953).

When we compare the English and Polish pronunciations of the words given, our attention is drawn to the following very important characteristics of Polish pronunciation:

a) vowels are always pronounced the same way, regardless of whether the syllable in which they occur is accented or unaccented (in other words, unstressed vowels do not undergo reduction);

b) there is no differentiation between long and short vowels as such, though accented vowels are pronounced a little longer;

c) the Polish language has no diphthongs,

d) double consonants are pronounced either doubled or with prolonged articulation, which has been indicated here with a dot after the consonant (see Anna),

e) accentuation of syllables in English is stronger than in Polish

0.1.5. In the preceding paragraph, we noted that in Polish, vowels in unaccented syllables do not undergo reduction. (The letter *y*, likewise, is never pronounced like the *y* in the English word *pretty* – always like the *y* in *myth*, even at the end of a word). This principle becomes all the more important when we take into account the fact that vowels occurring at the end of a word are *inflectional endings*, that is, they indicate the syntactical function of the word. We draw attention to this in order to emphasize the importance of precise (clear) pronunciation of vowels occurring at the end of words, e.g.:

Nom. sg. *masc.*	Nom. sg. *fem.*	Nom. sg. *neuter*
dobry student (*good (male) student*)	dobra studentka (*good (female) student*)	dobre dziecko (*good child*)
miły student (*nice student*)	miła studentka (*nice student*)	miłe dziecko (*nice child*)
ładny student (*handsome student*)	ładna studentka (*pretty student*)	ładne dziecko (*pretty child*)
zły student (*bad student*)	zła studentka (*bad student*)	złe dziecko (*bad child*)
brzydki student (*ugly student*)	brzydka studentka (*ugly student*)	brzydkie dziecko (*ugly child*)

13

Nom. sg. **masc.**	*Gen. sg.* **masc.**	*Nom. pl.* **masc.**
dobry student	dobrego studenta	dobrzy studenci
miły student	miłego studenta	mili studenci
ładny student	ładnego studenta	ładni studenci
zły student	złego studenta	źli studenci
brzydki student	brzydkiego studenta	brzydcy studenci

Nom. sg. **fem.**	*Gen. sg.* **fem.**	*Nom. pl.* **fem.**
dobra studentka	dobrej studentki	dobre studentki
miła studentka	miłej studentki	miłe studentki
ładna studentka	ładnej studentki	ładne studentki
zła studentka	złej studentki	złe studentki
brzydka studentka	brzydkiej studentki	brzydkie studentki

Nom. sg. **neuter**	*Dat. sg.* **neuter**	*Nom. pl.* **neuter**
dobre dziecko	dobremu dziecku	dobre dzieci
miłe dziecko	miłemu dziecku	miłe dzieci
ładne dziecko	ładnemu dziecku	ładne dzieci
złe dziecko	złemu dziecku	złe dzieci
brzydkie dziecko	brzydkiemu dziecku	brzydkie dzieci

0.2.0. Similarly to French and Portuguese, the Polish language uses nasal vowels written *ą*, *ę* (*a* with a hook, *e* with a hook). It should be mentioned, however, that *ę*, *ą* are pronounced nasally only in certain positions, and that Polish nasality is weaker than French and Portuguese. These are the rules for pronunciation of the graphemes *ę*, *ą* in Polish:

When the letters *ę*, *ą* occur before the letters:	they are pronounced:	
	ę	*ą*
1. p, b	ɛm	ɔm
2. t, d, c, dz, cz	ɛn	ɔn
3. ć, ci, dź, dzi	ɛɲ	ɔɲ
4. k, g	ɛŋ	ɔŋ
5. f, w, s, z, sz, ż	ɛ̃	ɔ̃
6. l, ł	ɛ	ɔ
7. at the end	ɛ or ɛ̃	ɔ̃

e.g. 1: *ząb* [zɔmp] 'tooth', *zęba* [zɛmba] 'tooth, Gen. sg.'
   2: *kąt* [kɔnt] 'corner', *pęd* [pɛnt]'speed'
   3. *pięć* [pjɛɲtɕ] 'five'
   4. *ręka* [rɛŋka] 'hand', *rąk* [rɔŋk] 'hand, Gen. pl.'
   5. *wąsy* [vɔ̃sɨ] 'moustache', *męski* [mɛ̃ski] 'masculine'
   6. *wziął* [vʑɔw] 'he took' (3rd p. m. sg.); *wzięli* [vʑɛli] 'they took' (3rd p. m. pers. pl.)
   7. *się* [ɕɛ] or [ɕɛ̃] (reflexive pronoun), *są* [sɔ̃] 'they are'

0.2.1. Nasal vowels occurring at the end of words are also inflectional endings, which makes them all the more important in the Polish grammatical system. In this position, nasal vowels contrast with, on the one hand, buccal (non-nasal) vowels; on the other, with buccal vowels occurring before a nasal consonant. For this reason, one must be sure to pronounce them clearly at the end of words, e.g.:

1st pers. sg.	3rd pers. sg.	3rd pers. pl.
piszę '*I am writing*'	on pisze	oni piszą
studiuję '*I am studying*'	on studiuje	oni studiują
maluję '*I am painting*'	on maluje	oni malują
wiem '*I know about sb*'	on wie	oni wiedzą
umiem '*I know how to...*'	on umie	oni umieją
rozumiem '*I understand*'	on rozumie	oni rozumieją

	Nom. sg. fem.	*Instr. sg.* fem.	*Dat. pl.* fem.
(*female*) *student*	studentka	studentką	studentkom
story, history	historia	historią	historiom
mother	matka	matką	matkom
mom	mama	mamą	mamom
(*female*) *colleague*	koleżanka	koleżanką	koleżankom

	Nom. sg. masc.	*Instr. sg.* masc.	*Dat. pl.* masc.
gentleman, sir	pan	panem	panom
cat	kot	kotem	kotom
dog	pies	psem	psom
professor	profesor	profesorem	profesorom
house	dom	domem	domom

0.3. The Polish language's phonetic system, dominated by consonants, makes two important distinctions regarding their pronunciation:
    a) hard vs. soft and
    b) voiced vs. unvoiced.

0.3.1. Following are examples of hard and soft consonants, arranged in rows for comparison:

hard	p	b	f	w	s	z	t	d	k	g	ch/h	m	n	r	l	ł
soft	p'	b'	f'	w'	ś	ź	ć	dź	k'	g'	ch'/h'	m'	ń		l	j

Among the soft consonants, only *ś, ź, ć, dź, ń* have a special spelling. In the other cases, the letter *i* signifies their softening.

Soft consonants such as *p', b', f', w'* have lost their softness at the end of words in the nominative singular. They occur, however, in other forms of appropriate words, e.g. *Wrocław* (a Polish city): *Wrocławia*; *gołąb* (dove): *gołębia*.

15

0.3.2. Polish inflection also distinguishes functionally-soft consonants. These are the consonants *c, dz, cz, dż, sz, ż, rz*. Once upon a time, they were pronounced as soft consonants; now, however, their pronunciation is hard. Despite this, in the inflection of words, they occur in the place of soft consonants, hence their name.

0.3.3. Following are examples of voiced and unvoiced consonants, arranged in rows for comparison:

voiced	b	w	d	z	dz	ż, rz	dż	ź	dź	g		m	n	r	l	ł	j
unvoiced	p	f	t	s	c		sz	cz	ś	ć	k	ch/h					

0.3.4. The pronunciation of one consonant may be modified by a neighboring consonant or at the end of a word, according to the following rules:

a) every voiced consonant occurring before an unvoiced one is pronounced as unvoiced: *wtorek* [ftɔrɛk] 'Tuesday'; *Francuzka* [francuska] 'Frenchwoman';

b) unvoiced consonants occurring before voiced ones are generally (except as noted in point c) pronounced as voiced: *także* [tagʒɛ] 'also';

c) the consonants *w, rz* are pronounced as unvoiced both before and after an unvoiced consonant: *wtorek* [ftɔrɛk] 'Tuesday'; *twój* [tfuj] 'your'; *przystojny* [pʃɨstɔ jnɨ] 'handsome';

d) at the end of a word (before a pause), every voiced consonant is pronounced as unvoiced: *teraz* [tɛras] 'now' ; *też* [tɛʃ] 'also'; *już* [juʃ] 'already'; *chleb* [xlɛp] 'bread'.

0.3.5. Though the Polish language has an affinity for consonant groups, sometimes these groups are simplified, such that one of the consonants is not pronounced:

a) in spoken Polish, *ł* occurring between two consonants, or at the end of a word after another consonant, is not pronounced: *jabłko* [japkʊ] 'apple'; *poszedł* [pɔʃɛt] 'he left';

b) the consonants *t, w* occurring between two consonants are not pronounced in colloquial language: *wszystko* [fʃɨskɔ] 'everything'; *pierwszy* [pjɛrʃɨ] 'first';

c) the consonant *ć* is not pronounced in the following words: *pięćdziesiąt* (50), *sześćdziesiąt* (60), *dziewięćdziesiąt* (90), *pięćset* (500), *sześćset* (600), *dziewięćset* (900).

0.4.0. Accentuation in Polish is constant and normally falls on the second-to-last syllable of a given word, e.g.
mama 'mother', *ładny* 'pretty, handsome', *lotnisko* 'airport', *oczywiście* 'of course'.
If a word has only one syllable, it is accented, e.g. *wiem* 'I know', *mam* 'I have', *tak* 'yes'.
Words having four or more syllables can have secondary accents, e.g. *inteligentny* 'intelligent', *inteligentniejszy* 'more intelligent'.

0.4.1. Foreign loan-words retain their original accent on the third syllable from the end, e.g. *gramatyka, Ameryka, fizyka*.
The accent in some Polish words falls on the third-to-last syllable, e.g. *w ogóle* 'generally', *czterysta* '400'.

0.4.2. The accent falls on the third-to-last syllable in the first- and second-person plural of the past tense, e.g. *byliśmy* 'we were', *byliście* 'you (pl.) were'; *kupiliśmy* 'we bought', *kupiliście* 'you (pl.) bought'.

0.4.3. The accent falls on the fourth-to-last syllable in the first- and second-person plural of the conditional, e.g. *bylibyśmy* 'we would be, would have been', *bylibyście* 'you (pl.) would be, would have been'; *kupilibyśmy* 'we would buy, would have bought', *kupilibyście* 'you (pl.) would buy, would have bought'.

0.4.4. Single-syllable words are joined with neighboring words to form accent groups.
In accent groups, the following are accented:
a) the negation *nie* occurring before a single-syllable word, e.g. *nie wiem* 'I don't know', *nie mam* 'I don't have', *nie ja* 'not I';
b) prepositions occurring before a single-syllable pronoun, e.g. *ze mną* 'with me', *od nas* 'from us';
c) prepositions occurring before single-syllable words, e.g. *na wieś* 'out to the country', *wychodzić za mąż* 'to marry (a man)'.

In accent groups, the following are not accented:
a) the negation *nie* occurring before a multi-syllable word, e.g. *nie wiemy* 'we don't know', *nie mają* 'they don't have';
b) short forms of personal pronouns after verbs, e.g. *kocham go* 'I love him', *widzę go* 'I see him'.

0.5. Principles of spelling in Polish

The adaptation of the Roman alphabet to Polish phonetics was discussed in paragraphs 0.1.–0.1.3. Here, therefore, we will discuss a number of letter combinations, especially those cases in which the same sound is represented by different letter combinations.

0.5.1. The core of the consonant system in Polish consists of 12 sounds written as follows:

'hissing/ buzzing'	'rustling/ whirring'	'calming/ soft'
s	sz	ś/ si
z	ż/ rz	ź/ zi
c	cz	ć/ ci
dz	dż	dź/ dzi

a) "Hissing or buzzing" consonants are written with one letter, or, in one case (*dz*), two.
b) "Rustling or whirring" consonants are usually written with two letters, of which the last letter is *z* or, in one case, *ż* (sz, rz, cz, dż). The sound represented by *rz* can also be written *ż*.

c) "Calming or soft" consonants can be written either with an acute accent mark or with the letter *i:*

ca) the variant with the accent mark is used when the sound occurs at the end of a word or before another consonant, e.g. *cześć* 'Hi!', *gość* 'guest', *być* 'to be'.

cb) the variant with the letter *i* is used when the soft consonant occurs before a vowel, e.g. *dzień* 'day', *cieszyć się* 'to be happy', *wiedzieć* 'to know'.

0.5.2. The letters *ż, rz* represent the same sound [ʒ]. The letter *ż* is used when there exists a *g : ż* alternation, e.g. *mogę: możesz* 'I can: you (sg.) can'. The group *rz* is used when there exists an *r : rz* alternation, e.g. *profesor: o profesorze* 'professor: about a/the professor', *morze: morski* 'sea: marine'.

0.5.3. The letters *u, ó* stand for the sound [u]. The letter *ó* is used when there exists an *o : ó* alternation, e.g. *Bóg: do Boga* 'God: to God', *wóz: wozem* 'carriage: with a/the carriage'.

The letter *u* is used in other cases.

0.5.4. The letters *ch, h* stand for the sound [x]. The letter *h* is used in words of foreign origin, e.g. *historia, Hiszpania* 'Spain', *herbata* 'tea', *halo* 'hello'. It also occurs when there exists a *g : h* alternation, e.g. *waga: wahadło* 'scales, balance: pendulum'.

The group *ch* is used in other cases.

0.5.5. After hard consonants (see 0.3.), the letter *i* – except in certain words of foreign origin (e.g. *radio*) – is not used, e.g. *dyrektor* 'director', *ładny* 'pretty, handsome', *język* 'language', *syn* 'son'.

An exception to this rule are the sounds *k, g*, after which – except in a very few words of foreign origin (e.g. *kebab, kynologia* 'branch of zoology pertaining to the canine species') – the letters *y, e* are not used. In such positions, these sounds undergo softening and are therefore written *ki, kie, gi, gie*, e.g. *polski* 'Polish' (masc. sg.), *polskie* 'Polish' (neuter sg.), *długi, długie* 'long'.

0.5.6. The letter *y* never occurs after a soft consonant (see 0.5.1.cb.).

0.5.7. After functionally-soft consonants (see 0.3.2.), the letter *i* is not used – except in a very few words of foreign origin (e.g. *Hiroszima*) – but rather *y*, e.g. *czy* 'whether, (interrogative particle)', *pierwszy* 'first', *inżynier* 'engineer'.

Lekcja 1

1.1. Cześć, jak się masz?

1.1.1. To jest Agnieszka. Agnieszka Nowak. Studentka. Studiuje język i literaturę hiszpańską. Ma 20 lat. Jest ładna, ambitna i inteligentna.

1.1.2. To jest pani Maria Nowak, matka Agnieszki. A to – pan Jan Nowak, ojciec Agnieszki. Ona to historyk sztuki, on – profesor historii.

1.1.4. To jest Michel. Michel Deschamps. Student, kolega Roberta. Studiuje historię i język polski. Ma 22 lata. Jest bardzo sympatyczny, zdolny i inteligentny. Michel to Francuz. Teraz będzie studiować w Polsce, w Krakowie.

1.1.5.1. Lotnisko Okęcie. Robert spotyka Michela.

Robert: Cześć, Michel. Jak się masz?
Michel: Cześć. Przepraszam, ale...
Robert: Michel, nie poznajesz mnie?
Michel: Chyba nie...
Robert: To ja, Robert. Pamiętasz Kraków, klub Jaszczury, jazz?...
Michel: Robert, to ty!? Bardzo się cieszę. Właśnie jadę do Krakowa.
Robert: Do Krakowa?

1.1.3. To jest Robert. Robert Kowalski. Student. Studiuje ekonomię. Ma 23 lata. Jest przystojny i inteligentny. Robert to chłopiec Agnieszki.

1.1.5. Warszawa. Lotnisko Okęcie. Dużo ludzi. Jest tu też Robert. Robert czeka na Agnieszkę. Agnieszka wraca z Hiszpanii.

1.1.5.2. Lotnisko Okęcie. Robert wita Agnieszkę.

Robert: Agnieszka! Cześć, kochanie!
Agnieszka: Cześć, Robert.
Robert: Jak się masz?
Agnieszka: Cudownie. A ty?
Robert: Fajnie. Cieszę się, że już jesteś.

1.1.5.3. Lotnisko Okęcie. Agnieszka telefonuje do domu.

Nowak: Halo.
Agnieszka: Dzień dobry, tato.
Nowak: Dzień dobry, Agnieszko. Jesteś wreszcie!
Agnieszka: Tak, jestem już. Co słychać w domu?
Nowak: Wszystko w porządku. A co u ciebie?
Agnieszka: Cudownie. Wszystko opowiem. Czy jest tam mama?
Nowak: Oczywiście, już proszę.

1.1.6. Kraków. Mieszkanie państwa Nowaków. Pan Nowak rozmawia z żoną.

Pan Nowak: Jest tam oczywiście Robert. Ale jest też jakiś Michel. Kto to jest?
Pani Nowak: Skąd mam wiedzieć? Zobaczymy.

Vocabulary

a *and (indicates contrast)*
ale *but*
ambitny -a, -e Adj. *ambitious*
bardzo *very*
być (jestem, jesteś Imperf.) *to be*

chłopiec (m G chłopca) *boy, boyfriend*
chyba *probably, surely*
cieszyć się + z + G (cieszę się, cieszysz się Imperf.) *to be glad, to be happy*
co *what*

21

cudownie Adv. *wonderful*
czekać + **na** + Ac. (czekam, czekasz Imperf.)
to wait for
cześć *hi*
czy Conj. *starting yes and no questions*
do (+ G) *to*
dobry -a, -e Adj. *good*
dom (m G domu, L w domu) *house, home*
dużo *much, many, a lot of*
dzień (m G dnia) *day*
ekonomia (f G ekonomii) *economics*
fajnie Adv. *O.K., good*
Francuz (m G Francuza) *Frenchman*
halo *hallo*
historia (f G historii) *history*
historyk (m G historyka) *historian*
hiszpański -a, -e Adj. *Spanish*
i *and*
inteligentny -a, -e Adj. *intelligent*
ja (G mnie) *I*
jechać + I (jadę, jedziesz Imperf.) *to go (by means of a vehicle)*
jak *how, like, as*
jakiś, jakaś, jakieś *a, some, any*
jazz (m G jazzu) *jazz*
język (m G języka) *language*
już *already*
klub (m G klubu) *club*
kochanie (only Voc.) *darling*
kolega (m G kolegi) *colleague, friend*
kto *who*
literatura (f G literatury) *literature*
lotnisko (n G lotniska) *airport*
ludzie (pl. G ludzi) *people*
ładny -a, -e Adj. *pretty, cute*
mama (f G mamy) *mummy, mammy*
matka (f G matki) *mother*
mieć + Ac. (mam, masz Imperf.) *to have;* → **ona ma 20 lat** *she is 20 years old*
na + Ac. *for*
nie *no, not*
oczywiście *of course, sure*
ojciec (m G ojca) *father*
on *he*
ona *she*
opowiedzieć + Ac. (opowiem, opowiesz Perf.) *to tell*
pamiętać + Ac. (pamiętam, pamiętasz Imperf.) *to remember*
pan (m G pana, L panu, N pl. panowie) *Mister, sir, you (formal)*

pani (f G pani, G pl. pań) *madam, Mrs., you (formal)*
polski -a, -e Adj. *Polish*
poznawać + Ac. (poznaję, poznajesz Imperf.) *to recognize*
profesor (m G profesora) *professor*
prosić (proszę, prosisz Imperf.) *to ask;* → **proszę** *please*
przepraszać (przepraszam, przepraszasz Imperf.) *to be sorry;* **przepraszam!** *excuse me!*
przystojny -a, -e Adj. *good-looking, handsome*
rok (m G roku, N pl. lata, G pl. lat) *year*
rozmawiać + **z** + I; + **o** + L (rozmawiam, rozmawiasz Imperf.) *to talk*
się *oneself*
skąd *where from;* → **skąd mam wiedzieć** *how should I know*
słychać *to be heard;* → **co słychać?** *what's new?*
student (m G studenta) *student (male)*
studentka (f G studentki, G pl. studentek) *student (female)*
studiować + Ac. (studiuję, studiujesz Imperf.) *to study*
sympatyczny, -a, -e Adj. *likable*
sztuka (f G sztuki) *art*
tak *yes*
tam *(over) there*
tata (m G taty, Voc. tato) *dad*
ten, ta, to *this, that*
teraz *now*
też *also, too*
to *it*
tu *here*
ty (G ciebie) *you*
u + G *at, with*
w + Ac., + L *in, at, on*
wiedzieć + Ac. (wiem, wiesz Imperf.) *to know*
właśnie *just*
wracać + **z** + G (wracam, wracasz Imperf.) *to come back*
wreszcie Adv. *at last*
wszystko *all, everything;* → **wszystko w porządku** *everything is O.K.*
z + G, + I *from; to, with*
zdolny -a, -e Adj. *able, clever, talented*
ze = **z**
zobaczyć + Ac. (zobaczę, zobaczysz Perf.) *to see*
żona (f G żony, G pl. żon) *wife*

Warto zapamiętać te słowa!

CZŁOWIEK

człowiek (sg.), ludzie (pl.)

1. dziecko (n)
2. chłopczyk (m)
3. dziewczynka (f)
4. chłopiec (m)
   chłopak (m)
5. dziewczyna (f)
6. pan (m)
   mężczyzna (m)

7. pani (f)
   kobieta (f)
8. znajomy (m)
   [znajoma (f)]
9. kolega (m)
   [koleżanka (f)]
10. przyjaciel (m)
   [przyjaciółka (f)]

CZY UMIESZ JUŻ LICZYĆ?

1. jeden
2. dwa
3. trzy
4. cztery
5. pięć

6. sześć
7. siedem
8. osiem
9. dziewięć
10. dziesięć

1.2. Gramatyka jest ważna
Information on the structure of the language

1.2.1. Inflected and not inflected parts of speech

As in the case with other European languages, in Polish words belong to various parts of speech. It is very important to know whether a given word is for example a noun, verb, or a preposition, because some of them are inflected (i.e. one word has different forms) and some of them are not (a word has only one form).

Parts of speech	Not inflected	Inflected	Example
noun	–	+	*pan, pana*
adjective	–	+	*dobry student*
verb	–	+	*być; jestem, jesteś, jest*
pronoun	–	+	*ja, mnie*
preposition	+	–	*do (mnie)*
modulator	+	–	*tylko (Robert jest)*
conjunction	+	–	*pan i pani*
numeral	–	+	*numer pierwszy*
adverb	+	–	*dobrze*
exclamation	+	–	*oh*

Inflected words express various grammatical categories, as it is shown in the chart below:

part of speech	inflected by						
	gender	case	number	person	tense	mood	voice
noun	+	+	+	–	–	–	–
pronoun	+	+	+	–	–	–	–
adjective	+	+	+	–	–	–	–
numeral	+	+	+	–	–	–	–
verb	–/+	–	+	+	+	+	+

1.2.2. Number and gender

Like other languages, Polish distinguishes singular (sg.) and plural (pl.) **number**. The singular is used more often than plural.

In Polish there are **three genders**: masculine (m), feminine (f) and neuter (n). In the case of living creatures, this reflects the natural distinction in gender e.g. *student* (m), *studentka* (f); in the case of inanimate objects the determination of gender is a matter of custom and depends on the features of the words that name the objects.

Masculine nouns are further divided into animate masculine (names of living creatures) and inanimate (names of things). On top of that, the animate nouns are further subdivided into personal (names of men) and non-personal nouns (names of animals). Personal nouns are also called virile.

Each noun has its gender, which is very important, as it determines the forms of its modifiers (adjectives, pronouns, numerals), e.g.:

student (masc.)	*sympatyczny, zdolny, inteligentny*
studentka (fem.)	*sympatyczna, zdolna, inteligentna*
ojciec (masc.)	*dobry ojciec*
matka (fem.)	*dobra matka*

The gender of a noun is easy to recognize in the nominative singular form (it is the form of a noun given in the dictionary). Masculine nouns usually end in a consonant (e.g. *pan, student, chłopiec, profesor, język, Robert).* Note, however, that the rare masculine nouns will end in -a (e.g. *kolega).*

Feminine nouns in the nominative singular take the ending -a (e.g. *Agnieszka, studentka, literatura, historia, Polska)* and *-i* (e.g. *pani).* Neuter nouns take in the nominative singular the ending -o (e.g. *słowo, nazwisko, lotnisko), -e (Okęcie, zdanie),* or *-ę (imię).*

Note: In contemporary Polish such combinations of words as: *pani profesor, pani minister, pani premier* are quite common. The feminine part *pani* is followed by a masculine form defining rank, social status, etc. Using expressions of this type, we inflect only the word *pani.* The second word is not inflected. Bear in mind that this rule concerns also such expressions as *pani Nowak.* In such expressions as *pani Kowalska,* both parts are inflected because the second word behaves like an adjective.

Note: Foreign names used in Polish are divided according to the same rules, e.g. *Londyn, Nowy Jork, Berlin* (masc.), *Kalifornia, Praga, Moskwa* (fem.), *San Francisco, Tokio* (neut.).

1.2.3. Case

As follows from the chart, many words in Polish are inflected by the cases. Case is a grammatical category consisting in changing the word form, depending on its syntactic function, e.g.:

Robert	*jest*	*tu.*
subject	predicate	qualifier
Nominative		

Agnieszka	*zna*	*Roberta.*
subject	predicate	direct object
Nominative		Accusative

In the above examples, the noun *Robert* appears in two different forms *(Robert, Roberta).* The form *Robert* is nominative, because it is the subject of the sentence. The form *Roberta* is accusative, for it is the direct object of the sentence.

25

We will provide information on their syntactic functions while discussing the particular cases.

In Polish there are seven cases (in both singular and plural):

name of the case	used to answer to the questions
nominative	*kto? co?*
genitive	*kogo? czego? czyj? czyja? czyje?*
dative	*komu? czemu?*
accusative	*kogo? co?*
instrumental	*kim? czym?*
locative	*gdzie? w kim? o kim? w czym? o czym?*
vocative	no question, because it is a form outside of a sentence, addressing the sentence to the receiver

1.2.4. The mechanism of case forming

In order to get acquainted with the mechanism of case forming, let us compare the following forms:

<table>
<tr><td>Robert</td><td>Polska</td></tr>
<tr><td>Roberta</td><td>w Polsce</td></tr>
</table>

In each example both forms are variants of the same word. Both have a common constituent part. This common, repeated part is called a **stem**. A stem carries the lexical meaning of a given word. The part which distinguishes one form from another is the **ending** and the **preposition**. The ending expresses three grammatical categories all at once: case, number and gender. The quoted words may be divided into stems and endings in this way:

<table>
<tr><td>Robert-Ø</td><td>Polsk-a</td></tr>
<tr><td>Robert-a</td><td>w Polsc-e</td></tr>
</table>

In the word *Polsce*, the ending is -*e*. The form *w Polsce* differs, however, from the form *Polska* in an additional change of *k* into *c*. This change takes place regularly in the discussed case. Such a change of phone occurring in the last part of stem is called **alternation**. In Polish, alternations are accompanied by the change of endings.

Alternations are present in many languages, e.g. in English.

1.2.5. Nominative singular of the noun and adjective

The nominative is the basic form of a noun. It is presented in this form in the dictionary. In Polish, when the noun or pronoun is the subject of the sentence, it is used in the nominative form.

	adjective	noun	endings	
			adjective	noun
To jest	zdolny inteligentny dobry sympatyczny dobry tani drogi	student. pan. profesor. chłopiec. kolega. bilet. bilet.	-y -i (after k, g and soft consonants)	Ø, -a
	ambitna dobra inteligentna dobra	pani. matka. . studentka. literatura.	-a	-a, -i
	ładne ładne kolorowe	lotnisko. imię. zdjęcie.	-e	-o, -e, -ę

Masculine nouns in the nominative singular end in a consonant. Because this consonant belongs to the stem, we say that they have a zero ending (Ø), or -a (e.g. kolega).

Feminine nouns in the nominative end in the -a, or -i.

Neuter nouns in the nominative end in -o, -e, or -ę.

Adjectives are in the same case as the nouns to which they refer. Masculine adjectives in the nominative end in -y, or sometimes -i (following k, g and soft consonants – e.g. język polski). Feminine adjectives in the nominative singular end in -a. Neuter adjectives end in -e.

The most important cases are the nominative, genitive, accusative and locative. They constitute 90% of the inflected nouns used in Polish.

In this textbook, we will concentrate on these cases, as well as the instrumental (6.5%). We shall discuss only the most important functions of the dative and vocative (see 9.3.2. and 9.2.4.).

1.2.6. Definiteness of nouns

In the parts of speech chart (see 1.2.1.) there is no article, because expressing definiteness of nouns is not obligatory and thus not grammaticalised in Polish.

The definiteness is implied by context, or may be expressed lexically by the pronouns ten, ta, to (functioning as definite articles), taki, taka, takie (serving as partly definite articles, i.e. defining objects known to the speaker but unknown to the listener), and jakieś, jakaś, jakieś (serving as indefinite articles, similar to the English a), e.g.: Ale jest tam też jakiś Michel.

Using pronouns to express defniteness of nouns is typical for colloquial Polish:

> Ten student jest sympatyczny.
> Ta pani jest miła.
> To dziecko jest małe.

27

1.2.7. Verb: the infinitive and personal forms; tenses

The basic form of a verb is **infinitive**. They are given in this form in dictionaries. The infinitive usually ends in -*ć*, e.g. *mieć, być*. Thus, -*ć* is a characteristic infinitive morpheme.

In Polish there are only three tenses: **present, past** and **future**. The present tense is formed according to three models, which we call **conjugations**.

1.2.8. Personal pronouns

Like other languages, Polish also has a system of personal pronouns in singular and plural.

		singular			plural
1.	*ja*	speaker	1.	*my*	a group, to which the speaker belongs
2.	*ty*	listener	2.	*wy*	a group, to which the listener belongs
3.	*on*	a pronoun replacing masc. noun	3.	*oni*	pronoun referring to groups of people, including groups of men
	ona	replaces fem. noun		*one*	refers to groups of women and replaces nonvirile nouns
	ono	replaces neuter noun			

As has already been mentioned, there are two ways of addressing a listener in Polish: formal and informal. The informal way consists in using the pronoun *ty* together with the 2nd person sg. form of a verb. The formal way consists in using the words *pan, pani* together with the 3rd person sg. form of a verb. Thus, the pronouns system used in this textbook is as follows:

1.	*(ja)*	1.	*(my)*
2.	*(ty)*	2.	*(wy)*
3.	*on, pan* *ona, pani* *ono, to*	3.	*oni, państwo, panowie* *one, panie*

1.2.9. Conjugation of the verbs *być, mieć* in the present tense.
Conjugation -*m*, -*sz*

BYĆ (to be)					
1.	*(ja)*	*jestem*	1.	*(my)*	*jesteśmy*
2.	*(ty)*	*jesteś*	2.	*(wy)*	*jesteście*
3.	*on, pan* *ona, pani* *ono, to*	*jest*	3.	*oni, państwo,* *panowie* *one, panie*	*są*

MIEĆ (to have)				
1.	*(ja)*	*ma-m*	1.	*(my)*	*ma-my*
2.	*(ty)*	*ma-sz*	2.	*(wy)*	*ma-cie*
3.	on, pan		3.	oni, państwo,	
	ona, pani	*ma*		panowie	*ma-ją*
	ono, to			one, panie	

N o t e: The symbols *(ja), (ty), (my), (wy)* mean that these words in spoken Polish are used optionally, and in written language are not used at all. To the contrary, such words as *pan, pani, panowie, panie, państwo* are used with every verb to which they refer.

The verb *być* is irregular in the present tense. The verb *mieć* changes in a regular way and is offered here as an example of the conjugation of all those verbs which in the present tense take the *-m, -sz* endings (e.g. *przepraszać, pamiętać* in lesson 1).

In the 3rd person plural the verbs of the *-m, -sz* conjugation end in *-ją* or sometimes in *-dzą*. As there are no rules for the application of these endings, the dictionary gives both the infinitive and the 3rd person plural of these verbs.

All Polish verbs have **two stems** (see 1.2.4.): the infinitive stem (present in the infinitive form after dropping the morpheme *-ć*), and the present tense stem (to be found in the present tense forms after dropping the personal endings).

Sometimes both stems are identical (e.g. *czyta-ć, czyta-m, czyta-sz*), but they are often different. That is why the dictionary offers both the infinitive and the present tense forms. From these two stems it is possible to construct all the forms of Polish verbs.

1.2.10. Syntactic structures

Questions identifying people:
Kto to jest?

Answer:
To jest + Nom.

Question identifying things:
Co to jest?

Answer:
To jest + Nom.

Yes/no question:
Czy to jest + Nom.?

Answer: positive
(Tak,) to jest + Nom.

negative:
(Nie,) to nie jest + Nom.

The negative sentence in Polish is formed with the negation *nie* preceding the verb. The Polish *nie* is equivalent to the English *no, not*.

1.3. Jak to powiedzieć?
Information on the social usage of the language

1.3.1. Greetings and farewells

Greetings and farewells are social rituals. The choice of proper phrases depends upon the time of the day and the type of contact between the speakers. In Polish we distinguish in greetings and farewells upon the time of day: the expression *Dzień dobry* is used to greet someone in the morning, at noon, and in the afternoon; *Dobry wieczór* is used in the evening and at night. Similarly, to bid someone goodbye, we use the expressions *Do widzenia* and *Dobranoc*.

In Polish, there is no fixed hour at which we begin to use *Dobry wieczór*. It is normally used after dusk, thus, earlier in the day in winter, and later in the day in summer.

Depending on the kind of contact, we use the greetings *Dzień dobry* (for formal contact), or *Cześć* (for informal contact), and the farewells: *Do widzenia* and *Cześć*.

Contact	Greeting	Farewell
formal	*Dzień dobry!*	*Do widzenia!*
	Dobry wieczór!	*Dobranoc!*
	Dzień dobry, panie profesorze!	*Do widzenia, panie profesorze!*
informal	*Cześć!*	*Cześć!*
	Cześć!	*Pa!*
	Cześć Robert!	*Cześć!*

These expressions are not normally used in public places (banks, post offices, shops), but are used in offices.

The questions *Co słychać? Jak się masz?* do not belong to the greeting ritual, but they are treated as asking for information. This is why Poles often answer them telling about their bad mood, their complaints and worries, etc. The interlocutor normally continues the conversation by asking about their problems, offering help, etc.

The following is a probable response to the question *Jak się masz?*:
- *Cudownie = Świetnie = Doskonale.* ++++
- *Bardzo dobrze.* +++
- *Dobrze.* ++
- *Tak sobie.* +
- *Niespecjalnie.* +/-
- *Źle.* –
- *Bardzo źle.* – –
- *Okropnie = Fatalnie = Strasznie.* – – –
- *Beznadziejnie.* – – – –

30

Responding to the questions *Co słychać? Co u ciebie?* we say:

Wszystko w porządku.
Nic nowego.
Po staremu.

1.3.2. Types of language contact

Polish belongs to the languages in which expressing the contact between the speakers is formalized, conveyed linguistically, and thus, very important.

There are two basic **types of contacts**: **official** (formal) and **unofficial** (infor-mal). The official contact holds between strangers, people of different age, or different social status. It serves to express social distance and respect.

Unofficial contact holds between members of a family (especially those of the same age), people who know each other well, and people of the same age and social status. This type of contact serves to express social solidarity.

The Polish speaker defines the type of contact held between him and the person he addresses. In official and polite contact the following forms are used:

⇒ *pan* (Voc. *panie*) to address a man
⇒ *pani* (Voc. *pani*) to address a woman (married or not)
⇒ *państwo* (Voc. *państwo*) to address a man and a woman or a mixed group
⇒ *panowie* (Voc. *panowie*) to address a group of men
⇒ *panie* (Voc. *panie*) to address a group of women

The forms *pan, pani* take a verb in 3rd person sg., and the forms *państwo, panowie, panie* take a verb in 3rd person pl. It will be always marked in the conjugation rules (see 1.2.8.).

In informal contacts, the form *ty* is used. It takes the 2nd person sg. form of the verb.

Official greetings are often accompanied by the titles connected with one's social position, rank, for example:

Dzień dobry, pani dyrektor.
Dzień dobry, panie profesorze.

Often we use then a vocative form, which is replaced by a nominative in unofficial contacts, e.g.

Cześć, Robert!

The forms *pan, pani* are connected with age and social status, which means that we address children with *ty* and adults with *pan, pani*. In the Polish education system, the forms *pan, pani* are used only after the matriculation, i.e. during univer-sity studies.

The contacts within family depend on individual relations among its members, e.g. children and parents. The child may address his father with *Cześć, tato!*; in our text-book, however, we decided on the intermediate variant. Agnieszka uses the informal *ty* but pays respect to her parents saying: *Dzień dobry, tato.*

While the formal nature of some social contacts is predetermined, it is never-the-less possible to change the language of such a conversation from the formal to the informal. Such a change is suggested by the woman to the man, the older to the younger, the one of a higher social rank to the inferior, using the formulas:

Proszę pana/pani, czy możemy przejść na ty?
Proszę mi mówić ty.

N o t e: a Pole will never call himself *pan, pani;* for example identifying himself during a phone conversation, a Pole would say: *Tu Nowak.*

In order to attract someone's attention, in Polish we address him formally i.e. *Proszę pana, Proszę pani.* The clusters like *Panie Kowalski* are not used in such context.

1.3.3. Asking for people's age

In Polish we ask for someone's age in the following way:

formal	informal
Ile pan/pani ma lat?	*Ile masz lat?*

Responding to such a question, we would just give a number, or say:

Mam 21/25/26... lat.	*Mam 22/23/24... lata.*

The form *lata* (Nom. pl.) is used whenever the number ends in 2, 3 or 4. Otherwise we use the form *lat* (Gen. pl.).

N o t e: Asking women for age is considered impolite. One should be careful not to use the adjective *stary, stara* (old), which does not appear in Polish. Following English language habits may cause some awkward situations.

1.4. Powiedz to poprawnie!
Ćwiczenia gramatyczno-syntaktyczne

1.4.1. Use the correct forms of the verb *być*.
Example: *Pan Nowak jest w Krakowie.*
Ja . . . . w Krakowie. Czy ty . . . . w Polsce? My . . . . w Polsce.
Michel też . . . . w Polsce. Michel i Robert . . . . w Krakowie. Agnieszka
i Robert . . . . w Krakowie. Agnieszka . . . . w Krakowie. To . . . . Robert.
Czy wy też . . . . w Polsce?

1.4.2. Use the correct forms of the adjective *dobry*.
Example: *Michel to jest dobry student.*
Pani Maria to . . . . matka. Agnieszka to jest . . . . studentka. Robert to jest
. . . . kolega. Pan Nowak to . . . . ojciec. Literatura hiszpańska to jest
. . . . literatura. Robert to jest . . . . chłopiec. Okęcie to jest . . . .

lotnisko. Pan Nowak to bardzo . . . . profesor. "Jaszczury" to jest . . . .
klub. Pani Maria Nowak to jest bardzo . . . . żona.

1.4.3. Use the correct forms of the verb *mieć*.
Example: *Agnieszka ma 20 lat.*

Ja . . . . 20 lat. On . . . . 20 lat. Czy ona . . . . . . 20 lat? Czy ty . . . . 20 lat?
Agnieszka i Ewa . . . . po 20 lat (20 years each). My . . . . po 20 lat. Czy wy
. . . . po 20 lat?

1.4.4. Use the correct gender of the adjectives *sympatyczny, ambitny i inteligentny* describing people:

Matka Agnieszki jest . . . .
Robert Kowalski jest . . . .
Agnieszka jest . . . .
Francuz jest . . . .
Studentka jest . . . .
Profesor historii jest . . . .
Kolega jest . . . .
Pani Maria jest . . . .

1.4.5. Use the correct forms of the adjective *ładny* describing foreign cities.
Example: *Nowy Jork jest ładny.*

Tokio jest . . . . Czy Moskwa jest . . . .? Tak, Paryż jest bardzo . . . .!
Czy San Francisco jest . . . .? Kalifornia jest bardzo . . . . Berlin jest . . . .
Czy Praga jest . . . .? Londyn jest . . . .

1.4.6. Give negative answers:
Example: *Czy ten profesor jest dobry? Nie, ten profesor nie jest dobry.*

Czy ten student jest inteligentny?

. . . .

Czy ta studentka jest ambitna?

. . . .

Czy ten kolega jest dobry?

. . . .

Czy Michel jest zdolny?

. . . .

Czy Robert jest przystojny?

. . . .

Czy ten profesor jest sympatyczny?

. . . .

1.4.7. Give positive answers paying attention to the right intonation:

Czy Michel jest sympatyczny? Oczywiście, on jest bardzo sympatyczny!

Czy Agnieszka jest ładna?

Oczywiście, ...

Czy Robert jest przystojny?

Oczywiście, ...

Czy Michel jest zdolny?

Oczywiście, ...

Czy ten kolega jest inteligentny?

Oczywiście, ...

Czy ta studentka jest ambitna?

Oczywiście, ...

Czy ten ojciec jest dobry?

Oczywiście, ...

Czy literatura hiszpańska jest dobra?

Oczywiście, ...

Czy to lotnisko jest ładne?

Oczywiście, ...

1.4.8. Give positive answers to questions concerning yourself:

Czy jesteś inteligentny(a)?

Oczywiście, ...

Czy jestcś ładny(a)?

Oczywiście, ...

Czy jesteś sympatyczny(a)?

Oczywiście, ...

Czy jesteś ambitny(a)?

Oczywiście, ...

Czy jesteś zdolny(a)?

Oczywiście, ...

1.5. Czy umiesz to powiedzieć?
Ćwiczenia komunikacyjne

1.5.1. Greet your friend in the morning.

1.5.2. Greet your professor in the afternoon.

1.5.3. Greet the director of the institute in the evening.

1.5.4. Say good bye to your friend.

1.5.5. Say good bye to your instructor in the morning.

1.5.6. Say good bye to the director in the evening.

1.5.7. Check what you know about the heroes of the textbook:

osoba (person)	nazwisko (family name)	wiek (age)	zawód (profession)	on, ona studiuje (studies)
Agnieszka				
Robert				
Michel				
Peter				

1.5.8. Try to introduce yourself to the group giving as much information as you can.

1.5.9. Finish the dialogues:

– Cześć, John.
– Cześć.
– Co słychać?
– . . . .

– Dzień dobry.
– Dzień dobry pani. Jak się pani ma?
– . . . . A pan?
– . . . .

2.1. Chcę pani przedstawić...

2.1.1. Kraków. Mieszkanie państwa Nowaków. Nowakowie czekają na Agnieszkę. Dzwonek.

Pani N.	To na pewno Agnisia.
Agnieszka:	Dobry wieczór, mamusiu. Dobry wieczór, tatusiu.
Pan N.:	Dobry wieczór.
Agnieszka:	Cieszę się, że jestem w domu.
Pan N.:	My też się cieszymy.
Pani N.:	Dobry wieczór, Robert. Proszę wejść.
Robert:	Dobry wieczór. Chciałbym pani przedstawić kolegę.
Michel:	Michel Deschamps.
Pani N.:	Maria Nowak.
Michel:	Bardzo mi miło panią poznać.
Pani N.:	Miło mi.

2.1.2. Mieszkanie państwa Nowaków. Pani Nowak rozmawia z Robertem i Michelem.

Pani N.: Proszę zostać na kolację.

Robert: Dziękuję bardzo, ale nie mogę. Michel jest bardzo zmęczony. Chcę zawieźć go do akademika.
Pani N.: Jaka szkoda! Do widzenia panu. Proszę nas kiedyś odwiedzić.
Michel: Dziękuję bardzo. Do widzenia pani.

37

Michel: Dobry wieczór.
Pani: Dobry wieczór.
Michel: Jestem Michel Deschamps.
Mam tu mieszkać.
Pani: Tak, jest pan na liście. Proszę paszport.

2.1.5. Hotel studencki. Pokój 207. Są tu Peter i Miyuki. Wchodzą Michel i Robert.

2.1.6. Dom studencki. Pokój 207. Później. Są tu Michel i Peter.

Michel: Oh, pić!... Czy mogę tu coś kupić?
Peter: Tak, jest tu kawiarnia i klub. Klub jest już zamknięty, ale kawiarnia jest otwarta. Wiesz, ja mam piwo... Jeśli chcesz...
Michel: Proszę, jeśli jesteś tak miły. Ale potem chcę zobaczyć kawiarnię. Pójdziesz?
Peter: Chętnie.

2.1.3. Mieszkanie Nowaków. Agnieszka żegna Michela.

Agnieszka: Cześć, Michel. To jest moja wizytówka. Proszę mnie odwiedzić!
Michel: Dziękuję za wszystko. Cześć.

2.1.4. Uniwersytet Jagielloński. Instytut Polonijny. Hotel studencki. Recepcja.

Michel: Cześć, jestem Michel. Mam tu mieszkać.
Peter: Cześć. Mam na imię Peter. A to nasza sąsiadka, Miyuki.
Miyuki: Cześć.
Michel: Przepraszam, ale wy się nie znacie. To jest Robert, mój kolega. To prawdziwy polski student.

Vocabulary

akademik (m G akademika) *dormitory*
chcieć + G (chcę, chcesz Cond. chciałbym)
to want
chętnie Adv. *willingly, with pleasure*
coś *something*
do widzenia *good bye*
dziękować + za + Ac. (dziękuję, dziękujesz
Imperf.) *to thank for*
dzwonek (m G dzwonka) *bell*
hotel (m G hotelu) *hotel*
imię (n G imienia!) *first name, Christian name*
instytut (m G instytutu) *institute*
jaki, jaka, jakie *what... like, what, which*
jeśli *if*
kawiarnia (f G kawiarni) *café*
kiedyś *sometime*
kolacja (f G kolacji) *supper*
kupić + Ac. (kupię, kupisz Perf.) *to buy*
lista (f G listy, L na liście) *list, register*
mamusia (f G mamusi, Voc. mamusiu)
mummy
mieszkać + w + L (mieszkam, mieszkasz
Imperf.) *to live, to stay*
miło Adv. *agreeably, nice*; → miło mi pana
poznać *nice to meet you*
miły, -a, -e Adj. *nice*
móc + Infin. (mogę, możesz Cond. mógłbym
Imperf.) *can, to be able to*
mój, moja, moje *my, mine*
my *we*
na + Ac. *for*
nasz, nasza, nasze *our, ours*
odwiedzić + Ac (odwiedzę, odwiedzisz Perf.)
to visit, to come to see
otwarty, -a, -e Adj. *open*

państwo (n G państwa) *Mr. and Mrs.*
paszport (m G paszportu) *passport*
pewno, na pewno Adv. *certainly, for sure*
pić + Ac. (piję, pijesz Imperf.) *to drink*
piwo (n G piwa) *beer*
pójść (pójdę, pójdziesz Perf.) *to go (on foot)*
pokój (m G pokoju) *room*
potem *later, next, then*
poznać + Ac. (poznam, poznasz Perf.) *to get
to know, to meet*
później *later*
prawdziwy -a, -e *true*
przedstawić + Ac. (przedstawię, przedstawisz
Perf.) to *introduce*
recepcja (f G recepcji) *reception desk*
sąsiadka (f G sąsiadki) *neighbour*
studencki, -a, -e Adj. *student*
szkoda, jaka szkoda! *what a pity!*
tatuś (m G tatusia, Voc. tatusiu) *dad*
uniwersytet (m G uniwersytetu, L na uniwersytecie) *university*
wejść (wejdę, wejdziesz Perf.) *to enter*;
→ proszę wejść *please, come in!*
wieczór (m G wieczora) *evening*; → dobry
wieczór *good evening*
wizytówka (f G wizytówki) *(visiting) card*
za + Ac. *for*
zamknięty, -a, -e Adj. *closed*
zawieźć (zawiozę, zawieziesz Perf.) *to carry,
to convey*
zmęczony, -a, -e Adj. *tired*
znać + Ac. (znam, znasz, znają Imperf.) *to
know (a person)*
zostać + na + Ac. (zostanę, zostaniesz Perf.)
to stay for

CZY UMIESZ JUŻ LICZYĆ?

11. jedenaście
12. dwanaście
13. trzynaście
14. czternaście
15. piętnaście
16. szesnaście
17. siedemnaście
18. osiemnaście
19. dziewiętnaście
20. dwadzieścia

Narody, państwa i ich mieszkańcy

państwo (Noun)	naród		przymiotnik (Adj.)	ludzie mówią (+ Adv.)
	mężczyzna (Noun)	*kobieta* (Noun)		
Polska	Polak	Polka	polski	po polsku
Niemcy (pl.)	Niemiec	Niemka	niemiecki	po niemiecku
Czechy (pl.)	Czech	Czeszka	czeski	po czesku
Słowacja	Słowak	Słowaczka	słowacki	po słowacku
Ukraina	Ukrainiec	Ukrainka	ukraiński	po ukraińsku
Białoruś	Białorusin	Białorusinka	białoruski	po białorusku
Litwa	Litwin	Litwinka	litewski	po litewsku
Rosja	Rosjanin	Rosjanka	rosyjski	po rosyjsku
Francja	Francuz	Francuzka	francuski	po francusku
Hiszpania	Hiszpan	Hiszpanka	hiszpański	po hiszpańsku
Wielka Brytania	Anglik	Angielka	angielski	po angielsku
Włochy (pl.)	Włoch	Włoszka	włoski	po włosku
Izrael	Izraelczyk	Izraelka	izraelski	po hebrajsku
Kanada	Kanadyjczyk	Kanadyjka	kanadyjski	po angielsku
USA	Amerykanin	Amerykanka	amerykański	po angielsku
Brazylia	Brazylijczyk	Brazylijka	brazylijski	po portugalsku
Australia	Australijczyk	Australijka	australijski	po angielsku
Japonia	Japończyk	Japonka	japoński	po japońsku
Chiny	Chińczyk	Chinka	chiński	po chińsku
twoje państwo:	twój naród:			twój język:

Warto zapamiętać te słowa!
RODZINA

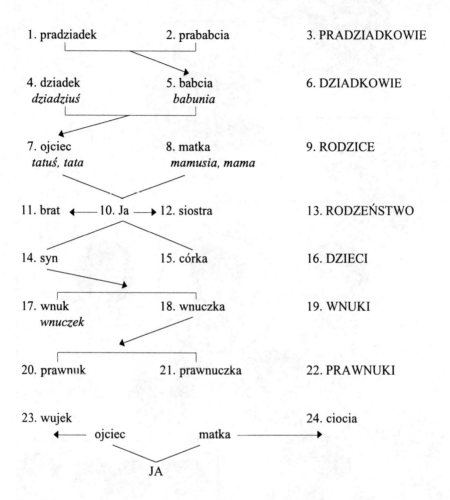

1. pradziadek   2. prababcia   3. PRADZIADKOWIE

4. dziadek   5. babcia   6. DZIADKOWIE
   dziadziuś   *babunia*

7. ojciec   8. matka   9. RODZICE
   tatuś, tata   *mamusia, mama*

11. brat ◄─── 10. Ja ──► 12. siostra   13. RODZEŃSTWO

14. syn   15. córka   16. DZIECI

17. wnuk   18. wnuczka   19. WNUKI
   wnuczek

20. prawnuk   21. prawnuczka   22. PRAWNUKI

23. wujek   24. ciocia

◄─── ojciec   matka ───►

JA

2.2. Gramatyka jest ważna

2.2.1. Accusative singular of nouns

Compare the nominative and accusative singular forms in the following sentences:

Verb	Nom. sg.	Verb	Acc.	endings
To jest	*paszport.*	*Proszę*	*paszport.*	
To jest	*pokój.*	*Mam*	*pokój.*	Acc. = Nom.
To jest	*akademik.*	*Znam*	*akademik.*	
To jest	*student.*	*Znam*	*studenta.*	
To jest	*Robert.*	*Znam*	*Roberta.*	-*a*
To jest	*Jan Nowak.*	*Znam*	*Jana Nowaka.*	
To jest	*kolega.*	*Mam*	*kolegę.*	-*ę*
To jest	*studentka.*	*Znam*	*studentkę.*	
To jest	*sąsiadka.*	*Znam*	*sąsiadkę.*	-*ę*
To jest	*Agnieszka.*	*Znam*	*Agnieszkę.*	(except:
To jest	*mama.*	*Znam*	*mamę.*	*panią*)
To jest	*pani Nowak.*	*Znam*	*panią Nowak.*	
To jest	*imię.*	*Znam*	*imię.*	Acc. =
To jest	*nazwisko.*	*Znam*	*nazwisko.*	Nom.

As you can see, the accusative form of male inanimate nouns (i.e. names of things – see 1.2.2.) and neuter nouns is the same as nominative. Male animate nouns take the ending -*a*, which is added to the stem. Male nouns ending in -*a* and the feminine nouns take the ending -*ę* (except the form *panią),* which replaces the nominative ending -*a*.

The accusative form is used for the direct object following transitive verbs.

2.2.2. Accusative singular of modifiers

In Polish, the function of noun modifiers may be performed by adjectives, pronouns and ordinal numerals. All of them change in the same way, which is called an adjective – pronoun inflection.

Verb	Nom. sg.	Verb	Acc. sg.
To jest	*ładny pokój.*	*Mam*	*ładny pokój.*
To jest	*zdolny student.*	*Znam*	*zdolnego studenta.*
To jest	*polski student.*	*Znam*	*polskiego studenta.*
To jest	*dobry kolega.*	*Mam*	*dobrego kolegę.*
To jest	*dobra studentka.*	*Znam*	*dobrą studentkę.*
To jest	*miła sąsiadka.*	*Mam*	*miłą sąsiadkę.*
To jest	*ładne imię.*	*Masz*	*ładne imię.*

Adjectives referring to masculine inanimate and neuter nouns take in the accusative the same forms as in the nominative. Masculine adjectives referring to animate nouns take in the accusative the -*ego* ending, and female adjectives, the ending -*ą*. Note that the singular -*i*- appears between the stems ending in *k, g,* and the ending -*ego*. The -*i*- marks palatalization of *k* and *g*.

43

2.2.3. Accusative of personal pronouns

Nom.	ja	ty	on	ona	ono	my	wy	oni	one
Acc.	mnie	cię ciebie	go jego niego	ją nią	je nie	nas	was	ich nich	je nie

If there are two forms of the accusative, then the shorter one is used after a verb, e.g. *Znam go. Kocham cię.*

The longer form is used at the beginning of a sentence in order to juxtapose or stress a bit of information, e.g.

— *Znasz Basię i Piotra?*
— *Znam ją, ale jego nie znam.*

The forms beginning with *ni-* are used only after prepositions. e.g.:

— *Czekasz na Roberta?*
— *Czekam na niego.*

— *Czekasz na Ewę?*
— *Nie, nie czekam na nią.*

2.2.4. Conjugation of the verb *chcieć* in the present tense. The *-ę, -esz* conjugation

CHCIEĆ (to want)					
1.	(ja)	chc-ę	1.	(my)	chce-my
2.	(ty)	chc-esz	2.	(wy)	chce-cie
3.	on, pan		3.	oni, państwo,	
	ona, pani	chc-e		panowie	chc-ą
	ono, to			one, panie	

In Polish, many verbs belong to the conjugation *-ę, -esz*, e.g. the verbs with the infinitive suffix *-ować, -iwać, -ywać*. It is worthy of note that the verbs with the morpheme *-ować, -iwać, -ywać* in the infinitive take the morpheme *-uję* in the present tense and are inflected in the same way as the verb *studiować*.

STUDIOWAĆ (to study)					
1.	(ja)	studiuj-ę	1.	(my)	studiuj-emy
2.	(ty)	studiuj-esz	2.	(wy)	studiuj-ecie
3.	on, pan		3.	oni, państwo,	
	ona, pani	studiuj-e		panowie	studiuj-ą
	ono, to			one, panie	

2.2.5. Syntactic structures

Accusative questions:

a) asking about people:

Kogo znasz? *Znam Agnieszkę. Znam ją.*
Kogo pani zna? *Znam Roberta. Znam go.*

b) asking about things: Positive answer:

Co masz? *Mam* + Ac.
Co studiujesz? *Studiuję* + Ac.
Co pani ma?
Co pani studiuje?

c) yes/no question: Answer:

(Czy) znasz + Ac. *Tak, znam* + Ac. *Nie, nie znam.*
 Znam + Ac. *Nie, nie znam* + Gen.

d) complex sentence:

Wiem, że + subordinate clause.
Czy wiesz, że Michel jest tu?
Wiem, że Michel jest tu.
Nie wiem, czy Michel jest tu.

2.3. Jak to powiedzieć?

2.3.0. Introducing oneself and introducing other people

2.3.1. Introducing oneself

Official introduction requires giving one's family name or forename and family name. Two formulas are used for this purpose:

	forename *imię*	family name *nazwisko*
Nazywam się		*Kowalski.*
Nazywam się	*Jan*	*Kowalski.*
Jestem	*Robert*	*Nowak.*

In unofficial introduction, the forename suffices, often in a diminutive:

Jestem Robert. *Jestem Maria.*
Na imię mi Robert. *Na imię mi Marysia.*

(*na imię mi* = my name is)

In Poland it is not a custom to introduce oneself in public places, at meetings, before delivering a speech, etc. That is why, normally a chairman would ask a speaker to introduce himself.

2.3.2. Introducing other people

Introducing someone formally, we use the following formulas:

Proszę pani, chciałbym pani przedstawić + Ac.
Proszę pana, chciałbym panu przedstawić + Ac.
(Sir/Madam, let me introduce Mr./Mrs ...)

The formal response to this introduction is:

Bardzo mi miło panią (pana) poznać. (Nice to meet you.)
Often it is shortened to: *Bardzo mi miło.*

Unofficial introduction is often preceded by the question:

Przepraszam, czy wy się znacie?
(Do you know each other?)
(Przepraszam,) czy znasz + Ac.?
e.g. *Przepraszam, czy znasz Roberta?*

The form of informal introduction is:

Chcę ci przedstawić + Ac.
e.g. *Chcę ci przedstawić kolegę. To jest Robert, polski student.*

We react to such a presentation with the expressions: *Bardzo mi miło* or *Cześć*.
Attention: Introducing themselves, Poles usually pronounce their names very fast
and indistinctly, not realizing that especially their family names are hard to pronounce
and remember for foreigners. Do not hesitate to ask them to repeat their names once
more, using the phrases:

Przepraszam panią (pana), czy może pani (pan) powtórzyć + Ac.
e.g. *Przepraszam panią, czy może pani powtórzyć swoje nazwisko?*
Przepraszam pana, czy może pan powtórzyć swoje imię?
Przepraszam, czy możesz powtórzyć swoje imię?

2.3.3. Using diminutives of names

Polish names always have their official form stated in documents, and the unofficial form used in the family circle, among friends, etc. The semantic characteristic
feature of diminutives is that they express intimacy and a friendly attitude on the part
of the speaker. Their phonetic characteristic feature is that they often contain soft
consonants (*ś, ź, ć, dź, ń*), e.g.

Anna — Ania	*Adam — Adaś*
Agnieszka — Agnisia	*Jan — Janek, Jaś*
Barbara — Basia	*Jerzy — Jurek*
Katarzyna — Kasia	*Krzysztof — Krzysiek, Krzyś*
Krystyna — Krysia	*Marek — Mareczek*
Maria — Marysia	*Wojciech — Wojtek, Wojtuś*

Diminutives are also used in formal dealings, with a certain degree of intimacy, and thus we may hear such expressions as:

- *pani Ania*
- *pani Basia*
- *pan Janek*
- *pan Krzyś*

2.3.4. Using the expression *przepraszam*

Please, keep in mind that *przepraszać* is a regular verb, conjugated in the present tense like *mam, masz*.

The expression *przepraszam* is used in several situations: 1) before the action, asking for permission to do something (e.g. when we want to pass in a crowd of people); 2) after the action, if it disturbed someone; 3) when one feels guilty and asks for forgiveness (like in the English "I am sorry").

2.4. Powiedz to poprawnie!

2.4.1. Use nouns and adjectives in the accusative singular:
Example: *To jest pani Maria. Czy znasz panią Marię?*

To jest Robert Kowalski. Czy . . . .

To jest Agnieszka Nowak. Czy . . . .

To jest Maria Nowak. Czy . . . .

To jest Jan Nowak. Czy . . . .

To jest Michel. Czy . . . .

To jest język polski. Czy . . . .

To jest literatura polska. Czy . . . .

To jest Polska. Czy . . . .

To jest Warszawa. Czy . . . .

To jest Kraków. Czy. . . . .

To jest mój kolega. Czy . . . .

To jest moja koleżanka. Czy . . . .

2.4.2. Use the correct forms of the verb *znać*:
Example: *Czy pani zna Roberta?*

Ja nie . . . . Michela. Czy wy . . . . Roberta? Pan profesor . . . .

Agnieszkę. My . . . . dobrze Michela. Czy ty . . . . Petera? Agnieszka

i Robert . . . . Michela. Czy Michel . . . . język polski? Czy ty . . . .

Warszawę i Kraków?

2.4.3. Use the correct forms of the verb *studiować*:
   Example: *Agnieszka studiuje język hiszpański.*

My . . . . język polski. Czy ty . . . . język francuski? Tak, ja . . . . . . język francuski i hiszpański. Robert . . . . język angielski. Michel i Peter . . . . język polski. Wy . . . . język polski?

2.4.4. Use the correct forms of the verb *chcieć*:
   Example: *Peter chce studiować język polski.*

My . . . . studiować język polski. Czy ty . . . . studiować historię? Ja nie, ale Michel . . . . studiować historię. Czy wy . . . . studiować w Warszawie? My nie, ale oni . . . . studiować w Warszawie. Robert . . . . studiować ekonomię, ale Agnieszka nie . . . . Robert i Agnieszka . . . . być w Krakowie. Czy pan . . . . studiować język francuski? Ja nie, ale pani . . . .

2.4.5. Use the correct forms of the adjective *ładny*:
   Example: *Mam ładny pokój.*

Znam . . . . studentkę. Masz . . . . kolegę. Agnieszka ma . . . . chłopca. Znam . . . . lotnisko. Czy znasz . . . . studenta? Czy ona ma . . . . matkę? Czy on ma . . . . ojca? Znamy . . . . kawiarnię. Czy znasz . . . . klub?

2.4.6. Use the correct forms of the modifiers:
   Example: *Masz (ładny) ładne imię.*
Mam (miły) . . . . sąsiadkę. Znasz (dobry) . . . . studentkę. Mamy (dobry) . . . . kolegę. Czy znasz tego (polski) . . . . studenta? Znacie (zdolny) . . . . studenta? Czy masz (ładny) . . . . pokój? Mam bardzo (dobry) . . . . ojca i bardzo . . . . matkę.

2.4.7. Use the correct forms of personal pronous:
   Example: *Znasz Roberta? Tak, znam go dobrze!*

Znasz mnie? Tak, ...

Znasz Agnieszkę? Tak, ...

Znasz Michela? Tak, ...

Znasz panią Nowak? Tak, ...

Znasz nas? Tak, ...

Znasz Petera i Michela? Tak, ...

Znasz Agnieszkę i Ewę? Tak, ...

2.4.8. Use nouns and adjectives in the accusative singular:
Example: *Robert studiuje ekonomię (ekonomia).*

Agnieszka studiuje . . . . (literatura hiszpańska).
My studiujemy. . . . . (biologia). Czy wy studiujecie
. . . . (historia). Oni studiują . . . . (socjologia),
a one studiują . . . . (język angielski). Czy on studiuje
. . . . (filozofia)? Ty studiujesz . . . .
(architektura), a ona studiuje . . . . (sztuka).

2.4.9. Replace nouns using personal pronouns in the accusative singular:
Example: *Czy Michel czeka na Roberta? Tak, czeka na niego.*

Czy Robert czeka na Agnieszkę? Tak, ...
Czy Peter czeka na mnie? Tak, ... (ty)
Czy Michel czeka na Petera? Tak, ...
Czy Adam czeka na ciebie? Tak, ... (ja)
Czy pani Maria czeka na was? Tak, ... (my)

2.5. Czy umiesz to powiedzieć?

2.5.0. Do you remember what happened in the first lesson? Say it in Polish using the present tense.

2.5.1. Introduce yourself to a student.

2.5.2. Introduce yourself to the instructor.

2.5.3. Introduce yourself to your professor.

2.5.4. You would like to introduce your colleague to other students. What would you say?

2.5.5. Together with your friend you are waiting for somebody you have never met. Introduce yourself and your friend following the model:

— Przepraszam, czy pani Ewa Kowalska?
— Tak.
— Jestem . . . . A to . . . .
— Bardzo mi miło.

— Przepraszam, czy pan Jan Nowak?
— Tak.
— Nazywam się . . . . A to . . . .
— Miło mi pana (panią) poznać.

2.5.6. Introduce your friend to the professor, following the model:

Proszę . . . . (1) . . . ., chciałbym . . . . (2) . . . . przedstawić

. . . . (3) . . . . To jest . . . . (4) . . . .

Proszę . . . . (1) . . . ., chciałabym . . . . (2) . . . . przedstawić

. . . . (3) . . . . To jest . . . . (4) . . . .

> 1: *pana, pani*
> 2: *panu, pani*
> 3: *kolegę, koleżankę*
> 4: your colleague's name

2.5.7. Answer the questions concerning yourself:

Jak masz na imię? . . . .

Jak się nazywasz? . . . .

Jak się masz? . . . .

Czy jesteś zmęczony (zmęczona)? . . . .

Co studiujesz? . . . .

Czy masz brata? . . . .

Czy masz siostrę? . . . .

2.5.8. You would like to get to know somebody. Ask him or her as many questions as you can.

2.5.9. Following the model from 2.5.6. introduce your brother and sister to your professor.

> 1: *pana, pani*
> 2: *panu, pani*
> 3: *brata, siostrę*
> 4: your brother's name, your sister's name

2.5.10. Following the model from 2.5.6. introduce your parents to your professor:

> 1: *pana, pani*
> 2: *panu, pani*
> 3: *matkę, ojca*
> Your parents should tell him or her their names.

2.5.11. Ask your classmates some questions in order to find out who has one brother and one sister.

Lekcja 3

3.1. Jaki on jest naprawdę?

3.1.1. Michel jest Francuzem. Przedtem mieszkał w Lille, a teraz mieszka w Krakowie. Studiuje język i kulturę polską w UJ. Michel jest pilnym studentem.

On mówi biegle po francusku (jest Francuzem!), dobrze po angielsku i dość dobrze po polsku.

Michel zawsze interesował się kulturą, polityką i ekonomią. Teraz interesuje się specjalnie kulturą polską i polskimi problemami. On chce być dziennikarzem.

Michel ma kolegę, Roberta. Robert jest polskim studentem.

On studiuje ekonomię. Jest dobrym studentem. Chce być biznesmenem. To jego marzenie.

Robert ma dziewczynę. Ona ma na imię Agnieszka. Jest Polką. Studiuje język i literaturę hiszpańską. Interesuje się literaturą, filmem i muzyką. Teraz zaczęła interesować się Michelem.

3.1.2. Kraków. Mieszkanie Agnieszki. Agnieszka rozmawia z Robertem.

Agnieszka: Słuchaj, Robert, jak długo znasz Michela?
Robert: Właściwie już trzy lata, ale widziałem go tylko kilka razy.
Agnieszka: Poznałeś go w Krakowie?
Robert: Tak, był tu z grupą trzy lata temu. Byli w "Jaszczurach" – to był koncert jazzowy – i tam się poznaliśmy.
Agnieszka: Jest bardzo sympatyczny.
Robert: Tak, poza tym bardzo inteligentny i w ogóle – interesujący.

51

Agnieszka: Tak myślę. A czym on się interesuje?

Robert: Nie wiem dokładnie. Ale na pewno interesuje się kulturą, polityką, teraz językiem i kulturą polską. No i dziewczynami!

Agnieszka: Naprawdę?

Robert: Oczywiście. Jest bardzo przystojny, nie?

Agnieszka: No, nie jest brzydki. Nie wiesz, czy ma dziewczynę?

3.1.3. Michel mieszka z Peterem. Peter jest Niemcem. Interesuje się kulturą słowiańską. Bardzo lubi poezję rosyjską, nawet sam pisze wiersze po niemiecku. Peter też studiuje w UJ. Teraz rozmawia z Michelem.

Michel: Dobrze mówisz po polsku. Jak długo studiowałeś język polski?

Peter: Nie studiowałem wcale.

Michel: Niemożliwe! Przecież znasz język polski!

Peter: Tak, trochę. Ale studiowałem język rosyjski. Miałem kontakty z Polską, Polakami... Kiedy byłem w Polsce, chciałem rozumieć po polsku, potem mówić... Tak nauczyłem się trochę.

Michel: Znasz francuski?

Peter: Tak, uczyłem się, ale znam słabo. Lepiej znam angielski.

Michel: Dlaczego studiujesz język polski?

Peter: A dlaczego nie!? Interesuję się kulturami słowiańskimi, więc...

Vocabulary

biegle Adv. *fluently*
biznesmen (m G biznesmena) *businessman*
brzydki, -a, -e Adj. *ugly*
czytać + Ac. + o + L (czytam, czytasz, czytają Imperf.) *to read*

dlaczego *why*
długo Adv. *for a long time*
dobrze Adv. *well;* → **dość dobrze** *rather well*
dokładnie Adv. *exactly, precisely*
dziennikarz (m G dziennikarza) *journalist*

dziewczyna (f G dziewczyny) *girl*
film (m G filmu) *film, moving picture, movie*
grupa (f G grupy) *group*
interesować (interesuję, interesujesz Im-perf.) *to interest*
interesować się + I (interesuję się, interesujesz się) *to be interested in*
interesujący, -a, -e Adj. *interesting*
jazzowy, -a, -e Adj. *jazz*
kiedy *when*
kilka *some, a few, several*; → **kilka razy** *few times*
koncert (m G koncertu) *concert*
kontakt (m G kontaktu) *contact*
kultura (f G kultury) *culture*
lepiej *better*
lubić + Ac. (lubię, lubisz Imperf.) *to like*
marzenie (n G marzenia) *dream, daydream*
mówić + Ac. + o + L (mówię, mówisz Im-perf.) *to speak, to say*; → **mówić po polsku** *to speak Polish*
muzyka (f G muzyki) *music*
myśleć + o + L (myślę, myślisz Imperf.) *to think*
na + Ac.; + L *on, at, in*
naprawdę *truly, really, indeed*
nauczyć + G (nauczę, nauczysz Perf.) *to teach*
nauczyć się *to learn*
nawet *even*
niemiecki, -a, -e Adj. *German*; → **po niemiecku** *German*
niemożliwy, -a, -e Adj. *impossible*
no *well, so, now, then*
pilny, -a, -e Adj. *diligent, hardworking*
pisać + Ac. (piszę, piszesz Imperf.) *to write*
po (in expressions **po polsku, po niemiecku**) see **niemiecki**

poezja (f G poezji) *poetry*
polityka (f G polityki) *politics*
Polka (f G Polki) *Pole, Polish*
polski, -a, -e Adj. *Polish*
poza tym *besides*
problem (m G problemu) *problem*
przecież *after all, yet, still*
przedtem *before*
rosyjski, -a, -e Adj. *Russian*
rozumieć + Ac. (rozumiem, rozumiesz, rozumieją Imperf.) *to understand*
sam, sama, samo *alone*
słabo Adv. *weak*
słowiański, -a, -e Adj. *Slavic*
słuchać + G (słucham, słuchasz Imperf.) *to listen*
specjalnie Adv. *especially*
trochę *a little, a bit*
trzy lata temu *three years ago*
tylko *only*
uczyć się + G (uczę się, uczysz się Imperf.) *to learn*
w ogóle *in general*
wcale *at all*
widzieć + Ac. (widzę, widzisz Imperf.) *to see*
wiedzieć + Ac (wiem, wiesz, wiedzą Imperf.) *to know (an information)*
wiersz (m G wiersza) *verse*
właściwie *exactly*
z + I *with*
zacząć + Ac. (zacznę, zaczniesz Perf.) *to begin, to start*
zawsze *always, ever*
znać + Ac. (znam, znasz, znają Imperf.) *to know (a person or a place, city etc.)*

CZY UMIESZ JUŻ LICZYĆ?

20. dwadzieścia
30. trzydzieści
40. czterdzieści
50. pięćdziesiąt
60. sześćdziesiąt

70. siedemdziesiąt
80. osiemdziesiąt
90. dziewięćdziesiąt
100. sto

Warto zapamiętać te słowa!

CECHY CZŁOWIEKA
(adjectives)

1. wysoki	2. niski	3. ładny
4. brzydki	5. piękny	6. bardzo brzydki
7. szczupły	8. gruby	9. młody
10. stary	11. zdrowy	12. chory
13. czysty	14. brudny	15. dobrze zbudowany
16. źle zbudowany	17. bogaty	18. biedny

3.2. Gramatyka jest ważna

3.2.1. Conjugation of the verb *mówić* in the present tense. Conjugation *-ę, -isz*

MÓWIĆ (to speak)					
1.	*(ja)*	*mówi-ę*	1.	*(my)*	*mów-imy*
2.	*(ty)*	*mów-isz*	2.	*(wy)*	*mów-icie*
3.	on, pan		3.	oni, państwo,	
	ona, pani	*mów-i*		*panowie*	*mówi-ą*
	ono, to			*one, panie*	

3.2.2. Conjugation of verbs in the past tense

All Polish verbs follow the same pattern to form past tense, even the irregular verbs. Only the infinitive stem may cause some problems, because the last syllable of the stem may undergo alternations, so it is necessary to pay attention to that. Another difficulty is gender expressed in the past tense forms. As it has been said, in the present tense there are three genders (masculine, feminine, neuter). Usually, masculine and feminine genders are used, neuter being employed only in the third person.

In plural, there are only two genders: virile and nonvirile. Virile is used whenever we refer to groups of men (*panowie*), or groups of people comprising at least one man (*państwo*). In reference to groups of women, animals or things we use nonvirile gender.

BYĆ (to be) – past tense			
sg.	masc.	fem.	neut.
1. *(ja)*	*by-łem*	*by-łam*	–
2. *(ty)*	*by-łeś*	*by-łaś*	–
3. *on, pan*	*by-ł*	–	–
ona, pani		*by-ła*	–
ono, to		–	*by-ło*

pl.	virile	nonvirile
1. *(my)*	*by-liśmy*	*by-łyśmy*
2. *(wy)*	*by-liście*	*by-łyście*
3. *oni, państwo*		
panowie	*by-li*	–
one, panie	–	*by-ły*

As you can see, the past tense is formed by adding to the infinitive stem (*by-*) groups of morphemes which have particular functions.

Here are the constituent parts of the form *byłaś*.

by	ł	a	ś
infinitive stem	past tense morpheme	fem. gender morpheme	2nd person ending

Remember that the past tense 2nd person sg. ending is -*ś*, and the present tense 2nd person sg. ending is -*sz* (except for *jesteś*). This rule will help you to avoid many spelling mistakes!

In order to see how our rules for forming the past tense work let us consider the past tense of three verbs: *mieć* (masculine forms), *przepraszać* (feminine forms), and *mówić* (masculine forms):

	masculine	feminine	masculine
1. (ja)	*mia-łem*	*przeprasza-łam*	*mówi-łem*
2. (ty)	*mia-łeś*	*przeprasza-łaś*	*mówi-łeś*
3. on, pan	*mia-ł*		*mówi-ł*
ona, pani		*przeprasza-ła*	
ono			
1. (my)	*mie-liśmy*	*przeprasza-łyśmy*	*mówiliśmy*
2. (wy)	*mie-liście*	*przeprasza-łyście*	*mówiliście*
3. oni, państwo	*mie-li*		*mówi-li*
panowie			
one, panie		*przeprasza-ły*	

3.2.3. Instrumental singular and plural of nouns

	Nom. sg.	Nom.	V	Instr.
To jest	*Francuz.*	*Michel*	*jest*	*Francuz-em.*
To jest	*profesor.*	*Pan Nowak*	*jest*	*profesor-em.*
To jest	*student.*	*Michel*	*jest*	*student-em.*
To jest	*historyk.*	*Pan Nowak*	*jest*	*historyki-em.*
To jest	*Polak.*	*Robert*	*jest*	*Polaki-em.*
To jest	*kolega.*	*Michel*	*jest*	*koleg-ą.*
To jest	*Polka.*	*Agnieszka*	*jest*	*Polk-ą.*
To jest	*studentka.*	*Ona*	*jest*	*studentk-ą.*
To jest	*dziewczyna.*	*Ona*	*jest*	*dziewczyn-ą.*
To jest	*dziecko.*	*Krzyś*	*jest*	*dziecki-em.*
To są	*Ania i Krzyś.*	*Oni*	*są*	*uczni-ami.*

The instrumental singular of masculine nouns ending in a consonant is formed by adding the ending -*em* to the stem. Stems with -*k*, -*g* in the final position are palatalized before the ending *-em*, which is marked by the *-i-* preceding the ending, e.g. *Robert jest Polakiem.*

The ending *-em* is also used to form the instrumental sg. of the neuter nouns. In this case, the ending *-em* replaces the nominative ending *-o, -e, -ę.* Here as well the *-k, -g* at the end of the stem is palatalized, e.g. *Krzyś jest dzieckiem.*

The instrumental sg. of feminine nouns (and those masculine nouns which end in *-a*) is formed by adding the ending *-ą.*

Instrumental plural of all genders is formed by adding the ending *-ami* to the stem, e.g.:

*Agnieszka i pani Nowak są **Polkami.***
*Agnieszka, Robert i pan Nowak są **Polkami.***
*Agnieszka, Michel i Robert są **studentami.***
Exception: *Ania i Krzyś są **dziećmi.***

3.2.4. Syntactic functions of the instrumental, part 1

A. Predicative word of a compound predicate takes instrumental, if the predicative word is a single noun or a noun and an adjective, e.g.:

*Jestem **Polką.***
*Michel jest **Francuzem.***
*Robert był **studentem.***
*Agnieszka jest **miłą dziewczyną.***

This is a basic syntactic structure in Polish. Foreigners commit many mistakes replacing the instrumental with the nominative.

N o t e: If the predicative word is a single adjective, then it takes the nominative, e.g.:

Michel jest zdolny i inteligentny.
Agnieszka jest bardzo ładna i ambitna.

B. After certain verbs, the object also takes the instrumental case, e.g. after the verb *interesować się*:

*Michel interesuje się **kulturą i polskimi problemami.***
*Agnieszka zaczęła interesować się **Michelem.***

N o t e: The noun in the instrumental case directly follows the verb (i.e. there are no prepositions in between).

3.2.5. Instrumental singular and plural of modifiers

*Michel jest **pilnym studentem.***
*Robert jest **polskim studentem.***
*Robert jest **dobrym kolegą.***
*Agnieszka jest **ambitną dziewczyną.***
*Krzyś jest **miłym dzieckiem.***

57

The masculine and neuter modifiers in the instrumental normally take the ending -*ym*. After the stems ending in a soft consonant (*ś, ź, ć, dź, ń*) and -*k*, -*g*, they take the ending -*im*.

Feminine modifiers take the ending -*ą* in the instrumental.

In instrumental plural, modifiers of all genders take the ending -*ymi* after stems ending in hard consonants and -*imi* after stems ending in soft consonants and -*k*, -*g*, e.g.:

> *Michel interesuje się polskimi problemami.*
> *Michel i Robert są dobrymi studentami.*

3.2.6. Instrumental of personal pronouns

Nom.	ja	ty	on	ona	ono	my	wy	oni	one
Instr.	mną	tobą	nim	nią	nim	nami	wami	nimi	nimi

3.3. Jak to powiedzieć?

3.3.0. Asking for information

Obtaining information is important in general, but particularly in a foreign language, in which we describe the world which is unknown to us. At the same time it is common that during language classes it is the teacher who asks questions, and the student who answers. In order to teach the students how to ask questions, we present the way they are constructed and their various forms.

Questions beginning with uninflected words, like *czy, gdzie, kiedy, dlaczego, jak*, are not difficult, as to the ordinary sentence pattern (subject, predicate, object) we simply add an interrogative pronoun. The difficulty connected with the questions beginning with the inflected pronouns *kto, co, jaki, jaka, jakie* consists in the fact that the pronoun opening the sentence has to take the same form as the missing piece of information to be contained in the answer. Thus, asking for a subject, we will begin the question with *kto? co?*, asking for a direct object we will begin with *kogo? co?*, and asking for an indirect object -*kim? czym?*, etc.

3.3.1. Identifying people and things

Kto to jest?	*To jest Agnieszka Nowak.*
Kto to?	*(To) Agnieszka.*
Jak on się nazywa?	*On nazywa się Kowalski.*
Jak ona ma na imię?	*Ona ma na imię Maria.*
Kim on jest?	*On jest Francuzem.*
Kim ona jest?	*Ona jest Polką.*
Jaki on jest?	*Michel jest bardzo sympatyczny.*
Jaka ona jest?	*Agnieszka jest ładna i inteligentna.*
Co to jest?	*To jest Uniwersytet Jagielloński.*
Co to?	*(To) dom studencki.*

3.3.2. Asking for an object

Kogo zna Robert?	*Robert zna **Michela**.*
Co on studiuje?	*Michel studiuje **język i kulturę polską**.*
Kim ona się interesuje?	*Ona interesuje się **Michelem**.*
Czym on się interesuje?	*On interesuje się **kulturą i polskimi problemami**.*
Kim on chce być?	*On chce być **dziennikarzem**.*

3.3.3. Asking for place

Gdzie Michel mieszkał przedtem?	*On mieszkał **w Lille**.*
Gdzie on studiuje?	*Michel studiuje **tu, w Krakowie**.*

3.3.4. Asking for time

Kiedy Michel poznał Petera?	*On poznał go **dzisiaj**.*
Kiedy Robert poznał Michela?	*On poznał go **trzy lata temu**.*
Jak długo Robert zna Michela?	*On zna go **trzy lata**.*

3.3.5. Yes/no questions

Czy Peter studiował język polski?	*Nie.*
Czy Peter zna język polski?	*Tak.*
Czy Robert ma dziewczynę?	*Tak.*

The word *czy*, which begins yes/no questions, may be skipped, but then it is very important to apply a proper, interrogative intonation, for it is only the intonation which distinguishes the question from the statement:

Poznałeś go w Krakowie?	*Tak.*
Znasz francuski?	*Tak.*

A yes/no question may be a subordinate clause, e.g.

Nie wiesz, czy ma dziewczynę?	*Nie wiem (czy ma).*
	Wiem, że ma.
	Wiem, że nie ma.

3.3.6. Asking for cause

– *Dlaczego on studiuje język polski?*
– *Michel studiuje język polski, **bo** interesuje się polską literaturą, historią, ekonomią i kulturą.*

3.3.7. Asking for manner

– *Jak on mówi po angielsku?*
– *Peter mówi **bardzo dobrze** po angielsku.*

3.3.8. Asking for features (characteristics)

a) of the subject

> – *Jaki jest Michel?*
> – *Michel jest zdolny i inteligentny.*

b) of the predicate

> – **Jakim studentem** jest Robert?
> – On jest **dobrym studentem.**

> – *Jaką dziewczyną jest Agnieszka?*
> – *Ona jest ambitną dziewczyną.*

c) of the object

> – *Jaką literaturę ona studiuje?*
> – *Agnieszka studiuje literaturę hiszpańską.*

> – *Jaki język on studiował?*
> – *Peter studiował język rosyjski.*

3.3.9. Expressing surprise and disappointment
Here are some examples of reacting with surprise to unexpected information:

> – *Michel na pewno interesuje się historią, polityką, teraz językiem i kulturą polską.*
> *No i dziewczynami!*
> – *Naprawdę?*

> – *Dobrze mówisz po polsku. Jak długo studiowałeś język polski?*
> – *Nie studiowałem wcale.*
> – *Niemożliwe!*

In a situation like that it is possible to hear other expressions as well: *Jak to? Coś takiego!*

Disappointment in an obtained piece of information or someone's behaviour may be expressed with the phrases: *Szkoda! Jaka szkoda!*, e.g.:

> – *Proszę zostać na kolację.*
> – *Dziękuję bardzo, ale nie mogę. Michel jest bardzo zmęczony, chcę zawieźć go do akademika.*
> – *Jaka szkoda!*

3.3.10. National identification and language
In order to define one's nationality and ethnicity in Polish we use nouns:

To jest Polak.   *On jest Polakiem.*
To jest Polka.   *Ona jest Polką.*

If such a noun is a predicative word in a compound predicate, it appears in the instrumental form:

Jestem Polakiem.
Jesteś Polką.
Czy ta pani, jest Francuzką?
Czy ten pan jest Litwinem?

N o t e: that both, the names of countries and the nationalities, we spell with a capital letter.
Adjectives are used in reference to citizens:

To jest obywatel czeski.
Jestem obywatelem amerykańskim.

These adjectives, added to a name of merchandise mean **made in, coming from**, etc. e.g.:

To jest angielska książka.
To jest amerykańska literatura.
To jest hiszpańska muzyka.

Expressions such as *po polsku* are used only together with verbs *mówić* (to speak), *rozumieć* (to understand), *pisać* (to write), *czytać* (to read), e.g.:

Czy mówisz po francusku?
Mówię dobrze po francusku.
Nie mówię, ale rozumiem po francusku.

In other contexts we use such expressions as *język angielski* or adjectives alone, if it is clear that we talk about a language:

Znam język angielski.
Znam angielski.
Język angielski podoba mi się.
Angielski podoba mi się.

The degrees of one's grasp of a language: *biegle* (6), *bardzo dobrze* (5), *dobrze* (4), *dość dobrze* (3.5), *słabo* (3), *bardzo słabo, trochę* (2.5).

3.4. Powiedz to poprawnie!

3.4.1. Use nouns in the instrumental singular:
    Example: *To jest Robert.* **On jest Polakiem** *(Polak).*
To jest Agnieszka . . . . (Polka)
To jest Michel . . . . (Francuz)

To jest pani Deschamps . . . . (Francuzka)
To jest Peter . . . . (Niemiec)
To jest pani Maria . . . . (Polka)
To jest Iwan. . . . . (Rosjanin)
To jest John . . . . (Amerykanin)
To jest Elisabeth. . . . . (Amerykanka)
To jest pan Nowak . . . . (Polak)

3.4.2. Use nouns and adjectives in the instrumental singular:
Example: *Michel to dobry student. Tak, on jest bardzo dobrym studentem.*

Ewa to dobra studentka.
Tak, ...
Robert to przystojny chłopiec.
Tak, ...
Michel to sympatyczny student.
Tak, ...
Peter to zdolny student.
Tak, ...
Miyuki to pilna studentka.
Tak, ...
Agnieszka to ambitna dziewczyna.
Tak, ...
Pan Nowak to inteligentny profesor.
Tak, ...
Agnieszka to ładna dziewczyna.
Tak, ...

3.4.3. Use the verb *studiować* in the past tense:
Example: *Studiuję język polski. Studiowałem język polski.*

Robert studiuje ekonomię. . . . .
My studiujemy język polski. . . . .
Czy wy studiujecie historię? . . . .
Studiujesz literaturę polską? . . . .
Studiujesz literaturę rosyjską? . . . .
Ewa studiuje biologię. . . . .
Peter i Michel studiują język polski. . . . .
Miyuki i Elisabeth studiują język polski. . . . .

3.4.4. Use the verb *mieszkać* **in the past tense:**
Example: *Teraz mieszkacie w Krakowie. Gdzie mieszkaliście przedtem?*

Teraz mieszkam w Polsce. Gdzie . . . .

Teraz mieszkacie w Krakowie. Gdzie . . . .

Teraz Peter mieszka w Krakowie. Gdzie . . . .

Teraz Mary mieszka w Krakowie. Gdzie . . . .

Teraz mieszkamy w Polsce. Gdzie . . . .

Peter i Michel mieszkają w Krakowie. Gdzie . . . .

Mary i Anne mieszkają w Polsce. Gdzie . . . .

Teraz mieszkasz w Polsce. Gdzie . . . .

3.4.5. Use nouns and adjectives in the instrumental singular:
Example: *Interesuję się polityką. (polityka)*

On interesuje się . . . . (historia). Ona interesuje się . . . .
(sztuka). Agnieszka interesuje się . . . . (muzyka poważna).
Ewa interesuje się . . . . (muzyka rockowa). Peter interesuje
się . . . . (film). Michel interesuje się . . . . (teatr).

3.4.6. Use nouns in the instrumental plural:
Example: *Pani Maria i pan Jan są Polakami.(Polak)*

Peter i Heike . . . . (Niemiec). John i Mary . . . .
(Amerykanin). Michel i Jean-Pierre . . . . (Francuz). Juan i Carlos
. . . . (Hiszpan). Iwan i Tania . . . . (Rosjanin).
Karel i Helena . . . . (Czech). Taras i Olga . . . .
(Ukrainiec). Matej i Zuzanna . . . . (Słowak). Dawid i Rachel
. . . . (Izraelita). Adamas i Meilute . . . . (Litwin).

3.4.7. Answer the questions following the model:
Example: *Czy mówisz po polsku? Mówię dobrze po polsku. (4)*

Czy rozumiesz po francusku? . . . . (3,5)
Czy mówicie po angielsku? . . . . (6)
Czy on mówi po polsku? . . . . (2,5)
Czy ona rozumie po rosyjsku? . . . . (3)
Czy mówisz po niemiecku? . . . . (4)
Czy Peter pisze po polsku? . . . . (5)
Czy Michel czyta po polsku? . . . . (3,5)
Czy oni mówią po polsku? . . . . (3)
Czy Peter i Heike mówią po niemiecku? . . . . (6)

3.4.8. Answer the questions using personal pronous in the instrumental:
Example: *Czy interesujesz się Robertem? Tak, bardzo interesuję się nim.*

Czy interesujesz się Agnieszką? Tak, ...
Czy ona interesuje się Michelem? Tak, ...
Czy Ewa interesuje się Robertem i Michelem? Tak, ...
Czy Adam interesuje się Ewą i Anią? Tak, ...
Czy on interesuje się nami? Tak, ...
Czy ona interesuje się tobą? Tak, ...

3.5. Czy umiesz to powiedzieć?

3.5.0. Do you remember what happened in the last lesson? Say it in Polish.

3.5.1. Complete the questions concerning Michel (see 3.1.1.)
and then answer them:

. . . . .jest Michel? . . . .
. . . . .Michel mieszkał przedtem? . . . .
. . . . .on mieszka teraz? . . . .
. . . . .Michel studiuje? . . . .
. . . . .studentem jest Michel? . . . .
. . . . .on mówi po angielsku? . . . .
. . . . .Michel mówi po polsku? . . . .
. . . . .on interesował się zawsze? . . . .
. . . . .on interesuje się teraz? . . . .
. . . . .on chce być? . . . .

3.5.2. Ask as many questions concerning Robert and Agnieszka as you can.

3.5.3. Answer the questions concerning yourself:

Jak się nazywasz? . . . .
Czy jesteś Polakiem? . . . .
Gdzie mieszkasz teraz? . . . .
Co studiujesz? . . . .
Czy jesteś dobrym studentem? . . . .
Czy mówisz dobrze po polsku? . . . .
Czy rozumiesz po polsku? . . . .
Czy znasz inny język obcy? . . . .
Czym się interesujesz? . . . .

Kim chcesz być? . . . .
Czy masz dobrego kolegę (przyjaciela)? . . . .
Czy masz dobrą koleżankę (przyjaciółkę)? . . . .
Jakie jest twoje marzenie? . . . .

3.5.4. Prepare a presentation of yourself using the information from the chart:

. . . .						
imię i nazwisko						
wiek	język ojczysty	język obcy	studia	zainteresowania	plany	marzenia

3.5.5. Ask your friend the questions from 3.5.3. and note the answers.

3.5.6. Check whether you understand the dialogue (see 3.1.2.):

	true	false
Robert zna bardzo dobrze Michela. *Robert poznał Michela w Polsce.* *Michel jest sympatyczny i inteligentny.* *Michel interesuje się polityką i kulturą.* *Michel nie jest przystojny.* *Michel ma dziewczynę.*		

3.5.7. Check whether you understand the dialogue (see 3.1.3.):

	true	false
Peter jest Niemcem. *Peter pisze poezję po rosyjsku.* *Peter studiował język rosyjski.* *Peter mówi dobrze po polsku.* *Peter mówi bardzo dobrze po francusku.* *Peter interesuje się kulturą polską.*		

3.5.8. Express your surprise:

Michel nie rozumie po polsku. . . . .
Peter nie mówi po niemiecku. . . . .
Robert interesuje się dziewczynami. . . . .

Agnieszka bardzo interesuje się Michelem. ....

Michel nie jest dobrym studentem. ....

3.5.9. You are surprised by the statements from 3.4.8. and you argue against every single one starting your sentences with *przecież*.

Example: *Michel nie mówi po francusku. Niemożliwe. Przecież jest Francuzem.*

Przecież ....

Przecież ....

Przecież ....

Przecież ....

Przecież ....

3.5.10. Describe two of the four characters you can see in the picture.

Lekcja 4

4.1. Masz ochotę na koncert?

4.1.1. Hotel studencki. Piątek po południu. Peter idzie do klubu filmowego, a Michel jedzie do miasta na spotkanie z Robertem.

Michel: Wychodzisz?
Peter: Tak, do klubu. A może ty masz ochotę na dobry film?
Michel: Dlaczego nie? Jaki film można zobaczyć?
Peter: "Życie Briana".
Michel: To naprawdę interesujący film! Chętnie zobaczę. Kiedy?
Peter: Tylko dzisiaj o czwartej.
Michel: Niestety, dzisiaj nie mogę. Jadę do miasta. Mam spotkanie z Robertem.

4.1.2. Centrum Krakowa. Kawiarnia "Jama Michalika". Są tu Agnieszka i Robert. Do stolika podchodzi kelnerka.

Kelnerka: Dzień dobry. Co dla państwa?
Robert: Proszę kawę i pepsi-colę. Czy są ciastka?
Kelnerka: Jest bardzo dobry sernik i tort orzechowy.
Robert: Masz ochotę na tort orzechowy?
Agnieszka: Wolę sernik. Tort jest za słodki dla mnie.
Robert: W takim razie proszę kawę, pepsi, sernik i dla mnie tort orzechowy.

4.1.3. Kawiarnia "Jama Michalika".
Robert rozmawia z Agnieszką.

Robert: Przepraszam, muszę już iść.
Mam spotkanie z Michelem.
Agnieszka: Szkoda. A jaki macie plan?
Robert: Nic konkretnego. On chce iść
do księgarni, szuka jakiejś
książki. Potem...
Agnieszka: Wiesz, mam pomysł. Pójdzie-
my do filharmonii na "Polskie
Requiem" Pendereckiego.
Robert: Jak to, pójdziemy!? A on?
Agnieszka: Pójdziemy z nim.

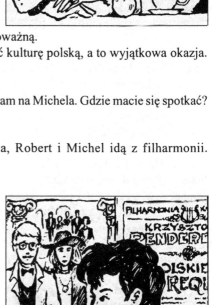

Robert: Nie wiem, czy on lubi muzykę poważną.
Agnieszka: Na pewno. Poza tym musi poznać kulturę polską, a to wyjątkowa okazja.
Dyryguje Penderecki.
Robert: To rzeczywiście okazja.
Agnieszka: Proszę, kup trzy bilety, a ja poczekam na Michela. Gdzie macie się spotkać?
Robert: Koło pomnika Mickiewicza.

4.1.4. Ulica Straszewskiego. Agnieszka, Robert i Michel idą z filharmonii.
Rozmawiają o koncercie.

Agnieszka: No i co, podobał ci się kon-
cert?
Michel: Raczej tak. To dobra, ale trud-
na kompozycja.
Agnieszka: Mnie się bardzo podobał.
Uwielbiam Pendereckiego.
Robert: Mnie też. Ale ja to znałem.
Michel: Ja nie znałem dotąd muzyki
Pendereckiego. Myślę, że cie-
kawa jest ta muzyka. Mówi
o Polsce, o historii...
Robert: Właśnie.
Agnieszka: Słuchajcie, jedziemy na kawę
do mnie.
Michel: Dziękuję bardzo, jest już póź-
no...

Agnieszka: No nie, Michel, proszę mi nie odmawiać.
Robert: Przecież jest piątek, nie musisz się spieszyć.
Agnieszka: Jedziemy, to blisko. U mnie skończymy rozmowę.

Vocabulary

bilet (m G biletu) *ticket*
blisko Adv. *near, closely*
ciastko (n G ciastka) *pastry, cookie*
ciekawy, -a, -e Adj. *curious, interesting*
dla + G *for*
do + G *to*
dobry, -a, -e Adj. *good*
dotąd *up to here, up to now, so far*
dyrygować + I (dyryguję, dyrygujesz Imperf.) *to direct*
dzisiaj, dziś *today*
filharmonia (f G filharmonii) *concert hall*
filmowy, -a, -e Adj. *film*
gdzie *where*
iść (idę, idziesz Imperf.) *to go (on foot)*
jakiś, jakaś, jakieś *a, some, any*
kawa (f G kawy) *coffee*
kiedy *when*
koło + G *near, next to*
kompozycja (f G kompozycji) *composition*
konkretny, -a, -e Adj. *real, concrete*
książka (f G książki) *book*
księgarnia (f G księgarni) *bookstore*
kupić + Ac. (kupię, kupisz Perf.) *to buy*
miasto (n G miasta) *city, town*
można *one can, it is possible*
musieć (muszę, musisz Imperf.) *must, to have to*
naprawdę *truly, really, indeed*
nic *nothing*
niestety *unfortunately*
o czwartej *at 4:00 P.M.*
ochota (f G ochoty) *desire, willingness*; → **mam ochotę** *I would like*
odmawiać (odmawiam, odmawiasz Imperf.) *to refuse*
okazja (f G okazji) *occasion, opportunity*
orzechowy, -a, -e Adj. *nut*
pepsi cola (f G pepsi coli) *pepsi cola*
piątek (m G piątku) *Friday*
plan (m G planu) *plan*
po południu *in the afternoon*
poczekać + **na** + Ac. (poczekam, poczekasz Perf.) *to wait for*

podobać, koncert podobał ci się? *did you like the concert?*
pomnik (m G pomnika) *monument*
pomysł (m G pomysłu) *idea*
potem *afterwards*
poważny, -a, -e Adj. *serious*; → **muzyka poważna** *classical music*
poznać + Ac. (poznam, poznasz Perf.) *to become acquainted with*
późno Adv. *late*
raczej *rather*
raz, w takim razie *so, in such a case*
requiem *requiem, a piece of music*
rozmowa (f G rozmowy) *conversation*
rzeczywiście Adv. *really*
sernik (m G sernika) *cheesecake*
skończyć + Ac. (skończę, skończysz Perf.) *to end, to finish*
słodki, -a, -e Adj. *sweet*
spieszyć się (spieszę się, spieszysz się Imperf.) *to hurry, to be in a hurry*
spotkać się + **z** + I (spotkam się, spotkasz się Perf.) *to meet*
spotkanie (n G spotkania) *meeting, appointment*
studencki, -a, -e Adj. *student*
szukać + G (szukam, szukasz Imperf.) *to look for*
też *also*
tort (m G tortu) *fancy-cake, layer cake*
trudny, -a, -e Adj. *difficult, hard*
u + G, **u mnie** *at my place*
uwielbiać + Ac. (uwielbiam, uwielbiasz Imperf.) *to adore, to worship*
właśnie *just, exactly*
woleć + Ac. (wolę, wolisz Imperf.) *to prefer, to like better*
wychodzić (wychodzę, wychodzisz Imperf.) *to go out*
wyjątkowy, -a, -e Adj. *exceptional*
z + G *from*
za słodki *too sweet*
życie (n G życia) *life*

69

ROZRYWKI

A. SPORT: 1. biegać; 2. skakać; 3. pływać; 4. grać w + Ac. (grać w piłkę); 5. trenować; 6. koszykówka; 7. siatkówka; 8. piłka nożna; 9. tenis; 10. ping-pong; 11. boisko; 12. gimnastyka; 13. aerobik.

B. TANIEC: 1. tańczyć; 2. prosić do tańca; 3. dyskoteka; 4. prywatka; 5. impreza.

A. TEATR: 1. chodzić do teatru; 2. być w teatrze; 3. grać sztukę; sztuka: 4. dramat; 5. komedia; 6. tragedia.

B. KINO: 1. film.

C. MUZYKA: 1. popularna; 2. młodzieżowa, rockowa; 3. poważna; 4. jazz; 5. koncert.

D. PRASA: 1. czytać prasę; 2. dziennik: "Gazeta Wyborcza"; 3. tygodnik: "Polityka", "Wprost"; 4. miesięcznik "Twój Styl".

E. LITERATURA: 1. psychologiczna; 2. społeczna; 3. historyczna; 4. literatura faktu; 5. science-fiction; 6. romans.

CZY UMIESZ JUŻ LICZYĆ?

100. sto	600. sześćset
200. dwieście	700. siedemset
300. trzysta	800. osiemset
400. czterysta	900. dziewięćset
500. pięćset	1000. tysiąc

4.2. Gramatyka jest ważna

4.2.1. Genitive singular

Nom.	V	Acc. sg.	Nom. sg.	nie + V	Gen. sg.
Agnieszka	zna	Roberta.	Agnieszka	nie zna	Roberta.
Pan Nowak	zna	studenta.	Pan Nowak	nie zna	studenta.
Agnieszka	ma	psa.	Agnieszka	nie ma	psa.
Agnieszka	ma	samochód.	Agnieszka	nie ma	samochodu.
Robert	lubi	jazz.	Robert	nie lubi	jazzu.
Robert	ma	telewizor.	Robert	nie ma	telewizora.
Michel	ma	kolegę.	Michel	nie ma	kolegi.
Michel	zna	Warszawę.	Michel	nie zna	Warszawy.
Michel	zna	panią Marię.	Michel	nie zna	pani Marii.
Michel	zna	Agnieszkę.	Michel	nie zna	Agnieszki.
Robert	lubi	muzykę.	Robert	nie lubi	muzyki.
Peter	ma	spotkanie.	Peter	nie ma	spotkania.

The genitive singular of masculine nouns ending in a consonant is formed in two ways: animate nouns (naming people and animals) take the ending -a. Inanimate nouns (naming things) take either -a, or -u. There are no clear rules when each of these is used. You may remember that in the genitive of the masculine names of most Polish cities, the ending -a appears (e.g.: *Jadę do Krakow-a, Szczecin-a, Poznani-a,* etc.).

The ending -a is also used to form genitive forms of neuter nouns.

Genitive of feminine nouns (and masculine nouns ending in -a) is formed by adding -y to the stems with hard consonants at the end, and -i to the stems ending in soft consonants (ś, ź, ć, dź, ń, j) and k, g.

4.2.2. Syntactic functions of the genitive, part 1

A. The most important function of the genitive is the fact that it marks **the direct object after a negated verb**, e.g.:

Agnieszka nie ma samochodu.
Robert nie lubi muzyki.
Pan Nowak nie zna Petera.

At the beginning, foreign students use the accusative to express a direct object, and thus commit many mistakes. They keep forgetting that in Polish the form of a direct object depends upon the form of the verb: verbs in their positive form require direct objects in accusative and negated verbs in genitive (see the chart in 4.2.1.).

B. The genitive in Polish marks also possession, e.g.:

1. *To jest chleb **Petera**.*
2. *Pani Maria Nowak to jest matka **Agnieszki**.*
3. *Mamy się spotkać koło pomnika **Mickiewicza**.*
4. *Pójdziemy na "Polskie Requiem" **Pendereckiego**.*

The genitive is used here to mark the particular person, who possesses the thing (1.) or other person (2.), the author of a work (4.) or the national hero in whose memory a monument has been raised (3.).

C. The genitive is often used to express a direction after the prepositions *do, od, z,* e.g.:

Robert idzie do Agnieszki.	*Robert idzie od Agnieszki.*
Peter idzie do klubu.	*Peter idzie z klubu.*
Michel jedzie do miasta.	*Michel jedzie z miasta.*
Robert i Agnieszka idą do kawiarni.	*Robert i Agnieszka idą z kawiarni.*

The direction **to** is expressed by *do*, both if we afterwards use the names of places or people possessing those places. The direction **from** (*od*) is expressed by *z* if we afterwards use the names of places and *od* if we afterwards use the names of people.

The place situated near a certain object is referred to with the preposition *koło* followed by the genitive:

*Mamy się spotkać **koło pomnika**.*
*Michel siedzi **koło Petera**.*

4.2.3. Genitive singular of modifiers

*Pan Nowak nie zna **francuskiego studenta**.*
*Agnieszka nie ma **nowego samochodu**.*

*Robert nie lubi **muzyki poważnej**.*
*On nie zna **tej miłej dziewczyny**.*

*Adam nie lubi **tego małego dziecka**.*

Masculine and neuter modifiers in the genitive take the ending *-ego*, which palatalizes the stems ending in *-k, -g*. This means that between the endings *-k* and *-ego*, we write *-i-*, e.g.: *francuskiego*.

Genitive of feminine modifiers is formed by adding *-ej* to the stem. This ending also palatalizes the stems ending in *-k, -g*.

4.2.4. Genitive of personal pronouns

Nom.	ja	ty	on	ona	ono	my	wy	oni	one
Gen.	mnie	cię ciebie	go jego niego	jej niej	go jego niego	nas	was	ich nich	ich nich

Longer and shorter forms are used according to the rules given in 2.3.3., e.g.: *Nie znam go. Nie lubię jej. Lubię ją, ale jego nie lubię.*

The forms beginning with *ni-* are used after prepositions, e.g.:

Idę do Basi.   *Idę do niej.*
Idę do Roberta.   *Idę do niego.*
Idę do rodziców.   *Idę do nich.*

4.2.5. Verbs of motion, part 1

In slavic languages, the verbs of motion form a separate system, which you have to get to know. It rests upon the two verbs: *iść, jechać. Iść* means **to go on foot** (i.e. in Polish we may apply it referring to people, animals and... a clock!). *Jechać* means **to move by means of transportation**. Poles do not use any verb meaning movement in general, like French "aller" or English "to go", but automatically define a specific kind of movement: on foot or by a vehicle. Here is the conjugation of these verbs in the present tense:

	IŚĆ (to go on foot)	*JECHAĆ* (to go by means of transportation)
1. *(ja)*	*id-ę*	*jad-ę*
2. *(ty)*	*idzi-esz*	*jedzi-esz*
3. on, pan ona, pani ono, to	*idzi-e*	*jedzi-e*
1. *(my)*	*idzi-emy*	*jedzi-emy*
2. *(wy)*	*idzi-ecie*	*jedzi-ecie*
3. oni, państwo one, panie	*id-ą*	*jad-ą*

The specificity of conjugation of these verbs consists in the stem change. In the I[st] person sg. and the 3rd person pl. we can see the stem *id-, jad-*, in the rest *idzi-, jedzi-*.

R e m e m b e r that if the stem of the verb changes, it always follows this rule: the stem of the I[st] person sg. and the 3rd person pl. is the same and differs from the stem of the other forms.

4.3. Jak to powiedzieć?

4.3.1 Propositions

formal contact	informal contact
1. *Czy mogę zaproponować pani (panu) obiad?*	1. *Czy mogę zaproponować ci obiad?*
2. *Proponuję pani (panu) spacer.*	2. *Proponuję ci spacer.*
3. *Czy ma pani (pan) ochotę na film?*	3. *Masz ochotę na film?*
4. *Chce pani (pan) sernik?*	4. *Chcesz sernik?*
5. *Czy chce pani (pan) pójść do filharmonii?*	5. *Wiesz, mam pomysł. Pójdziemy do filharmonii.*
6. *Czy jest pani wolna (pan wolny) jutro wieczorem?*	6. *Jesteś wolna (wolny) jutro wieczorem?*

The most typical formal propositions are 1. and 3. In informal contact, 3., 4., 5., and 6. are used most often.

4.3.2. Responding to propositions

positive		negative	
(Bardzo) chętnie.	(+++)	*Chyba nie.*	(+/−)
Proszę (bardzo).	(++)	*Niestety, nie.*	(+/−)
Dobrze.	(++)	*Dziękuję, ale nie mogę.*	(−)
Owszem, tak.	(+)	*Niestety, nie mogę.*	(−)
Tak, (chcę).	(+)	*Nie.*	(− −)
Dlaczego nie?	(+/−)	*Nie mam (na to) ochoty*	(− −)

4.3.3. Expressing certainty and uncertainty

certainty	uncertainty
Jestem pewien (pewna).	*Nie jestem pewien (pewna).*
(Wiem) na pewno.	*Nie wiem na pewno.*
Naprawdę.	*Być może.*
Rzeczywiście.	*Może.*
Oczywiście.	*Może (tak/nie).*
	(To) możliwe.
	Chyba (tak/nie).

The quoted expressions may function as separate statements (normally being a reaction to someone's opinion) or as additions to someone's statement stressing someone's certainty or lack of certainty, e.g.:

— *Agnieszka jest dziewczyną Roberta?*   — *Nie wiem na pewno.*
— *Agnieszka jest dziewczyną Roberta?*   — *Oczywiście.*
     Agnieszka jest chyba dziewczyną Roberta.

4.4. Powiedz to poprawnie!

4.4.1. Give negative answers following the model:
Example: *Czy Ewa zna panią Marię? **Ewa nie zna pani Marii.***

Czy Adam zna Agnieszkę? ....

Czy Peter zna pana Nowaka? ....

Czy John zna Roberta? ....

Czy Jean-Pierre zna panią Ewę? ....

Czy John zna Polskę? ....

Czy Peter zna Warszawę? ....

Czy znacie pana profesora? ....

Czy Ewa zna tę studentkę? ....

4.4.2. Use examples from 4.4.1. to replace nouns with personal pronouns:
Example: *Czy Ewa zna panią Marię? **Ona nie zna jej.***

4.4.3. Give negative answers following the model:
Example: *Czy jest Michel? Niestety, **nie ma Michela.***

Czy jest Agnieszka? Niestety, ...

Czy jest Robert? Niestety, ...

Czy jest pan Nowak? Niestety, ...

Czy jest pani Nowak? Niestety, ...

Czy jest Peter? Niestety, ...

Czy jest kolega? Niestety, ...

Czy jest pan profesor? Niestety, ...

Czy jest pani profesor? Niestety, ...

Czy jest tata? Niestety, ...

Czy jest mama? Niestety, ...

Czy jest matka? Niestety, ...

Czy jest ojciec? Niestety, ...

4.4.4. Using examples from 4.4.3. replace nouns with personal pronouns:
Example: *Czy jest Michel? Niestety, **nie ma go.***

4.4.5. Use the correct forms of the verb *iść* (present):
Example: *(My) **Idziemy** do kawiarni.*

Czy Agnieszka .... do kawiarni?

Czy Adam .... do kawiarni?

Czy wy .... do kawiarni?

Czy ty .... do kawiarni?

Niestety, ja nie .... do kawiarni.

Czy Robert i Peter . . . . do kawiarni?

Niestety, my nie . . . . do kawiarni.

Czy Ewa i Ania . . . . do kawiarni?

Czy pani Maria i pan Jan . . . . do kawiarni?

Czy pan profesor . . . . do kawiarni?

4.4.6. Give positive answers following the model:
Example: *Czy jedziesz do Gdańska? Oczywiście, jadę!*

Czy Michel jedzie do Gdańska? . . . .

Czy pani Maria i pan Jan jadą do Gdańska? . . . .

Czy wy jedziecie do Gdańska? . . . .

Czy ja też jadę do Gdańska? . . . .

Czy jedziemy do Gdańska? . . . .

4.4.7. Use names of Polish cities in the genitive singular:
Example: *Jadę z Krakowa (Kraków).*

Jedziemy z . . . . (Kraków) do . . . . (Warszawa).

Jedziesz z . . . . (Rzeszów) do . . . . (Szczecin).

Oni jadą z . . . . (Gdańsk) do . . . . (Lublin).

On jedzie z . . . . (Przemyśl) do . . . . (Poznań).

Jedziecie z . . . . (Wrocław) do . . . . (Olsztyn).

4.4.8. Express your surprise following the model:
Example: *Robert jedzie do Gdańska.*
    Dokąd jedzie, do Gdańska?!

Peter jedzie do Paryża. . . . .

Michel jedzie do Berlina. . . . .

Agnieszka jedzie do Moskwy. . . . .

Robert jedzie do Pragi. . . . .

Pan Nowak jedzie do Mińska. . . . .

Ewa jedzie do Budapesztu. . . . .

Adam jedzie do Madrytu. . . . .

4.4.9. Use names of foreign states in the genitive singular:
Example: *Michel jedzie do Polski (Polska).*

My jedziemy do . . . . (Kanada). Czy ty jedziesz do . . . .

(Rosja)? On jedzie do . . . . (Anglia). Wy jedziecie do . . . .

(Francja). Oni jadą do . . . . (Japonia). Jadę do . . . .

(Australia). Ona jedzie do . . . . (Ameryka).

4.4.10. Use names of states in the genitive singular:

Jadę z . . . . (Polska) do . . . . (Izrael).

Jedziesz z . . . . (Ukraina) do . . . . (Polska).

Jedziecie z . . . . (Litwa) do . . . . (Hiszpania).

Oni jadą z . . . . (Białoruś) do . . . . (Rosja).

On jedzie z . . . . (Norwegia) do . . . . (Szwecja).

Jedziemy z . . . . (Irlandia) do . . . . (Portugalia).

4.5. Czy umiesz to powiedzieć?

**4.5.0. Do you remember what happened in the last lesson?
Say it in Polish using the past tense.**

4.5.1. Check whether you understand the dialogues 4.1.1. and 4.1.2:

	true	false
Peter jedzie do klubu filmowego. *Michel idzie do miasta.* *"Życie Briana" to interesujący film.* *Michel może zobaczyć ten film dzisiaj o czwartej.* *Robert zamawia kawę, pepsi, sernik i tort.*		

4.5.2. Check whether you understand the dialogues 4.1.3. and 4.1.4.:

	true	false
Michel chce iść do księgarni po książkę. *Michel nie pójdzie do filharmonii.* *Robert spotyka się z Michelem koło pomnika Mickiewicza.* *Agnieszka uwielbia muzykę Pendereckiego.* *Michel nie myśli, że muzyka Pendereckiego jest ciekawa.* *Agnieszka proponuje kawę.*		

4.5.3. You get various proposals. Express your positive reactions:

Masz ochotę na amerykański film?

(+) . . . .

Chcesz zobaczyć nowy film Wajdy?

(+++) . . . .

Chcesz sernik?

(++) . . . .

Chcesz iść do filharmonii?

(+/−) . . . .

4.5.4. You get various proposals. Express your negative reactions:

Wiesz, mampomysł. Pójdziemy do filharmonii.

(− − −) . . . .

Masz ochotę na teatr?

(− −) . . . .

Chcesz tort orzechowy?

(−) . . . .

Czy jesteś wolna dziś wieczorem?

(+/−) . . . .

4.5.5. Following the model practice with your friend positive reactions to proposals:

— Czy jesteś . . . . (1) . . . . dziś wieczorem?

— Tak, a dlaczego?

— Mam bilety (tickets) na . . . . (2) . . . .

— . . . . (3) . . . .

— . . . . (4) . . . .

— To bardzo . . . . (5) . . . . Chętnie.

1: *wolny, wolna*
2: *dobry film, ciekawy koncert, (amerykański/polski) film, koncert jazzowy/rockowy)*
3: *jaki film, jaki koncert?*
4: *an appropriate title*
5: *interesujący film, dobry koncert*

4.5.6. Practice with your friend negative reactions to proposals following the model:

— Jesteś . . . . (1) . . . . jutro wieczorem?

— Chyba nie. A dlaczego?

— Mam bilety na . . . . (2) . . . .

— Przepraszam, ale nie mogę iść . . . . (3) . . . . Muszę się uczyć.
Mam trudny test.

— Ale to jest naprawdę . . . . (2) . . . . (4) . . . .

— Dziękuję bardzo, ale nie mogę. Muszę się uczyć.

79

1: *wolny, wolna*
2: *ciekawy film, dobry koncert*
3: *do kina, na koncert*
4: *an appropriate title*

4.5.7. Express certainty using different expressions:
Example: *Peter na pewno interesuje się Polską.*

Michel . . . . lubi muzykę francuską.

Robert . . . . lubi jazz.

Agnieszka . . . . lubi muzykę Pendereckiego.

Pan Nowak . . . . interesuje się historią.

Moja koleżanka . . . . lubi muzykę rockową.

Mój kolega . . . . lubi muzykę francuską.

4.5.8. Express uncertainty using different expressions:
Example: *Wojtek być może mówi po francusku.*

Michel . . . . lubi muzykę polską.

Agnieszka . . . . interesuje się Michelem.

Robert . . . . lubi tort orzechowy.

Agnieszka . . . . nie lubi tortu.

Pani Nowak . . . . nie lubi muzyki rockowej.

Pan Nowak . . . . nie lubi jazzu.

4.5.9. Express certainty or uncertainty using separate statements:
Example: *Robert jest przyjacielem Michela.* **Wiem to na pewno.**

Agnieszka uwielbia Pendereckiego. . . . .

Agnieszka kocha Roberta. . . . .

Agnieszka lubi Michela. . . . .

Agnieszka lubi tort. . . . .

Lekcja 5

5.1. Zapraszam cię na obiad

5.1.1. Wtorek wieczór. Michel wraca do akademika. Jest bardzo głodny. Wie, że w pokoju nie ma chleba, nie ma masła, nie ma prawie nic do jedzenia.

Michel: Jestem strasznie głodny. Ale nie mam chyba nic do jedzenia.

Peter: Proszę, jest tam mój chleb, ser, jakiś pomidor... I jak zwykle moje piwo.

Michel: Ciągle jem twój chleb, twoje masło... Może jeszcze coś mam? O, tu jest moje wino, chcesz?

Peter: Dziękuję, ale wolę swoje piwo.

Michel: Jest jeszcze mój ulubiony ser francuski i konserwa. Zrobię kanapki dla nas, dobrze?

Peter: No dobrze, jedną.

Michel: Nie masz masła?

Peter: Gdzieś tam jest.

Michel: A w niedzielę zapraszam cię do restauracji na obiad.

Peter: Dziękuję ci, ale to naprawdę zbyteczne.

5.1.2. Niedziela po południu. Hotel "Forum". Restauracja. Peter i Michel studiują kartę.

Michel: Co dla ciebie?

Peter: Może bulion...

Michel: Może najpierw coś na przystawkę?

Peter: Nie, dziękuję, to za dużo dla mnie.

Michel: A ja chcę pstrąga w galarecie.

Peter: Dla mnie tylko bulion, sznycel po wiedeńsku, frytki, sałata zielona.

5.1.3. Hotel "Forum". Restauracja. Do stolika podchodzi kelner.

Kelner: Dzień dobry. Co dla panów?
Michel: Dla pana bulion, sznycel po wie-
deńsku, frytki i sałata zielona.
Dla mnie pstrąg w galarecie, zupa
pieczarkowa, befsztyk wołowy
z frytkami i też sałata.
Kelner: Co do picia?
Michel: Proszę kieliszek wina czerwone-
go i butelkę wody mineralnej.
Peter: Dla mnie proszę butelkę piwa.
Kelner: Polskiego czy zagranicznego?
Peter: Może być polskie.
Kelner: A co na deser?
Michel: Na pewno dwie kawy, poza tym
może kawałek ciasta, może lody...
Ale to zamówimy później.

5.1.4. Hotel "Forum". Restauracja. Peter spotkał tu znajomego. Teraz wraca do stolika.

Peter: Przepraszam, ale spotkałem ko-
legę z pracy.
Michel: Jak to, z pracy?
Peter: Tak, bo ja pracuję.
Michel: Niemożliwe. Nic o tym nie wie-
działem.
Peter: Ty nic nie musisz wiedzieć, bo
to ja pracuję.
Michel: Nie masz za mało czasu na swoje
studia?
Peter: Czasu nie mam za dużo, to praw-

da. Ale na pewno mam za mało pieniędzy. Dlatego pracuję.
Michel: Gdzie dostałeś pracę?
Peter: Poszedłem do prywatnej szkoły języków obcych i tam mnie przyjęli. Uczę
niemieckiego.

5.1.5. Prywatna szkoła języków obcych. Pokój profesorski. Peter skończył lekcję niemieckiego. Wybiera się do akademika. Wchodzi Wojtek, jego kolega z pracy.

Wojtek: Jedziesz do domu?
Peter: Tak. Spieszę się, bo mam dużo pracy, a komunikacja o tej porze nie jest dobra.
Wojtek: Czym jeździsz do akademika?
Peter: Stąd jeżdżę tramwajem na Salwator, a potem autobusem.

Wojtek: Musisz długo czekać?

Peter: Czasami tak.

Wojtek: Wiesz, jeśli się spieszysz, mogę cię odwieźć samochodem.

Peter: Dziękuję bardzo, ale nie chciałbym ci robić kłopotu.

Wojtek: Peter, coś ty!? To żaden kłopot. Jedziemy.

CZY UMIESZ JUŻ LICZYĆ?

1000. tysiąc
2000. dwa tysiące
3000. trzy tysiące
4000. cztery tysiące
5000. pięć tysięcy
6000. sześć tysięcy
7000. siedem tysięcy

8000. osiem tysięcy
9000. dziewięć tysięcy
10000. dziesięć tysięcy
1000000. milion
2000000. dwa miliony
5000000. pięć milionów

Vocabulary

autobus (m G autobusu) *bus*
befsztyk (m G befsztyka) *beefsteak*
bo *because, for*
bulion (m G bulionu) *boulion, clear soup*
butelka (f G butelki, G pl. butelek) *bottle*
chleb (m G chleba) *bread*
ciasto (n G ciasta) *cake*
ciągle Adv. *continually*
czas (m G czasu) *time;* → **czasami, czasem** *sometimes*
czerwony, -a, -e Adj. *red*
deser (m G deseru) *dessert*
dla + G *for*
dlatego *that is why, because*

długo Adv. *for a long time*
do + G *to*
dostać + Ac. (dostanę, dostaniesz Perf.) *to get, to receive*
frytki (pl., G pl. frytek) *French fries*
galareta (f G galarety) *jelly*
gdzieś *somewhere*
głodny, -a, -e Adj. *hungry*
jedzenie (n G jedzenia) *eating; food*
jeszcze *still, yet;* → **jeszcze nie** *not yet*
jeść + Ac. (jem, jesz, jedzą Imperf.) *to eat*
jeśli *if*
jeżdżę (jeżdżę, jeździsz Imperf.) *to go by means of a vehicle*

83

kanapka (f G kanapki, G pl. kanapek) *snack, sandwich*
karta (f G karty) *card; menu*
kawałek (m G kawałka) *bit, piece*
kieliszek (m G kieliszka) *glass (of wine)*
kłopot (m G kłopotu) *trouble, embarassment*
komunikacja (f G komunikacji) *communication; traffic*
konserwa (f G konserwy) *can*
lekcja (f G lekcji) *lesson*
lody (pl., G pl. lodów) *ice-cream*
mało *little*; → **za mało** *too little*
masło (n G masła) *butter*
mineralny, -a, -e Adj. *mineral*
najpierw *at first*
nic *nothing*
niedziela *Sunday*
niemożliwy, -a, -e Adj. *impossible*
obcy, -a, -e Adj. *foreign, strange*
obiad (m G obiadu) *dinner, lunch*
odwieźć + Ac. (odwiozę, odwieziesz Perf.) *to give somebody a ride*
picie (n G picia) *drinking, drink*
pieczarkowa, zupa pieczarkowa *mushroom soup*
pieniądze (pl., G pl. pieniędzy) *money*
pomidor (m G pomidora) *tomato*
pora (f G pory) *time, season*; → **o tej porze** *at this time*
praca (f G pracy) *work, job*
pracować (pracuję, pracujesz Imperf.) *to work*
prawda (f G prawdy) *truth*
prawie *almost, nearly*
prywatny, -a, -e Adj. *private*
przyjąć + Ac. (przyjmę, przyjmiesz Perf.) *to engage; to admit*
przystawka (f G przystawki) *hors d'oeuvre*
pstrag (m G pstrąga) *trout*
restauracja (f G restauracji) *restaurant*
robić + Ac. (robię, robisz Imperf.) *to do, to make*

sałata (f G sałaty) *lettuce, salad*
samochód (m G samochodu) *car*
ser (m G sera) *cheese*
skończyć + Ac. (skończę, skończysz Perf.) *to end, to finish*
spotkać + Ac. (spotkam, spotkasz Perf.) *to meet*
stąd *from here*
strasznie Adv. *terribly*
studia (pl., G pl. studiów) *study, studies*
swój, swoja, swoje *pronoun replacing my, your, his, her etc.*
szkoła (f G szkoły) *school*
sznycel (m G sznycla) *schnitzel*
tramwaj (m G tramwaju) *tramway, street car*
twój, twoja, twoje *your, yours*
uczyć + G (uczę, uczysz Imperf.) *to teach*
ulubiony, -a, -e Adj. *favourite*
wchodzić (wchodzę, wchodzisz Imperf.) *to come in, to enter*
wiedeński, po wiedeńsku *Vienna style*
wino (n G wina) *wine*
woda (f G wody) *water*
wołowy, -a, -e Adj. *beef*
wracać (wracam, wracasz Imperf.) *to return, to come back*
wtorek (m G wtorku) *Tuesday*
wybierać się (wybieram się, wybierasz się) *to set out (on one's way)*
zagraniczny, -a, -e Adj. *foreign*
zamówić + Ac. (zamówię, zamówisz Perf.) *to order*
zapraszać + Ac. (zapraszam, zapraszasz, zapraszają) *to invite*
zbyteczny, -a, -e Adj. *superfluous*
zielony, -a, -e Adj. *green*
zrobić + Ac. (zrobię, zrobisz Perf.) *to do, to make*
zupa (f G zupy) *soup*
zwykle *usually*
żaden, żadna, żadne *no, none*

Warto zapamiętać te słowa!

ŚNIADANIE, OBIAD, KOLACJA

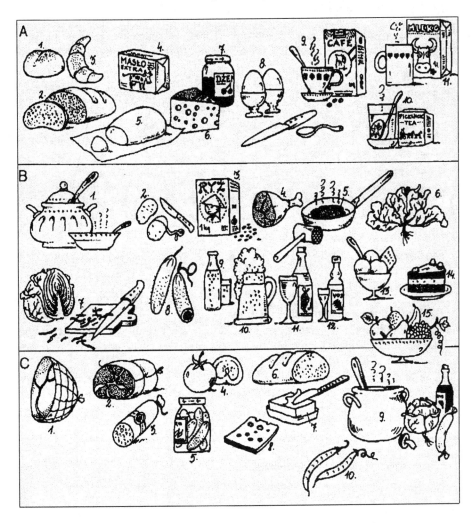

A. ŚNIADANIE: 1. bułka; 2. chleb; 3. rogalik; 4. masło; 5. biały ser; 6. żółty ser; 7. dżem; 8. jajka; 9. kawa; 10. herbata; 11. mleko.

B. OBIAD: 1. zupa; 2. ziemniaki; 3. ryż; 4. mięso; 5. kotlet schabowy; 6. zielona sałata; 7. surówka z kapusty; 8. ogórki; 9. woda mineralna; 10. piwo; 11. wino; 12. wódka; 13. lody; 14. ciasto; 15. owoce.

C. KOLACJA: 1. szynka; 2. baleron; 3. kiełbasa; 4. pomidory; 5. ogórki; 6. chleb; 7. masło; 8. ser; 9. bigos; 10. fasolka.

5.2. Gramatyka jest ważna

5.2.1. Possessive pronouns

Possessive pronouns express possession of things or people by the participants of the act of communication (see 1.2.8.). The system of pronouns looks like this:

ja → mój, moja, moje   *my → nasz, nasza, nasze*
ty → twój, twoja, twoje *wy → wasz, wasza, wasze*
on → jego (Gen.)   *oni → ich* (Gen.)
ona → jej (Gen.)   *one → ich* (Gen.)
ono → jego (Gen.)   *państwo → państwa* (Gen.)
pan → pana (Gen.)   *panie → pań* (Gen.)
pani → pani (Gen.)   *panowie → panów* (Gen.)

As we can see, possessive pronouns may be divided into two groups. The first group comprises those pronouns which accord in gender with the word to which they refer, e.g.:

*To jest **mój brat.***
*To jest **wasza siostra.***
*To jest **wasze dziecko.***

These pronouns have forms which are very similar to the forms of the adjectives and other modifiers. They are inflected just like the other modifiers. The only irregularities are the masculine forms (*mój, twój, nasz, wasz*) which do not have the normal ending.

The second group comprises the pronouns *jego, jej, ich*. These are genitive forms of the proper pronouns, and therefore they always stay in the same form, e.g.:

*To jest **jej brat**. Znam **jej brata.***
*To jest **jego brat**. Nie znam **jego brata.***
*To jest **ich siostra**. Lubię **ich siostrę.***
*To jest **ich dziecko**. Lubię **ich dziecko.***

Possessive pronouns appear in the same form, whether they are alone or accompany a noun, e.g.:

*To jest **mój pies.***
— Czyj to pies?
*— **Mój.***

5.2.2. Pronouns *swój, swoja, swoje*

Beside the mentioned possessive pronouns, in Polish we also use the pronouns *swój, swoja, swoje* which may replace all of the remaining pronouns (*mój, twój, jego,* etc.) whenever they express belonging to the word which is a subject of the sentence.

Ja wolę ~~moje~~ piwo.
     swoje

Ty masz za mało czasu na ~~twoje~~ studia.
        swoje

This rule works only within one sentence and thus it is impossible to use the pronoun *swój* referring to the subject in the following sentence:

On kochał swoją matkę. Jego matka była nauczycielką.
   ~~jego~~   ~~Swoja~~

Remember that it is impossible to say *swoja matka* in the second sentence, because the word *matka* is a subject in this sentence.

5.2.3. Syntactic functions of genitive, part 2

The genitive is used after the words naming a quantity or measure, e.g.:

*Poproszę **butelkę** wina czerwonego.*
*Masz **mało** czasu.*
*Na pewno mam **za mało** pieniędzy.*
*Nie mam **za dużo** czasu.*
*Może **trochę** kawy.*

5.2.4. Future tense of the verb *być*

BYĆ					
1.	*(ja)*	*będ-ę*	1.	*(my)*	*będzi-emy*
2.	*(ty)*	*będzi-esz*	2.	*(wy)*	*będzi-ecie*
3.	on, pan		3.	oni, państwo,	
	ona, pani	*będzi-e*		panowie	
	ono, to			one, panie	*będ-ą*

As you can see, the endings of the verb *być* in the future tense are the same as the endings of the -*ę*, -*esz* conjugation in the present tense. The stem appears in the two forms: *będ-* (1st person sg. and 3rd person pl.) and *będzi-* (every other form).
The future tense of the other verbs is formed by adding the infinitive to the future of the verb *być*.
Będę studiować. Będziesz pracować etc.

5.2.5. The verbs of motion (continuation)

The verbs of motion form a system based on the opposition *iść* and *jechać*.

meaning	Imperfective verbs		Perfective verbs	
	actions aimed at one direction	actions aimed at various directions	the beginning of a continuous action	the end of an action
	iść	*chodzić*	*pójść*	*przyjść*
'to walk'	present: *idę, idziesz* past: *szedłem, szłam* future: *będę szedł, będę szła*	present: *chodzę, chodzisz* past: *chodziłem, chodziłam* future: *będę chodził, będę chodziła*	future: *pójdę, pójdziesz* past: *poszedłem, poszłam*	future: *przyjdę, przyjdziesz* past: *przyszedłem, przyszłam*
	jechać	*jeździć*	*pojechać*	*przyjechać*
'to ride, to travel'	present: *jadę, jedziesz* past: *jechałem, jechałam* future: *będę jechał, będę jechała*	present: *jeżdżę, jeździsz* past: *jeździłem, jeździłam* future: *będę jeździł, będę jeździła*	future: *pojadę, pojedziesz* past: *pojechałem, pojechałaś*	future: *przyjadę, przyjedziesz* past: *przyjechałem, przyjechałam*

5.3. Jak to powiedzieć?

5.3.0. Invitations

5.3.1. Inviting to take part in events

Poles are very sociable, they like to meet and celebrate various occasions. Such social events are usually holidays (*święta*), namedays (*imieniny*), not so often birthdays (*urodziny*), and, in family life, children's baptism (*chrzciny*), weddings (*wesele*), anniversaries (*rocznica*) and other important days. In general one should accept invitations, and if it is impossible, one should give reasons for refusing them.

Here is an example of an oral invitation:

1. formal:

Mam imieniny i z tej okazji będzie u mnie w sobotę małe przyjęcie. Chciałbym (chciałabym) zaprosić pana (panią) (na to przyjęcie).

2. informal:

Zapraszam cię na imieniny.

Accepting an invitation:

1. formal

Dziękuję pani (panu) bardzo (za zaproszenie).
Z przyjemnością | *przyjdę*
Chętnie
Na pewno

2. informal:

Dziękuję ci bardzo. Chętnie przyjdę.

Refusing an invitation:

1. formal

Dziękuję pani (panu) bardzo, ale nie mogę przyjść.
W sobotę będzie u mnie rodzina i muszę być w domu.
Przepraszam bardzo i jeszcze raz dziękuję.

2. informal:

Dziękuję ci, ale naprawdę | *nie mogę.*
| *nie mam czasu.*
Mam bardzo trudny egzamin w poniedziałek i muszę się uczyć.

5.2.2. Asking to food and drink

Meeting together, people eat and drink a lot. Polish courtesy requires that the host or hostess encourage guests to help themselves to the food and drink. To show that the dishes are tasty, guests should agree to second helpings. Refusal is considered impolite.

Proposing eating and drinking:

formal	informal
Ma pani (pan) ochotę na kawę?	*Masz ochotę na kawę?*
Zje pani (pan) trochę sernika?	*Zjesz trochę sernika?*
Czego pani (pan) się napije?	*Czego się napijesz?*
Kawy czy herbaty?	*Kawy?*
Kawa, herbata czy sok owocowy?	*Kawa czy herbata?*

Responding to invitations:

Tak, proszę bardzo.   *Dziękuję, nie.*

Encouraging to eat:

	zupy.
	mięsa.
Proszę bardzo, może jeszcze (trochę)	*sałaty.*
	ciasta.
	kawy.

Accepting:

Zupa		*dobra/smaczna. Proszę odrobinę.*
Mięso	*jest bardzo*	*dobre/smaczne.*
Sałata		*dobra/smaczna.*

Refusing:

Dziękuję bardzo.

	ale ja nie mogę więcej.
Zupa jest bardzo dobra,	*ale nie jestem głodny (głodna).*
	ale jestem syty (syta).

5.3.3. Toasts

In Poland one drinks only on special occasions (another thing, these are very easy to find). Drinking alcohol is perceived as a being ready to make friends and tighten contacts with someone, thus it is very difficult to refuse drinking. The best reason which justifies abstinency is driving a car. Normally, alcohol is poured into glasses without asking for permission and it requires a very strong will to consistently keep refusing, especially when toasts are being offered (not to drink means being unwilling to the toast being raised).

The most popular toasts are:

Na zdrowie.	
Zdrowie	*pani domu!*
	gospodarza!
	jubilata!
	jubilatki!
	solenizanta!
	solenizantki!
	pięknych pań!
Proszę państwa, wznoszę toast za szczęśliwy pobyt w Polsce!	

5.3.4. Expressing time: days of the week and parts of the day

name of the day	answer to the question *kiedy?* (when?)	syntactic structure
poniedziałek *wtorek* *środa* *czwartek* *piątek* *sobota* *niedziela*	*w poniedziałek* *we wtorek* *w środę* *w(e) czwartek* *w piątek* *w sobotę* *w niedzielę*	*w* + Acc.

The word *we* is a variant of the preposition *w*, used whenever *w* added to the next word (here: name of the day) would form a consonant cluster difficult to pronounce. The mark *w(e) czwartek* means that we may say either *w czwartek* or *we czwartek*. Applying the name of the day defines time independently of the moment of speaking. Depending on the moment of speaking, the days may be also referred to in the following way:

The moment of speaking

| przedwczoraj | wczoraj | dzisiaj/dziś | jutro | pojutrze |

Here are the expressions defining parts of the day:

rano	(7:00 — 8:00)
przed południem	(9:00 — 12:00)
w południe	(12:00)
po południu	(12:00 — 5–6 P.M.)
wieczorem	(5–6 P.M. — 8–9 P.M.)

5.4. Powiedz to poprawnie!

5.4.1. Replace nouns with the appropriate possessive pronouns following the model:
Example: *Pokój Petera jest ładny.* **Jego** *pokój jest ładny.*

Mieszkanie Agnieszki jest ładne.

. . . .

Kolega Michela studiuje ekonomię.

. . . .

Dziewczyna Roberta studiuje literaturę hiszpańską.

. . . .

Chłopiec Agnieszki interesuje się muzyką.

. . . .

Ojciec Agnieszki jest profesorem.

. . . .

Matka Roberta jest sekretarką.

. . . .

Muzyka Pendereckiego jest trudna.

. . . .

Film Wajdy jest bardzo interesujący.

. . . .

5.4.2. Give negative answers following the model:
    Example: *Czy to jest twój chleb? Nie mój, jego (on).*

Czy to jest twoje masło? . . . . (ona).
Czy to jest wasze wino? . . . . (oni).
Czy to jest jego piwo? . . . . (ja).
Czy to jest jej konserwa? . . . . (on).
Czy to jest wasza wódka? . . . . (ona).
Czy to jest twoja zupa? . . . . (on).
Czy to jest wasza woda mineralna? . . . . (one).
Czy to jest ich pepsi cola? . . . . (my).
Czy to białe wino jest jego? . . . . (wy).

5.4.3. Paying attention to the right intonation give positive answers following the model:
    Example: *Znasz matkę Agnieszki? Jej matkę? Znam.*

Znasz kolegę Roberta? . . . .
Znasz profesora Agnieszki? . . . .
Znasz ojca Ewy? . . . .
Znasz matkę Adama? . . . .
Masz książkę Petera? . . . .
Masz słownik Michela? . . . .
Masz kasetę Agnieszki? . . . .
Masz album pana Nowaka? . . . .

5.4.4. Use the correct forms of the pronoum *swój*, then put all sentences into the past tense:
    Example: *Piję swoje piwo.*

Michel pije . . . . wino. Peter je . . . . chleb. Adam
je . . . . zupę. Ewa pije . . . . wodę mineralną.

Ania je . . . . obiad. Peter pije . . . . kawę. Robert
je . . . . tort. Mama pije . . . . sok owocowy.

5.4.5. Use the correct form of the pronoum *swój* giving negative answers:
Example: *Masz moje wino? Nie, swoje!*

Masz mój chleb? . . . . Pijesz moje piwo? . . . .

Pijesz moją wódkę? . . . . Masz jego wino? . . . .

Jesz jej sernik? . . . . Jesz jego tort? . . . .

Masz moje ciastko? . . . . Masz mój ser? . . . .

5.4.6. Answer the questions using nouns in the instrumental:
Example: *Czym jeździsz do akademika? Do akademika jeżdżę tramwajem (tramwaj).*

Czym Robert jeździ do domu? . . . . (pociąg)

Czym jeździsz do centrum? . . . . (tramwaj)

Czym Agnieszka jeździ na uniwersytet? . . . . (autobus)

Czym Wojtek jeździ do pracy? . . . . (samochód)

Czym Peter jeździ do akademika? . . . .

(autobus i tramwaj)

Czym jeździcie do centrum? . . . . (tramwaj)

5.4.7. Answer questions following the model. Use adverbs *często, czasem, czasami*:
Example: *Idziesz do Agnieszki? Teraz nie, ale często tam chodzę.*

Idziecie do teatru? Teraz nie, ale . . . .

Jedziecie do Warszawy? Teraz nie, ale . . . .

Czy Peter jedzie do Wojtka? Teraz nie, ale . . . .

Czy oni jadą do pracy? Teraz nie, ale . . . .

Jedziesz do Pragi? Teraz nie, ale . . . .

Robert jedzie do domu? Teraz nie, ale . . . .

Idziesz do Petera? Teraz nie, ale . . . .

Czy on idzie do Basi? Teraz nie, ale . . . .

5.4.8. Ask for meals and drinks using the genitive singular:
Example: *Proszę trochę chleba (chleb).*

Proszę butelkę . . . . (woda mineralna). Proszę butelkę . . . . (wino czerwone). Proszę butelkę . . . .

(wódka). Proszę butelkę . . . . (piwo). Proszę trochę . . . .

(bulion). Proszę trochę . . . . (zupa pieczarkowa).

Proszę trochę . . . . (sałata zielona).

5.4.9. Give answers using the future of the verb *być*:
   Example: *Jesteś u Michela?* (*u Michela* = at Michel's place). *Teraz nie, ale będę tam jutro.*

Jesteście u Roberta? Teraz nie, ale . . . .

Jesteś u Agnieszki? Teraz nie, ale . . . .

Czy on jest u Wojtka? Teraz nie, ale . . . .

Czy ona jest u Michela? Teraz nie, ale . . . .

Czy jestem u Basi? Teraz nie, ale . . . .

Czy jesteśmy u prof. Nowaka? Teraz nie, ale . . . .

Czy one są u taty? Teraz nie, ale . . . .

5.5. Czy umiesz to powiedzieć?

5.5.0. Do you remember what happened in the last lesson? Say it in Polish.

5.5.1. Check whether you understand the dialogues 5.1.1.–5.1.3.:

	true	false
Michel nie jest bardzo głodny. *Michel ma w pokoju ser, konserwę i wino.* *Peter woli polskie wino.* *Michel zrobi kanapki.* *W niedzielę Peter i Michel idą do restauracji.* *Peter chce pstrąga w galarecie.* *Peter i Michel jedzą zupę.*		

5.5.2. Check whether you understand the dialogues 5.1.4. and 5.1.5.:

	true	false
Michel spotkał kolegę z pracy. *Peter uczy niemieckiego.* *Peter ma dużo pieniędzy.* *Peter spieszy się, bo ma dużo pracy.* *Peter jeździ do pracy tramwajem i autobusem.* *Wojtek chce odwieźć Petera samochodem.*		

5.5.3. You would like to invite your professor to your birthday party. What would you say?

. . . .

. . . .

5.5.4. You would like to invite your friend to your birthday party. What would you say?

....

....

5.5.5. Your professor is inviting you for Christmas. You accept the invitation. What do you say?

....

....

5.5.6. Your friend invites you to his nameday party. You can not accept the invitation. What do you say?

....

....

5.5.7. Practice with a friend accepting an invitation following the model:

— Wiesz, mam . . . . (1). Zapraszam cię na małe przyjęcie (*party*).

— Kiedy będzie to przyjęcie?

— W . . . . (2).

— Dziękuję ci bardzo. Chętnie przyjdę.

1: *imieniny, urodziny*
2: *piątek, sobotę, niedzielę*

5.5.8. Practice with a friend refusing an invitation following the model:

— Mam . . . . (1). Zapraszam cię na małe przyjęcie (*party*).

— Kiedy będzie to przyjęcie?

— W . . . . (2).

— Dziękuję bardzo, ale naprawdę nie mogę.

— Bardzo cię proszę. Może choć na chwilę (*for a while*)?

— Przepraszam bardzo, ale . . . . (3). Naprawdę

nie mogę. Życzę ci wszystkiego najlepszego.

— Dziękuję.

1: *imieniny, urodziny*
2: *piątek, sobotę, niedzielę*
3: *będzie u mnie mama, mam trudny egzamin w poniedziałek*

5.5.9. Say what happens in the story.

5.5.10. Imagine you are the man in the picture. What do you say?

5.5.11. Imagine you are the woman in the picture. What do you say?

5.5.12. Ask your classmates some questions in order to find out who:

    a) does not eat meat,
    b) likes chocolates,
    c) eats only twice a day

Lekcja 6

6.1. Chcę cię prosić o pomoc

6.1.1. Michel i Peter są w mieście. Michel pojechał po zakupy, a Peter do pracy. Teraz Michel jest na targu. Kupuje jarzyny i owoce.

Michel: Czy te jabłka są słodkie?
Pani: Tak, pyszne, proszę pana.
Michel: To proszę kilogram.
Pani: Proszę bardzo, czy coś jeszcze?
Michel: Proszę jeszcze banany.
Pani: Ile?
Michel: Też kilogram.
Pani: A sałaty pan nie chce? Często
            pan bierze...
Michel: Dziękuję pani bardzo. Właśnie
            zapomniałem. Proszę dwie. I to
            już wszystko. Ile płacę?

6.1.2. Sklep spożywczy. Michel robi zakupy.

Michel: Proszę chleb i kostkę masła.
Pani: Proszę bardzo. Coś jeszcze?
Michel: Czy jest chuda kiełbasa?
Pani: Tę mogę polecić.
Michel: Proszę dwadzieścia deka. Czy ma
             pani baleron?
Pani: Jest już niedużo, tylko ten kawa-
            łek.
Michel: Nie, dziękuję, jest za tłusty. A ma
             pani szynkę?
Pani: Proszę, bardzo ładna. Ile dać?
Michel: Piętnaście deka.
Pani: Pokroić?
Michel: Proszę. Ile to wszystko będzie ko-
             sztować?

97

6.1.4. Akademik. Pokój Michela. Michel opowiada historię swojej rodziny.

Moja babcia nazywała się Zofia Kubicka. Wiem, że urodziła się w Radomyślu koło Mielca, chyba w 1920 roku. Kiedy miała osiem lat, wyjechała z rodzicami do Niemiec. Potem cała rodzina wyjechała do Francji. Ojciec babci był we Francji górnikiem, a babcia była robotnicą. Tam babcia poznała dziadka. On też był Polakiem, ale urodził się na Śląsku. Kiedy skończył 18 lat, wyjechał do Francji i był tam górnikiem. Dziadkowie mówili po polsku, ale moja mama już nie znała polskiego. Mówiła tylko po francusku. Mama skończyła liceum, a potem studia w Paryżu... Mama wyszła za mąż za Francuza i dlatego ja nazywam się Deschamps.

Mama powiedziała mi, że rodzina dziadka już nie mieszka w Polsce. Wszyscy są w Belgii, albo we Francji. Nie wiemy, czy ktoś z rodziny babci mieszka w Radomyślu, albo w okolicy. Po wojnie babcia nie miała kontaktu z rodziną.

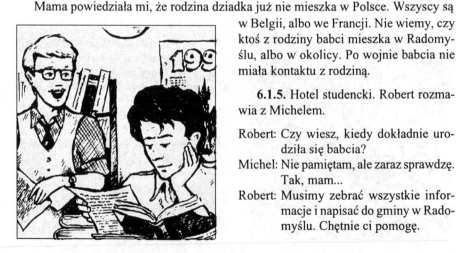

6.1.3. Hotel studencki. Pokój 207. Michel i Robert są w pokoju. Jedzą kolację.

Michel: Chcę cię prosić o pomoc.
Robert: Proszę bardzo, masz jakiś problem?
Michel: Tak, ale to jest specjalny problem. Chcę znaleźć swoją polską rodzinę.
Robert: Przecież jesteś Francuzem.
Michel: Tak, jestem Francuzem, ale polskiego pochodzenia.

6.1.5. Hotel studencki. Robert rozmawia z Michelem.

Robert: Czy wiesz, kiedy dokładnie urodziła się babcia?
Michel: Nie pamiętam, ale zaraz sprawdzę. Tak, mam...
Robert: Musimy zebrać wszystkie informacje i napisać do gminy w Radomyślu. Chętnie ci pomogę.

Vocabulary

albo *or*
babcia (f G babci) *grandmother*
baleron (m G baleronu) *ham in bladder*
banan (m G banana) *banana*
brać + Ac. (biorę, bierzesz Imperf.), **wziąć** + Ac. (wezmę, weźmiesz Perf.) *to take, to buy*
cały, -a, -e Adj *whole*
chudy, -a, -e Adj. *lean, without much fat*
chyba *probably, maybe*
często *often*
dawać + Ac. (daję, dajesz Imperf.) *to give*; → **dać** + Ac. (dam, dasz, dadzą Perf.) *to give*
deka *decagramme, 10 grammes*
dokładnie Adv. *exactly, precisely*
dziadek (m G dziadka) *grandfather*
dziadkowie (pl, G pl dziadków) *grand-parents*
gmina (f G gminy) *community, municipality*
górnik (m G górnika) *miner*
ile *how much, how many*
informacja (f G informacji) *information*
jabłko (n G jabłka) *apple*
jakiś, jakaś, jakieś *a, some, any*
jarzyna (f G jarzyny) *vegetable*
jechać (jadę, jedziesz Imperf.) *to go*; → **pojechać** (pojadę, pojedziesz Perf.) *to go*
kiełbasa (f G kiełbasy) *sausage*
kilogram (m G kilograma, abbr. kilo) *kilogramme*
kontakt (m G kontaktu) *contact*
kostka (f G kostki) *bar*
kosztować (*only*: kosztuje, kosztują) *to cost*
kroić + Ac. (kroję, kroisz Imperf.) *to cut, to slice*; → **pokroić** + Ac. (pokroję, pokroisz Perf.) *to cut, to slice*
ktoś *somebody, someone*
kupować + Ac. (kupuję, kupujesz Imperf.) *to buy*; → **kupić** + Ac. (kupię, kupisz Perf.) *to buy*
liceum (n, invariable in sg., N pl. licea) *secondary school, high school*
mąż (m G męża) *husband*
mówić + Ac. (mówię, mówisz Imperf.) *to speak, to say, to tell*; → **powiedzieć** + Ac. (powiem, powiesz Perf.) *to speak, to say, to tell*
nazywać + Ac. (nazywam, nazywasz Imperf.) *to call, to name*; → **nazwać** + Ac. (nazwę, nazwiesz Perf.) *to call, to name*
okolica (f G okolicy) *neighbourhood*
owoc (m G owocu) *fruit*

pamiętać + Ac (pamiętam, pamiętasz Imperf.) *to remember, to keep in mind*; → **zapamiętać** + Ac (zapamiętam, zapamiętasz Perf.) *to remember, to keep in mind*
pisać + Ac. (piszę, piszesz Imperf.) *to write*; → **napisać** + Ac. (napiszę, napiszesz Perf.) *to write*
płacić + za + Ac. (płacę, płacisz Imperf.) *to pay*; → **zapłacić** + za + Ac. (zapłacę, zapłacisz Perf.) *to pay*
pochodzenie (n G pochodzenia) *origin, descent*
polecać + Ac. (polecam, polecasz, polecają Imperf.) *to recommend*; → **polecić** + Ac. (polecę, polecisz Perf.) *to recommend*
pomagać + D (pomagam, pomagasz Imperf.) *to help, to aid*; → **pomóc** + D (pomogę, pomożesz Perf.) *to help, to aid*
pomoc (f G pomocy) *help*
pyszny, -a, -e Adj. *excellent, delicious*
robotnica (f G robotnicy) *worker*
rodzice (pl. only, G pl. rodziców) *parents*
rodzić (się) (rodzę się, rodzisz się Imperf.) *to bear, to be born*; → **urodzić (się)** (urodzę się, urodzisz się, Perf.) *to bear, to be born*
rodzina (f G rodziny) *family*
rok (m G roku) *year*
sklep (m G sklepu) *shop, store*; → **sklep spożywczy** *food store*
specjalny, -a, -e Adj. *special*
spożywczy, -a, -e Adj. *consumable*
sprawdzać + Ac. (sprawdzam, sprawdzasz Imperf.), *to verify, to check*; → **sprawdzić** + Ac. (sprawdzę, sprawdzisz Perf.) *to verify, to check*
szynka (f G szynki) *ham*
targ (m G targu) *market*
tłusty, -a, -e Adj. *fat, greasy*
wojna (f G wojny) *war*
wszyscy (m-pers.), **wszystkie** (non-pers.) *all, every*
wychodzić (wychodzę, wychodzisz Imperf.) *to go out, to go away*; → **wyjść** (wyjdę, wyjdziesz Perf.) *to go out, to go away*
wyjeżdżać (wyjeżdżam, wyjeżdżasz Imperf.) *to go out, to go away*; → **wyjechać** (wyjadę, wyjedziesz Perf.) *to go out, to go away*
zakup (m G zakupu) *purchase*; → **zakupy** (pl. G zakupów) *shopping*
zaraz *at once, directly*

zbierać + Ac. (zbieram, zbierasz Imperf.) *to collect, to gather*; → **zebrać** + Ac. (zbiorę, zbierzesz Perf.) *to collect, to gather*

znajdować + Ac. (znajduję, znajdujesz Imperf.) *to find*; → **znaleźć** + Ac. (znajdę, znajdziesz Perf.) *to find*

Warto zapamiętać te słowa!
ŻYCIE CZŁOWIEKA

1. urodzić się, urodziłem się;
2. rosnąć, urosnąć, urosłem;
3. chodzić do szkoły podstawowej, chodziłem do szkoły;
4. chodzić do szkoły średniej, chodziłem do liceum;
5. studiować na uniwersytecie, studiowałem;
6. mieć chłopaka, narzeczonego, mieć dziewczynę, narzeczoną, miałam chłopaka, miałem dziewczynę;
7. ożenić się, ożeniłem się;
8. wyjść za mąż, wyszłam za mąż;
9. spodziewać się dziecka, spodziewałam się dziecka;
10. urodzić dziecko, urodziłam dziecko;
11. mieć dziecko, miałam dziecko;
12. wychowywać, wychować dziecko;
13. mieć rodzinę, miałem rodzinę;
14. pracować, pracowałem;
15. zachorować, zachorowałem; chorować, chorowałem;
16. wyzdrowieć, wyzdrowiałem;
17. starzeć się, starzeję się;
18. umrzeć, umarł.

100

6.2. Gramatyka jest ważna

6.2.0. Aspect of verbs

6.2.1. Significance of aspect

Almost every English verb is equivalent to two Polish verbs. This is so, because Polish verbs express the aspect of an action, i.e. information whether an action has been completed and has accomplished its aim or not. Verbs which refer to the action which either has been completed or will be completed are **perfective verbs.** Those which refer to the action which is still not completed or is repeated, are **imperfective verbs.**

In English the fact of duration, or completion is expressed by proper tenses. Because in Polish there are only three tenses, the perfectiveness and imperfectiveness is expressed by separate verbs, e.g.:

to do,	*robić* (Imperf.)	*Wczoraj robiłem zadanie, kiedy przyszedł kolega.*
to make	*zrobić* (Perf.)	*Wczoraj wieczorem zrobiłem zadanie, a potem czytałem kstążkę.*

6.2.2. Aspect versus tenses

Because perfective verbs refer to the completed actions, in consequence they have only two tenses: the past tense (here the speaker knows that the action has been completed) and future tense forms (here the speaker expresses his belief or will that the action will be completed), e.g.:

*Wczoraj wieczorem **zrobiłem** zadanie, a potem **czytałem** książkę.*
*__Zrobię__ to zadanie jutro po południu, kiedy **przyjadę** do domu ze szkoły.*

Future tense of the perfective verbs is the so called simple future. In this case we use the present tense forms in the meaning of future (verbs *robić* and *zrobić* are inflected according to the same patterns), e.g.:

Adam robi zadanie.
Adam zrobi zadanie.

Imperfective verbs have three tenses: past, present and future, e.g.:

*Wczoraj **robiłem** zadanie, kiedy przyszedł kolega.*
*Teraz nie mam czasu, bo **robię** zadanie.*
__Będę robić__ to zadanie jutro po południu, kiedy przyjdę ze szkoły.

The chart shows the relations between the aspect and tenses:

101

aspect	tenses		
	past	present	future
imperfective	+	+	+ (future composite)
perfective	+	–	+ (simple future)

6.2.3. Forming perfective verbs

The analysis of the aspect pair *robić — zrobić* implies that some perfective verbs differ from the imperfective ones in a prefix added to the imperfective verb (see the first group). It is true in case of some Polish verbs. It is easy to differentiate between both forms in such situation: the longer verb is perfective, and the shorter one is imperfective. Unfortunately, there are no clear rules defining which prefixes form the perfective verbs, and that is why students have to remember what is the perfective form of the known imperfective verb.

Here are the examples of such aspect pairs for the already known verbs:

VERBS 1. Perfective verbs formed by adding a prefix		
imperfective perfective	*chcieć* *zechcieć*	*chcę, chcesz* *zechcę, zechcesz*
imperfective perfective	*czekać* *poczekać*	*czekam, czekasz* *poczekam, poczekasz*
imperfective perfective	*czytać* *przeczytać*	*czytam, czytasz* *przeczytam, przeczytasz*
imperfective perfective	*dziękować* *podziękować*	*dziękuję, dziękujesz* *podziękuję, podziękujesz*
imperfective perfective	*interesować się* *zainteresować się*	*interesuję się, interesujesz się* *zainteresuję się, zainteresujesz się*
imperfective perfective	*iść* *pójść*	*idę, idziesz* *pójdę, pójdziesz*
imperfective perfective	*jechać* *pojechać*	*jadę, jedziesz* *pojadę, pojedziesz*
imperfective perfective	*jeść* *zjeść*	*jem, jesz* *zjem; zjesz*
imperfective perfective	*jeździć* *pojeździć*	*jeżdżę, jeździsz* *pojeżdżę, pojeździsz*
imperfective perfective	*kończyć* *skończyć*	*kończę, kończysz* *skończę, skończysz*

imperfective	*kroić*	*kroję, kroisz*
perfective	*pokroić*	*pokroję, pokroisz*
imperfective	*lubić*	*lubię, lubisz*
perfective	*polubić*	*polubię, polubisz*
imperfective	*mieszkać*	*mieszkam, mieszkasz*
perfective	*pomieszkać (trochę)*	*pomieszkam, pomieszkasz*
imperfective	*myśleć*	*myślę, myślisz*
perfective	*pomyśleć*	*pomyślę, pomyślisz*
imperfective	*pamiętać*	*pamiętam, pamiętasz*
perfective	*zapamiętać*	*zapamiętam, zapamiętasz*
imperfective	*pić piję,*	*pijesz*
perfective	*wypić*	*wypiję, wypijesz*
imperfective	*pisać*	*piszę, piszesz*
perfective	*napisać*	*napiszę, napiszesz*
imperfective	*płacić*	*płacę, płacisz*
perfective	*zapłacić*	*zapłacę, zapłacisz*
imperfective	*podobać się*	*podobam się, podobasz się*
perfective	*spodobać się*	*spodobam się, spodobasz się*
imperfective	*prosić*	*proszę, prosisz*
perfective	*poprosić*	*poproszę, poprosisz*
imperfective	*robić*	*robię, robisz*
perfective	*zrobić*	*zrobię, zrobisz*
imperfective	*rodzić się*	*rodzę (się), rodzisz (się)*
perfective	*urodzić się*	*urodzę się, urodzisz się*
imperfective	*rozmawiać*	*rozmawiam, rozmawiasz*
perfective	*porozmawiać*	*porozmawiam, porozmawiasz*
imperfective	*rozumieć*	*rozumiem, rozumiesz*
perfective	*zrozumieć*	*zrozumiem, zrozumiesz*
imperfective	*spieszyć się*	*spieszę się, spieszysz się*
perfective	*pospieszyć się*	*pospieszę się, pospieszysz się*
imperfective	*szukać*	*szukam, szukasz*
perfective	*poszukać*	*poszukam, poszukasz*
imperfective	*uczyć*	*uczę, uczysz*
perfective	*nauczyć*	*nauczę, nauczysz*
imperfective	*uczyć się*	*uczę się, uczysz się*
perfective	*nauczyć się*	*nauczę się, nauczysz się*
imperfective	*znać*	*znam, znasz*
perfective	*poznać*	*poznam, poznasz*

2. Perfective verbs formed by a change of the stem suffix

imperfective	*dawać*	*daję, dajesz*
perfective	*dać*	*dam, dasz*
imperfective	*dostawać*	*dostaję, dostajesz*
perfective	*dostać*	*dostanę, dostaniesz*
imperfective	*kupować*	*kupuję, kupujesz*
perfective	*kupić*	*kupię, kupisz*
imperfective	*przedstawiać*	*przedstawiam, przedstawiasz*
perfective	*przedstawić*	*przedstawię, przedstawisz*
imperfective	*odwiedzać*	*odwiedzam, odwiedzasz*
perfective	*odwiedzić*	*odwiedzę, odwiedzisz*
imperfective	*polecać*	*polecam, polecasz*
perfective	*polecić*	*polecę, polecisz*
imperfective	*poznawać*	*poznaję, poznajesz*
perfective	*poznać*	*poznam, poznasz*
imperfective	*sprawdzać*	*sprawdzam, sprawdzasz*
perfective	*sprawdzić*	*sprawdzę, sprawdzisz*
imperfective	*zostawać*	*zostaję, zostajesz*
perfective	*zostać*	*zostanę, zostaniesz*

3. Perfective verbs formed by a stem alternation and a change of the stem suffix

imperfective	*nazywać*	*nazywam, nazywasz*
perfective	*nazwać*	*nazwę, nazwiesz*
imperfective	*odmawiać*	*odmawiam, odmawiasz*
perfective	*odmówić*	*odmówię, odmówisz*
imperfective	*odwozić*	*odwożę, odwozisz*
perfective	*odwieźć*	*odwiozę, odwieziesz*
imperfective	*opowiadać*	*opowiadam, opowiadasz*
perfective	*opowiedzieć*	*opowiem, opowiesz*
imperfective	*pomagać*	*pomagam, pomagasz*
perfective	*pomóc*	*pomogę, pomożesz*
imperfective	*przepraszać*	*przepraszam, przepraszasz*
perfective	*przeprosić*	*przeproszę, przeprosisz*
imperfective	*spotykać*	*spotykam, spotykasz*
perfective	*spotkać*	*spotkam, spotkasz*
imperfective	*wracać*	*wracam, wracasz*
perfective	*wrócić*	*wrócę, wrócisz*

imperfective	*wybierać się*	*wybieram się, wybierasz się*
perfective	*wybrać się*	*wybiorę się, wybierzesz się*
imperfective	*zaczynać*	*zaczynam, zaczynasz*
perfective	*zacząć*	*zacznę, zaczniesz*
imperfective	*zamawiać*	*zamawiam, zamawiasz*
perfective	*zamówić*	*zamówię, zamówisz*
imperfective	*zawozić*	*zawożę, zawozisz*
perfective	*zawieźć*	*zawiozę, zawieziesz*
imperfective	*zapraszać*	*zapraszam, zapraszasz*
perfective	*zaprosić*	*zaproszę, zaprosisz*
imperfective	*zbierać*	*zbieram, zbierasz*
perfective	*zebrać*	*zbiorę, zbierzesz*

4. Perfective and imperfective verbs come from two different stems

imperfective	*brać*	*biorę, bierzesz*
perfective	*wziąć*	*wezmę, weźmiesz*
imperfective	*kłaść*	*kładę, kładziesz*
perfective	*położyć*	*położę, położysz*
imperfective	*mówić*	*mówię, mówisz*
perfective	*powiedzieć*	*powiem, powiesz*
imperfective	*oglądać*	*oglądam, oglądasz*
perfective	*obejrzeć*	*obejrzę, obejrzysz*
imperfective	*przyjmować*	*przyjmuję, przyjmujesz*
perfective	*przyjąć*	*przyjmę, przyjmiesz*
imperfective	*wchodzić*	*wchodzę, wchodzisz*
perfective	*wejść*	*wejdę, wejdziesz*
imperfective	*widzieć*	*widzę, widzisz*
perfective	*zobaczyć*	*zobaczę, zobaczysz*
imperfective	*wychodzić*	*wychodzę, wychodzisz*
perfective	*wyjść*	*wyjdę, wyjdziesz*
imperfective	*wyjeżdżać*	*wyjeżdżam, wyjeżdżasz*
perfective	*wyjechać*	*wyjadę, wyjedziesz*
imperfective	*znajdować*	*znajduję, znajdujesz*
perfective	*znaleźć*	*znajdę, znajdziesz*

5. Verbs which have the imperfective form only

imperfective	*być*	*jestem, jesteś*
imperfective	*cieszyć się*	*cieszę się, cieszysz się*

imperfective	*dyrygować*	*dyryguję, dyrygujesz*
imperfective	*kosztować*	*ile kosztuje?*
imperfective	*mieć*	*mam, masz*
imperfective	*móc*	*mogę, możesz*
imperfective	*musieć*	*muszę, musisz*
imperfective	*pracować*	*pracuję, pracujesz*
imperfective	*słychać* (in the expression: *Co słychać?*)	
imperfective	*studiować*	*studiuję, studiujesz*
imperfective	*uwielbiać*	*uwielbiam, uwielbiasz*
imperfective	*wiedzieć*	*wiem, wiesz*
imperfective	*woleć*	*wolę, wolisz*

Examples:

Wczoraj robiłem zadanie, kiedy przyszedł kolega.
Yesterday evening I was doing the assignment when my friend came.

Wczoraj wieczorem zrobiłem zadanie, a potem słuchałem radia.
Yesterday evening I did the assignment and then I listened to the radio.

Wczoraj wieczorem zrobiłem zadanie, a potem wysłuchałem programu o Polakach we Lwowie.
Yesterday evening after I had done the assignment I listened to the (whole) programme on the Poles in Lvov.

All the actions in these sentences are in the past tense, because they all took place yesterday. In the first sentence the main action is imperfective (*robiłem zadanie*) because the speaker was still performing it when his friend arrived (perfective action — the friend arrived (*przyszedł*)). In the second sentence the first action was completed (*zrobiłem*) and only then was the second action begun, which is presented here as an incomplete action (imperfective). In the third sentence the sequence of actions is similar (*zrobiłem a potem wysłuchałem*), but the second action is presented as being complete, because the speaker listened to a particular programme from beginning to end.

Często odwiedzam moją koleżankę, Basię.
Jutro na pewno odwiedzę moją babcię.

Często zamawiam tu zupę pomidorową, ale dzisiaj zamówię barszcz czerwony.

Często robię zakupy w tym sklepie.
Jutro na pewno zrobię zakupy na targu.

Przez kilka dni pisałam referat (paper), *ale jeszcze go nie napisałam. Może jutro go skończę.*

Przez dwa lata uczyłem się języka polskiego na uniwersytecie w Australii, ale nigdy nie nauczyłem się go dobrze. Myślę, że tu, w Polsce nauczę się go szybko i bardzo dobrze.

6.2.4. The use of imperfective verbs with the adverbs *codziennie, często*. The expressions *raz dziennie, raz na tydzień*

If some action is repeated, it is expressed in Polish by the imperfective verb. Repetition is also indicated by such adverbs as:

codziennie	*(1) raz dziennie*
co tydzień	*wiele razy dziennie*
co miesiąc	*kilka razy dziennie*
co rok	*6 razy dziennie*

(1) raz na tydzień (miesiąc, rok)
dwa, trzy, cztery razy na tydzień (miesiąc, rok)
pięć razy na tydzień (miesiąc, rok)
kilka razy na tydzień (miesiąc, rok)
    bardzo często
    często
    rzadko
    bardzo rzadko

Wychodzę z psem cztery razy dziennie.
Dwa razy na tydzień Marek spotyka się z Martą.
Rzadko kupuję tu owoce.
Bardzo często kupuję tu jabłka.

6.3. Jak to powiedzieć?

6.3.1. Shopping

The conditions of shopping in Poland change very fast, and become better and better. Unfortunately, prices also change very fast. What does not change so rapidly is the people working in shops, but even here there are already some noticeable changes.

Because of all the changes, it is difficult to quote the names of shops and types of goods that are sold in them. The symptomatic thing is that foreign products and English names become very fashionable. As a result of this, shopping in Poland is beginning to look like shopping abroad, thus getting easier and easier for the foreigners.

One has to remember that in Poland the normal way is payment in cash. Credit cards or checks are rarely used.

Here are some useful expressions:

6.3.1.1. Asking for merchandise:

Czy jest chleb?
Czy jest słownik polsko-angielski?
Czy są papierosy?

6.3.1.2. Asking for merchandise:

Proszę chleb, mleko i kilo cukru.

Proszę mi to pokazać.   *Czy mogę to zobaczyć?*
Proszę mi pokazać tę torbę.   *Czy mogę zobaczyć ten płaszcz?*

6.3.1.3. Asking for permission to try something on:

Czy mogę to przymierzyć?

Czy mogę przymierzyć	*ten płaszcz?*
	te spodnie?
	tę bluzkę?

6.3.1.4. Asking for the price:

Ile to kosztuje?
Ile kosztuje chleb?
Ile kosztują papierosy?

6.3.1.5. Remarks on the price:

To za drogo (dla mnie).
Ta torba jest bardzo tania. Czy to dobra jakość?
Ta torba jest za droga. Proszę pokazać tańszą.

6.3.1.6. Deciding and asking for the price:

Nie, dziękuję.
Ile płacę?

Ile to	*kosztuje?*
	będzie kosztować?

Tak,	*proszę.*
	kupuję.
	biorę.

6.3.1.7. Asking for the cash-desk:

Gdzie mam zapłacić? (Proszę zapłacić) w kasie nr 2.
Gdzie się płaci?

6.3.1.8. Asking for the change:

Proszę to rozmienić (na drobne).
Czy ma pan (pani) drobne? Chcę rozmienić.

We recommend the sentences with the demonstrative pronoun *to*, which are the most universal and suit every context, especially when you do not know or remem-ber the names of products to which you refer.

We do recommend shopping in the market (especially vegetables, fruit, flowers) and buying Polish products. They are usually cheaper and their quality is by no means worse than that of the western goods.

6.4. Powiedz to poprawnie!

6.4.1. Put in the correct form of the verb, choosing between perfective or imper-fective aspect:
Example: *Kiedy byłem w domu, (szedł, przyszedł) przyszedł do mnie Andrzej.*

Kiedy (czytałem, przeczytałem) . . . . książkę, (telefonował, zatelefonował) . . . . do mnie Paweł. (mówił, powiedział) . . . ., że jutro będzie ciekawy koncert. Paweł (kupował, kupił) . . . . bilety na koncert i chciał mnie (zapraszać, zaprosić) . . . . (zgadzam się, zgodziłem się) . . . . z przyjemnością. Jutro (idę, pójdę) . . . . z nim na ten ciekawy koncert.

6.4.2. Complete these sentences according to the following pattern:
Codziennie (ja) robię zadania po kolacji.
Jutro zrobię zadania przed kolacją.

Codziennie (my) . . . .
Jutro . . . .
Codziennie (ty) . . . .
Jutro . . . .
Codziennie (one) . . . .
Jutro . . . .
Codziennie (oni) . . . .
Jutro . . . .
Codziennie Marek . . . .
Jutro . . . .

6.4.3. Complete the following sentences using the correct form of the verb
chodzić. **Then rewrite these sentences according to the following pattern:**
Codziennie (ja) chodzę z psem na spacer.
Zaraz pójdę z psem na spacer.

Codziennie (my) . . . .
Zaraz . . . .

Codziennie państwo . . . .

Zaraz . . . .

Codziennie (ty) . . . .

Zaraz . . . .

Codziennie Marek . . . .

Zaraz . . . .

Codziennie (wy) . . . .

Zaraz . . . .

Codziennie pani . . . .

Zaraz . . . .

6.4.4. Put in the imperfective form of the verb according to the following pattern:
Napisałeś zadanie? — Właśnie kończę pisać.

Zjadłeś zupę? . . . .

Wypiłeś herbatę? . . . .

Zrobiłeś ćwiczenie? . . . .

Przeczytaliście artykuł? . . . .

Napisaliście zadanie? . . . .

Opowiedziałeś mu to? . . . .

6.4.5. Answer the questions from Exercise 6.4.4. according to the following pattern: *Napisałeś zadanie? — Jeszcze nie. Dopiero zacząłem pisać.*

Jeszcze nie. . . . .

Jeszcze nie. . . . .

Jeszcze nie. . . . .

Jeszcze nie. . . . .

Jeszcze nie. . . . .

Jeszcze nie. . . . .

6.4.6. Use perfective verbs following the model:
Example: *Zaczynam pisać zadanie. Jutro napiszę zadanie.*

Zaczynam rozumieć aspekt. Jutro . . . .

Zaczynam uczyć się polskiego. Za rok . . . .

Zaczynam robić obiad. Za godzinę . . . .

Zaczynam czytać tekst. Jutro . . . .

Zaczynam pić piwo. Za chwilę . . . .

Zaczynam jeść obiad. Za godzinę . . . .

6.4.7. Use perfective verbs in the past tense:
Example: *John uczy się języka polskiego, ale ja już nauczyłem się go.*

Michel pije piwo, ale Peter już . . . .

Pani Ewa robi obiad, ale pani Maria już . . . .

110

Adaś je obiad, ale Krzyś już . . . .

Robert płaci za książkę, ale Michel już . . . .

Ewa pisze zadanie, ale Zuzanna już . . . .

Tadek kończy tekst, ale my już . . . .

Ania czyta tekst, ale one już . . . .

Krystyna zamawia obiad, ale one już . . . .

6.4.8. Use imperfective verbs following the model:
   Wczoraj wróciłam wcześnie, ale często wracam późno.

Wczoraj Agnieszka zapłaciła w kawiarni sama, ale często Robert . . . .
za nią. Wczoraj pojechałem autobusem, ale często . . . . tramwajem.
Wczoraj poszła z nim, ale często . . . . sama. Wczoraj Michel wypił
białą kawę, ale często . . . . czarną. Wczoraj wyjechała z nim, ale
często . . . . sama.

6.4.9. Fill the blanks with the appropriate imperfective or perfective verb and its correct form.
   The verbs: *czytać: przeczytać, robić: zrobić, znać: poznać, powtarzać: powtórzyć, zapraszać: zaprosić, spotykać: spotkać.*
   Example: *Peter już przeczytał ten tekst.*

Michel . . . . Petera w Krakowie. On . . . . go dobrze.

Jennifer . . . . teraz polską gramatykę, bo ma jutro test. Wczoraj

Robert . . . . Agnieszkę do kawiarni. Czy on często . . . .

ją do kawiarni? Co ona teraz . . . .? Ona teraz . . . . tekst,

bo Ewa i Jennifer już go . . . . Wczoraj . . . . Roberta

w kawiarni. Czy ty często . . . . go tam?

6.5. Czy umiesz to powiedzieć?

6.5.0. Do you remember what happened in the last lesson? Say it in Polish.

6.5.1. Check whether you understand the dialogues 6.1.1. and 6.1.2:

	true	false
Michel przyjechał do miasta do pracy. *Michel kupuje jabłka, banany i sałatę.* *W sklepie Michel kupuje baleron.* *Na targu Michel kupuje kiełbasę.* *Michel lubi chudą szynkę i kiełbasę.*		

6.5.2. Check whether you understand the texts 6.1.3. – 6.1.5.:

	true	false
Michel i Robert jedzą obiad u Michela. Michel jest Francuzem polskiego pochodzenia. Rodzina babci wyjechała do Francji. Dziadek Michela był górnikiem. Matka Michela nie znała polskiego. Robert i Michel napiszą do gminy w Radomyślu.		

6.5.3. Ask for the price following the model:
Proszę chleb. Ile kosztuje ten chleb?

Proszę masło. . . . .

Proszę jabłka. . . . .

Proszę baleron. . . . .

Proszę szynkę. . . . .

Proszę banany. . . . .

Proszę sałatę. . . . .

Proszę papierosy. . . . .

6.5.4. Make remarks on the price following the model:
Ta szynka jest za droga. Czy jest tańsza (cheaper)?

To masło . . . .

Ten chleb . . . .

Ta sałata . . . .

To piwo . . . .

Ta kiełbasa . . . .

To wino . . . .

6.5.5. Ask for merchandise following the model:
Jest sałata. Proszę sałatę.

Jest kiełbasa. . . . . Jest chleb. . . . .

Jest kawa. . . . . Jest cukier. . . . .

Jest piwo. . . . . Jest szynka. . . . .

Jest wódka. . . . . Jest masło. . . . .

6.5.6. Encourage people to eat and drink following the model:
Jest jeszcze piwo. Proszę bardzo, może trochę piwa?

Jest jeszcze zupa. . . . .

Jest jeszcze kawa. . . . .

Jest jeszcze szynka. . . . .

Jest jeszcze wino. . . . .

Jest jeszcze sernik. . . . .

Jest jeszcze sałata. . . . .

Jest jeszcze wódka. . . . .

Jest jeszcze chleb. . . . .

6.5.7. You are preparing a party. Note down ten items you should buy:

. . . .

. . . .

. . . .

. . . .

. . . .

6.5.8. Make remarks on various goods following the model:
   *Nie lubię tortu. **Wolę sernik.***

Nie lubię wódki. . . . .

Nie lubię herbaty. . . . .

Nie lubię baleronu. . . . .

Nie lubię kiełbasy. . . . .

Nie lubię bulionu. . . . .

Lekcja 7

7.1. Dla mnie jest czarujący!

7.1.1. Mieszkanie Agnieszki. Agnieszka rozmawia ze swoją przyjaciółką, Basią. Rozmawiają o Michelu.

Basia: A ten twój nowy znajomy? Jak on ma na imię?

Agnieszka: Michel. Jest Francuzem.

Basia: Mieszka w Paryżu?

Agnieszka: Nie w Paryżu, a w Lille. Ale teraz jest w Krakowie.

Basia: Dlaczego zaczął studiować w Polsce?

Agnieszka: Był kiedyś w Krakowie, chyba mu się podobało... Teraz odkrył, że ma polskie pochodzenie. To dodatkowa motywacja, żeby tu studiować.

Basia: Lubisz z nim rozmawiać?

Agnieszka: Bardzo! Często rozmawiamy o literaturze, sztuce, o filmie... Ja mu mówię o Polsce, a on opowiada o Francji.

Basia: To wspaniale, że macie podobne zainteresowania.

Agnieszka: To prawda. Ale wiesz, on niedużo wiedział o Polsce, o naszej kulturze. Przy okazji mówię mu o tym.

Basia: Poza tym to ładny chłopak.

Agnieszka: Tak, jest wysoki, przystojny, miły... Lubi tańczyć, jest dowcipny... Dla mnie jest czarujący!

Basia: A co na to Robert?

Agnieszka: Robert? Nic. Przecież to jego kolega!

7.1.2. Kraków. Kino Apollo. Agnieszka wychodzi z Michelem. Byli na filmie Kieślowskiego "Niebieski".

Michel: Jaki zimny wieczór!

Agnieszka: Rzeczywiście. W jesieni wieczory są zimne. Ale w zimie będzie jeszcze zimniej.

Michel: Dobrze, że nie pada.

Agnieszka: W listopadzie często pada, czasami nawet deszcz ze śniegiem.

Michel: A kiedy będzie pierwszy śnieg?

Agnieszka: Czy ja wiem? Może na Barbarę?...

Michel: Ale powiedz mi wreszcie, co myślisz o "Niebieskim".

Agnieszka: Z przyjemnością zobaczyłam ten film jeszcze raz. To, co mówi Kieślowski o wolności, jest zaskakujące, ale warto o tym myśleć.

Michel: Wolność do miłości — to ciekawy pomysł!

7.1.3. Collegium Novum, główny budynek Uniwersytetu Jagiellońskiego. Studenci wychodzą z wykładu. Agnieszka spotkała tu Basię.

Agnieszka: Ślicznie wyglądasz, Basiu! A z okazji imienin wszystkiego najlepszego, sukcesów na studiach i... szczęścia w miłości.

Basia: Dziękuję, dziękuję ci bardzo. I zapraszam was na sobotę do domu. Będzie małe przyjęcie. Przyjdziesz z Robertem?

Vocabulary

budynek (m G budunku) *building*
czarujący, -a, -e Adj. *charming*
czasami, czasem Adv. *sometimes*
często Adv. *often*
deszcz (m G deszczu) *rain*
dla + G *for*
dodatkowy, -a, -e Adj. *additional*
dowcipny, -a, -e Adj. *witty*
film (m G filmu) *film, movie*
kiedyś *once, at one time*
kino (n G kina) *cinema*

kultura (f G kultury) *culture*
listopad (m G listopada) *November*
literatura (f G literatury) *literature*
miłość (f G miłości) *love* → **wolność do miłości** *free to love*
motywacja (f G motywacji) *motivation*
nawet Adv. *even*
niebieski, -a, -e Adj. *blue*
odkryć + Ac. (odkryję, odkryjesz Perf.) *to discover*
okazja → **przy okazji** *on that occasion*

opowiadać + Ac. + Dat. (opowiadam, opowiadasz Imperf.) *to tell*

padać → (only) **pada** *it rains, it snows*

pochodzenie (n G pochodzenia) *origin* → **polskiego pochodzenia** *of Polish origin*

podobny, -a, -e Adj. (do kogo) *similar to sb*

pomysł (m G pomysłu) *idea*

prawda (f G prawdy) *truth* → **to prawda** *that's true*

przyjęcie (n G przyjęcia) *reception, party*

przyjść (przyjdę, przyjdziesz Perf.) *to come, to arrive*

przystojny, -a, -e Adj. *handsome*

rzeczywiście Adv. *really*

sobota (f G soboty) *Saturday*

spotykać + Ac. (spotykam, spotykasz Imperf.) *to meet*

szczęście (n G szczęścia) *good luck, happiness*

ślicznie Adv. *lovely*

śnieg (m G śniegu) *snow*

tańczyć + Ac. **z** + I (tańczę, tańczysz Imperf.) *to dance*

warto (irregular verb) *it is worth*

wolność (f G wolności) *freedom*

wreszcie *at last*

wspaniale Adv. *magnificent*

wszystkiego najlepszego *all the best*

wychodzić (wychodzę, wychodzisz Imperf.) *to go out*

wykład (m G wykładu) *lecture*

zacząć (zacznę, zaczniesz Perf.) *to start*

zainteresowanie (n G zainteresowania) *interest*

zapraszać + Ac. **na** + Ac. (zapraszam, zapraszasz Imperf.) *to invite*

zaskakujący, -a, -e Adj. *surprising*

zimno (n G zimna) *cold*

zimny, -a, -e Adj. *cold*

żeby *in order to*

Warto zapamiętać te słowa!

POGODA, PORY ROKU

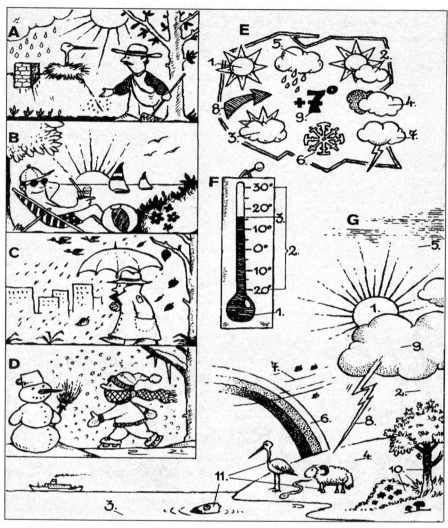

A. WIOSNA
C. JESIEŃ
E. MAPA POGODY
1. słońce; 2. zachmurzenie małe;
3. zachmurzenie umiarkowane;
4. zachmurzenie duże; 5. opady deszczu/deszcz; 6. opady śniegu/ śnieg;
7. burza; 8. wiatr; 9. temperatura

B. LATO
D. ZIMA
F. TERMOMETR
1. rtęć
2. skala
3. temperatura

G. PRZYRODA
1. słońce; 2. powietrze;
3. woda; 4. ziemia;
5. niebo; 6. tęcza;
7. wiatr; 8. błyskawica;
9. chmura; 10. rośliny;
11. zwierzęta

7.2. Gramatyka jest ważna

7.2.1. Locative singular and plural

Locative is probably the most difficult case in Polish, because of the alternations of phones within the stem. However, it is one of the four mostly used Polish cases (the others are nominative, genitive and accusative), and thus has to be learned well.

	Nom. sg.		Loc. sg.
To jest	Kraków. Lublin. Szczecin. Paryż. Radomyśl. Gdańsk. pokój.	On jest teraz	w Krakowi-e. w Lublini-e. w Szczecini-e w Paryżu. w Radomyśl-u. w Gdańsk-u. w pokoj-u.
To jest	Warszawa. szkoła. klasa. Polska. Praga. Francja. Łódź. Belgia.	On jest teraz	w Warszawi-e. w szkol-e. w klasi-e. w Polsc-e. w Pradz-e. we Francj-i. w Łodz-i. w Belgi-i.
To jest	miasto. Zabrze.	Ona jest	w mieści-e. w Zabrz-u.
To są	Katowice.	On jest teraz	w Katowic-ach.

The rules for forming locative are common for masculine and neuter genders. The ending employed depends on the kind of the noun stem ending. Whenever the stem ends in a hard consonant (except for *k, g, ch*) the noun takes *-e* ending in the locative, which results in palatalization of the preceding consonant or consonants. Whenever the stem ends in a soft consonant (*ś, ź, ć, dź, ń, j*), hardened (*c, dz, sz, ż, rz, cz, dż*) and *k, g, ch* the noun takes *-u* ending in the locative. The exception from this rule are the forms *o panu, w domu, o synu*.

Locative of feminine nouns is formed by adding the suffix *-e* to the hard consonant stem endings. It should be kept in mind that the nouns with stems ending in *-k, -g, -ch* behave in a regular way, ie. they take the *-e* ending which palatalizes the preceding consonant. Locative of the feminine nouns ending in a soft consonant is formed by adding *-i* ending (*we Francji, w Łodzi*) and the locative of nouns with stems ending in a hardened consonants take *-y*.

Locative plural in all the mentioned types of nouns is formed by adding the ending *-ach*.

The chart shows the consonant alternations taking place in the locative:

	hard consonants ending the stem of												fem.		
	masc., fem., neut. nouns												fem.		
Nom.	*p*	*b*	*m*	*f*	*w*	*s*	*z*	*n*	*t*	*d*	*r*	*ł*	*k*	*g*	*ch*
Loc.	*pi*	*bi*	*mi*	*fi*	*wi*	*si*	*zi*	*ni*	*ci*	*dzi*	*rz*	*l*	*c*	*dz*	*sz*

The consonant changes may be accompanied by vowel changes in the stem, occuring in accordance with the following scheme:

vowels alternation	-e-; -Ø-	-a-; -e-	-o-; -e-	-ó-; -e-
in the Nom.	*lipiec*	*miasto*	*anioł*	*kościół*
in the Loc.	*w lipcu*	*w mieście*	*o aniele*	*w kościele*

As we can see, the change of the ending in the locative may be accompanied by the change of several sounds which often very much distorts the original word, e.g.:

Nom. *miast-o*

Loc. *w mieści-e*, where the ending *-e* is accompanied by three alternations: *t: ci, s: ś, a: e.*

7.2.2. Syntactic functions of locative

A. Locative, as is suggested by its name, serves mainly to defining a place. Then it takes the prepositions *w, we, na, przy, po*, e.g.:

Urodziłem się w Krakowie.
Mieszkam w Polsce.
Studiuję na uniwersytecie.
Byłem na poczcie.

Gdzie?			
w Gdańsku	w Kołobrzegu	w Olsztynie	w Szczecinie
w Bydgoszczy	w Białymstoku	w Poznaniu	w Warszawie
w Zielonej Górze		w Łodzi	we Wrocławiu
w Lublinie	w Kielcach	w Opolu	w Katowicach
w Zamościu	w Krakowie	w Rzeszowie	w Polsce

B. Locative is used also to define time (month, year). Then it takes the preposition *w(e)*, e.g.:

Byłem w Warszawie w maju.
Przyjechałem do Polski w październiku.
Byłem w Polsce w 1991 roku.

C. Locative is also used in the prepositional phrases defining the object. It takes then the preposition *o*, e.g.:

Mówimy o Polsce.
Myślę o domu.

D. What is also worthy of note is the syntax of the verbs *kochać się w* + Loc., *zakochać się w* + Loc.:

Robert kocha się w Agnieszce.
Adam zakochał się w Ewie.
Ewa zakochała się w Adamie.

7.2.3. The locative singular and plural of adjectives and pronouns

Note the endings of adjectives qualifying nouns in the locative case:

Jesteśmy w ładnym mieście.
Jesteśmy w polskim mieście.
Jesteśmy w naszej stolicy.
Jesteśmy w polskiej stolicy.
Jesteśmy w ładnych górach.
Jesteśmy w polskich górach.

Masculine adjectives and pronouns in the locative singular take the ending *-ym* (when their stem ends in a hard consonant, except *-k*, *-g*). When their stem ends in a soft consonant and *-k*, *-g* they take the ending *-im* (ex.: *w polskim mieście*, *o długim zadaniu*, *w tanim swetrze*).

Feminine adjectives and pronouns in the locative singular take the ending *-ej* which softens *-k* and *-g* (now spelt *-ki-*, *-gi-*), e.g. *w polskiej stolicy.*

In the locative plural all adjectives and pronouns take the ending *-ych* (when their stem ends in a hard consonant, except *-k, -g*) or *-ich* (when their stem ends in a soft consonant or *-k, -g*).

7.2.4. Locative of personal pronouns

Nom.	*ja*	*ty*	*on*	*ona*	*ono*	*my*	*wy*	*oni*	*one*
Loc.	*(o) mnie*	*(o) tobie*	*(o) nim*	*(o) niej*	*(o) nim*	*(o) nas*	*(o) was*	*(o) nich*	*(o) nich*

7.2.5. The present tense of the verb *życzyć*

The verb *życzyć* belongs to a subgroup of the *-ę, -isz* conjugation, i.e. to those verbs which instead of the *-i* ending take *-y*. The present tense of the verb *życzyć* is as follows:

ŻYCZYĆ				
1.	*(ja)*	*życz-ę*	1.	*(my)*	*życz -ymy*
2.	*(ty)*	*życz-ysz*	2.	*(wy)*	*życz -ycie*
3.	*on, pan*		3.	*oni, państwo,*	
	ona, pani	*życz-y*		*panowie*	*życz -ą*
	ono			*one, panie*	

The syntax of the verb *życzyć* is as follows:

życzyć	*komu?*	*czego?*	*z jakiej okazji?*
życzę	Dat. of the personal pronoun, e.g. *ci*	Gen. of the noun, e.g. **zdrowia**	*z okazji* + Gen., e.g. *z okazji świąt*

Thus the whole sentence should read as follows:

Z okazji świąt życzę ci zdrowia.
I wish you good health for Christmas/Easter.

7.3. Jak to powiedzieć?

7.3.1. Expressing time: months and seasons

names		KIEDY?	
seasons (Nom.)	months (Nom.)	seasons (Instr. or w + Loc.)	months (Loc.)
zima (winter)	*styczeń* *luty* *marzec*	*zimą, w zimie*	*w styczniu* *w lutym* *w marcu*
wiosna (spring)	*kwiecień* *maj* *czerwiec*	*wiosną, na wiosnę* (Ac.)	*w kwietniu* *w maju* *w czerwcu*
lato (summer)	*lipiec* *sierpień* *wrzesień*	*latem, w lecie*	*w lipcu* *w sierpniu* *we wrześniu*
jesień (fall)	*październik* *listopad* *grudzień*	*jesienią, w jesieni*	*w październiku* *w listopadzie* *w grudniu*

7.3.2. Conveying your good wishes

At Christmas and Easter, and on birthdays and patron saints' feast days (name-days) Poles wish each other well and exchange small gifts.

Wishes are usually fixed phrases. Perhaps the most popular formula is *wszystkiego najlepszego*. It appears in the genitive, because it is combined with the verb *życzyć* which requires an object in the genitive. The whole sentence should read as follows:

Życzę ci wszystkiego najlepszego.
I wish you all the best.

Even if the verb *życzyć* does not appear in a given utterance, the whole phrase should read as if this verb was present.

When sending our greeting in writing, we may use one of the following expressions:

Wszystkiego najlepszego z okazji Świąt Bożego Narodzenia i Nowego Roku
All the best for Christmas and the New Year from [lit.: wishes]

> *życzy*
> *Agnieszka Nowak*

Wesołych Świąt, dużo wspaniałych prezentów i szczęśliwego Nowego Roku
Merry Christmas, lots of lovely presents and a happy New Year from [lit.: wishes]

> *życzy*
> *Agnieszka*

Wishes expressed orally vary and their contents depends on the speaker's inge-nuity:

I życzę wesołych świąt!
Panu też życzymy wszystkiego najlepszego z okazji świąt!
Życzę ci wszystkiego, co tylko sobie wymarzysz...
Życzę ci dobrych stopni, miłych koleżanek i wspaniałych prezentów.
Życzę ci, kochanie, wszystkiego najlepszego. Pociechy z dzieci, sukcesów w pracy
i zdrowia.

7.4. Powiedz to poprawnie!

7.4.1. Use names of Polish cities in the locative:
Example: *Jedziesz do Krakowa? Tak, **jutro będę w Krakowie.***

Jedziesz do Warszawy? Tak, ...

Jedziesz do Poznania? Tak, ...

Jedziesz do Opola? Tak, ...

Jedziesz do Lublina? Tak, ...

Jedziesz do Przemyśla? Tak, ...

Jedziesz do Olsztyna? Tak, ...

Jedziesz do Gdańska? Tak, ...

Jedziesz do Łodzi? Tak, ...

Jedziesz do Torunia? Tak, ...

Jedziesz do Szczecina? Tak, ...

Jedziesz do Kazimierza? Tak, ...

Jedziesz do Łańcuta? Tak, ...

Jedziesz do Katowic? Tak, ... (pl.)

Jedziesz do Suwałk? Tak, ... (pl.)

7.4.2. Use names of foreign states in the locative following the model:
Example: *To jest Polska. **W lipcu będę w Polsce.***

To jest Francja. ....

To jest Anglia. ....

To jest Kanada. ....

To jest Brazylia. ....

To jest Australia. ....

To jest Hiszpania. ....

To jest Rosja. ....

To są Chiny. .... (pl.)

To są Czechy. .... (pl.)

To są Niemcy. .... (pl.)

124

7.4.3. Use names of foreign cities in the locative following the model:
Example: *Teraz mieszkam w Krakowie.* **Przedtem mieszkałem w Tuluzie.**
(Tuluza)

Juan mieszka w Krakowie. Przedtem . . . . (Madryt)

Pierre mieszka w Krakowie. Przedtem . . . . (Paryż)

Helena mieszka w Krakowie. Przedtem . . . . (Praga)

Natasza mieszka w Krakowie. Przedtem . . . . (Moskwa)

Teraz mieszkasz w Krakowie. Przedtem . . . . (Londyn)

Teraz mieszkamy w Krakowie. Przedtem . . . . (Berlin)

Teraz mieszkają w Krakowie. Przedtem . . . . (Wiedeń)

Teraz mieszkacie w Krakowie. Przedtem . . . . (Rzym)

7.4.4. Answer questions following the model:
Example: *Kiedy będziesz w Gdańsku? W lipcu (lipiec).*

Kiedy będziesz w domu? . . . . (maj). Kiedy będziesz u mamy?

. . . . (marzec). Kiedy będziesz w Tatrach? . . . .

(lipiec). Kiedy będziesz w górach? . . . . (czerwiec). Kiedy

będziesz w Zakopanem? . . . . (luty). Kiedy będziesz w Beskidach?

. . . . (wrzesień). Kiedy będziesz w Częstochowie? . . . .

(sierpień). Kiedy będziesz w Łańcucie? . . . . (październik).

7.4.5. Answer the questions following the model:
Example: *Kiedy jest święto narodowe w Polsce? W maju (maj).*

Kiedy jest Boże Narodzenie? . . . . (grudzień).

Kiedy są egzaminy? . . . . (luty i czerwiec).

Kiedy są wakacje? . . . . (lipiec i sierpień).

Kiedy jest początek roku? . . . . (październik).

7.4.6. Put in the perfective and imperfective forms of the verb according to the following pattern: *Piszesz, piszesz i nie możesz napisać.*

Czytasz, ...

Robisz, ...

Jesz, ...

Kupujesz, ...

Oddajesz, ...

Opowiadasz, ...

Wracasz, ...

Wysyłasz, ...

Wybierasz, ...

Mówisz, ...

7.4.7. Use nouns and adjectives in the locative singular:
   Example: *Michel rozmawia z nią o literaturze. (literatura)*

Rozmawiamy z nim o . . . . (francuski film).

One rozmawiają o . . . . (przystojny Francuz).

Oni rozmawiają o . . . . (szybkie auta).

Czy wy rozmawiacie o . . . . (polskie filmy).

Chcę porozmawiać o . . . . (Robert i Michel).

Czy rozmawiałaś z nim o . . . . (nasi rodzice).

Lubię rozmawiać z nim o . . . . (sztuka japońska).

Lubisz rozmawiać ze mną o . . . . (muzyka brazylijska).

7.4.8. Answer the questions following the model:
   Example: *Znasz dobrze Rosję? Nie, nic nie wiem o Rosji.*

Znacie dobrze Argentynę? Nie, ...

Znasz dobrze Belgię? Nie, ...

Znacie dobrze Szwecję? Nie, ...

Znasz dobrze Norwegię? Nie, ...

Znasz dobrze Japonię? Nie, ...

Znacie dobrze Koreę? Nie, ...

7.4.9. Use pronouns in the locative following the model:
   Example: *Robert kocha Agnieszkę? Tak, on kocha się w niej.*

Peter kocha Anię? Tak, ...

Zosia kocha Wojtka? Tak, ...

Paweł kocha mnie? Tak, ...

Czy kochasz mnie? Tak, ...

Czy Staś kocha cię? Tak, ...

Czy kochasz Pawła? Tak, ...

Czy on kocha Amelię? Tak, ...

Czy Przemek kocha żonę? Tak, ...

7.4.10. Use nouns in the locative singular (compare the locative and the accusative):
   Example: *Idziesz na pocztę? Tak, za chwilę muszę być na poczcie.*

Idziecie na uniwersytet? Tak, ...

Idziesz na plac Mickiewicza? Tak, ...

Czy on idzie na zajęcia? Tak, ...

Czy ona idzie na koncert? Tak, ...

Czy pan idzie na egzamin? Tak, ...

Idziesz na obiad? Tak, ...

Czy pani idzie na wykład? Tak, ...

Idziecie na imieniny? Tak, ...

7.5. Czy umiesz to powiedzieć?

7.5.0. Do you remember what happened in the last lesson? Say it in Polish.

7.5.1. Check whether you understand the dialogues 7.1.1.–7.1.3.

	prawda	nieprawda
Agnieszka rozmawia z przyjaciółką.		
One rozmawiają o Robercie.		
Robert jest kolegą Michela.		
Agnieszka często rozmawia z Michelem o polityce.		
Michel jest czarujący dla Basi.		
Michel jest wysoki, ładny i miły.		
Agnieszka i Michel byli na filmie Wajdy.		
Teraz jest jesień, ale wieczory są ciepłe.		
Basia ma imieniny.		
Ona zaprasza Agnieszkę z Michelem na przyjęcie.		

7.5.2. Fill the blanks with the appropriate words corresponding to the dialogue 7.1.2.:

Już jest . . . . Wieczory są . . . . Dzisiaj wieczorem nie
. . . . deszcz. Agnieszka i Michel byli na . . . . Kieślowskiego.
Agnieszka zobaczyła ten film . . . . a Michel pierwszy raz. Michel
myśli, że "Niebieski" to . . . . film. Oni . . . . o tym filmie.

7.5.3. Fill the blanks with the appropriate words corresponding to the dialogue 7.1.3.:

Studenci są w Collegium Novum, ... Uniwersytetu
Jagiellońskiego. Agnieszka . . . . tu Basię. Agnieszka
. . . . jej wszystkiego . . . . Basia
. . . . i zaprasza ją na . . . .

7.5.4. Give your New Year's wishes to your mother.

7.5.5. Give your New Year's wishes to your Polish teacher.

7.5.6. Give your New Year's wishes to your friend.

7.5.7. You give your good wishes to the Nowak family and Robert. What do you say to:

a) Agnieszka . . . .

b) pan Nowak . . . .

c) pani Nowak ....

d) Robert ....

7.6. Co o tym myślicie?

NAJLEPSZE FILMY POLSKIE, NAJPOPULARNIEJSZE FILMY ZAGRANICZNE

Czy znacie najlepsze filmy polskie? Za najwybitniejsze filmy polskie uważa się następujące filmy:

1. „Popiół i diament", reż. A. Wajda (1958)
2. „Nóż w wodzie", reż. R. Polański (1961)
3. „Matka Joanna od Aniołów", reż. J. Kawalerowicz (1961)
4. „Ziemia obiecana", reż. A. Wajda (1975)
5. „Człowiek z marmuru", reż. A. Wajda (1977)
6. „Eroica", reż. A. Munk (1958)
7. „Sanatorium pod Klepsydrą", reż. W. J. Has (1973)
8. „Zezowate szczęście", reż. A. Munk (1960)
9. „Iluminacja", reż. K. Zanussi (1973)
10. „Krótki film o zabijaniu", reż. K. Kieślowski (1991)

> (Najwybitniejsze filmy polskie według ankiety „Kwartalnika Filmowego" nr 12/13, zima/wiosna 1996)

A czy wiecie, jakie filmy Polacy chętnie oglądają? Oto największe sukcesy kinowe w Polsce w latach 1990–1995:

Przeboje kasowe sześciolecia 1990–95

tytuł	liczba widzów (w tys.)
Jurassic Park	2849
Król Lew	2723
The Flinstones	1741
Casper	1301
Forrest Gump	1135
I kto to mówi	1112
Tańczący z wilkami	1022
Lista Schindlera	990
Robin Hood — książę złodziei	926
Kevin — sam w Nowym Jorku	926
Stowarzyszenie Umarłych Poetów	886
Cztery wesela i pogrzeb	883
Maska	838
Robocop 2	740
Głupi i głupszy	706

(P. Sarzyński, *Powrót konika*. „Polityka" nr 17, 27 IV 1996)

Czy znacie filmy „Ogniem i mieczem" oraz „Pan Tadeusz", które obejrzało w Polsce po kilka milionów ludzi?

Które z tych filmów znacie?

Które podobały wam się najbardziej? Dlaczego?

A który film chcielibyście zobaczyć jeszcze raz?

Czy widzieliście polski film „Kiler", który w 1997 r. był tak popularny jak filmy amerykańskie?

Lekcja 8

8.1. Nie wiem, co robić

8.1.1. Dom studencki. Pokój 207. Peter wchodzi do pokoju i widzi, że Michel jest bardzo zmartwiony.

Peter: Przepraszam, czy coś się stało?
Michel: Tak. Dostałem faks, że mama miała atak serca i jest w szpitalu.
Peter: To rzeczywiście zmartwienie. Musisz chyba pojechać do domu.
Michel: Muszę pojechać do Francji, a tak chciałbym skończyć ten kurs. Nie wiem, co mam robić...
Peter: Dlaczego nie porozmawiasz z dyrektorem?

8.1.2. Instytut Polonijny Uniwersytetu Jagiellońskiego. Sekretariat dyrektora Instytutu. Wchodzi Michel.

Michel: Przepraszam, czy mogę rozmawiać z panem dyrektorem?
Pani: Dzisiaj będzie trudno, bo jest już pierwsza, a dyrektor jest bardzo zajęty. Czy to coś ważnego?
Michel: Tak, to bardzo ważne dla mnie. Muszę wyjechać z Polski.
Pani: Radzę panu przyjść o trzeciej. Dyrektor kończy zebranie za piętnaście trzecia. Może pana przyjmie.

8.1.3. Kolegium Polonijne w Przegorzałach. Michel spieszy się na spotkanie.

John: Cześć, Michel. Co słychać?
Michel: Cześć! Spieszę się, bo za dziesięć minut mam spotkanie z dyrektorem.

8.1.4. Instytut Polonijny. Gabinet dyrektora. Dyrektor rozmawia z Michelem.

Dyrektor: Dzień dobry panu, proszę siadać.
Michel: Dziękuję.
Dyrektor: Słucham pana.
Michel: Przepraszam, że przeszkadzam, ale mam problem... Muszę wyjechać z Krakowa, chyba na zawsze.
Dyrektor: Czy może pan powiedzieć mi dokładnie, jaki ma pan problem?
Michel: Tak. Moja mama jest bardzo chora. Miała atak serca i jest w szpitalu. Muszę być z nią. Ona ma tylko mnie, bo ojciec nie mieszka z nami...
Dyrektor: Bardzo mi przykro, że ma pan takie zmartwienie. Zgadzam się, że musi pan być z matką. Ale dlaczego chce pan wyjechać stąd na zawsze?
Michel: Za tydzień mamy testy, potem są egzaminy. Jeśli wyjadę, nie będę mógł ich pisać. Zresztą teraz nie mogę się uczyć. Bardzo się denerwuję.
Dyrektor: Rozumiem pana. W tej sytuacji radzę wyjechać do domu i nie martwić się studiami. Mam nadzieję, że z mamą wszystko będzie dobrze. Wtedy wróci pan i napisze te testy.
Michel: Czy to możliwe?
Dyrektor: Tak. Proszę pamiętać, że za dziesięć dni są święta i dwa tygodnie wolnego. To znaczy, że nie straci pan dużo zajęć. Chyba uda się panu nadrobić zaległości, bo jest pan dobrym studentem.
Michel: Dziękuję bardzo, że nie muszę rezygnować. Bardzo lubię Kraków... Chciałbym skończyć ten program.
Dyrektor: Miło mi to słyszeć.

Vocabulary

atak (m G ataku) *attack;* → **atak serca** *heart attack*

chory, -a, -e Adj. *ill, sick*

denerwować się + I (denerwuję, denerwujesz Imperf.) *to get excited, become flustered about sth*

dyrektor (m G dyrektora) *director*

egzamin (m G egzaminu) *examination, exam*

faks (m G faksu) *fax*

gabinet (m G gabinetu) *office, cabinet*

kolegium (n, sg. invariable) *college*

kończyć + Ac. (kończę, kończysz Imperf.) *to end, to finish*

kurs (m G kursu) *course, studies program*

martwić się + I (martwię, martwisz Imperf.) *to worry about sb, sth*

minuta (f G minuty) *minute*

możliwy, -a, -e Adj. *possible*

nadrobić + Ac. (nadrobię, nadrobisz Perf.) *to make up (a deficiency)*

nadzieja (f G nadziei) *hope;* → **mieć nadzieję** *to hope*

polonijny, -a, -e Adj. *Polonia (foreigners of Polish origin)*

porozmawiać + z + I, o + L (porozmawiam, -sz Perf.) *to talk with sb, to have a talk, to chat*

program (m G programu) *program*

przeszkadzać + D, w + L (przeszkadzam, -sz Imperf.) *to disturb*

przyjść (przyjdę, przyjdziesz Perf.) *to come*

przykro Adv. → **przykro mi** *I am sorry*

radzić + D + Ac. (radzę, radzisz Imperf.) *to advise*

rezygnować + z + G (rezygnuję, rezygnujesz Imperf.) *to resign sth*

równocześnie Adv. *at the same time, simultaneously*

sekretariat (m G sekretariatu) *secretary's office*

serce (n G serca) *heart*

siadać (siadam, siadasz Imperf.) *to sit down, to take a sit*

skończyć + Ac. (skończę, skończysz Perf.) *to end, to finish*

stać się (past: stało się) *to happen;* → **co się stało?** *what's wrong? what is the matter?*

stracić + Ac. (stracę, stracisz Perf.) *to lose*

sytuacja (f G sytuacji) *situation*

szpital (m G szpitala) *hospital*

święta (pl. G świąt) *holiday (here: Christmas)*

test (m G testu) *test*

trudno Adv. *hard, with difficulty*

tydzień (m G tygodnia) *week*

udać się + D + Ac. (uda się panu) *you will be successful in making up*

ważny, -a, -e Adj. *important*

wolne (Adj. G wolnego) *free time, day off, vacation*

wrócić (wrócę, wrócisz Perf.) *to come back*

wtedy *then*

zajęcia (pl. G zajęć) *classes*

zajęty, -a, -e Adj. *occupied, busy, engaged*

zaległość (f G zaległości) *unaccomplished task;* → **mieć zaległości** *to be behindhand with sth*

zebranie (n G zebrania) *meeting, assembly*

zgadzać się + z + I (zgadzam, zgadzasz Imperf.) *to agree, to consent*

zmartwienie (n G zmartwienia) *worry, grief*

zmartwiony, -a, -e Adj. *unhappy, worried*

znaczyć (znaczę, znaczysz Imperf.) *to mean*

zresztą *anyway, after all*

zza *from behind*

Warto zapamiętać te słowa!
ŻYCIE CODZIENNE

CODZIENNIE (imperfective verbs)	JUTRO (perfective verbs)
1. wstawać, wstaję	wstać, wstanę
2. myć się, myję się	umyć się, umyję się
3. myć zęby	umyć zęby
4. ubierać się, ubieram się	ubrać się, ubiorę się
5. jeść, jem (śniadanie)	zjeść, zjem (śniadanie)
6. wychodzić, wychodzę (na uniwersytet)	wyjść, wyjdę (na uniwersytet)
7. studiować (na uniwersytecie)	
8. pracować (w biurze)	
9. wracać, wracam (do domu)	wrócić, wrócę (do domu)
10. robić, robię (zakupy)	zrobić, zrobię (zakupy)
11. gotować, gotuję (obiad)	ugotować, ugotuję (obiad)
12. jeść, jem obiad	zjeść, zjem obiad
13. czytać, czytam	przeczytać, przeczytam
14. pisać, piszę	napisać, napiszę
15. odrabiać, odrabiam zadanie	odrobić, odrobię zadanie
16. rozmawiać, rozmawiam	porozmawiać, porozmawiam
17. jeść kolację	zjeść kolację
18. oglądać, oglądam (telewizję)	obejrzeć, obejrzę (telewizję)
19. chodzić, chodzę (na spacer)	pójść, pójdę (na spacer)
20. chodzić spać	pójść spać

CZY UMIESZ JUŻ LICZYĆ?

1. jeden	pierwszy	12. dwanaście	dwunasty
2. dwa	drugi	13. trzynaście	trzynasty
3. trzy	trzeci	14. czternaście	czternasty
4. cztery	czwarty	15. piętnaście	piętnasty
5. pięć	piąty	16. szesnaście	szesnasty
6. sześć	szósty	17. siedemnaście	siedemnasty
7. siedem	siódmy	18. osiemnaście	osiemnasty
8. osiem	ósmy	19. dziewiętnaście	dziewiętnasty
9. dziewięć	dziewiąty	20. dwadzieścia	dwudziesty
10. dziesięć	dziesiąty	21. dwadzieścia jeden	dwudziesty pierwszy
11. jedenaście	jedenasty		

8.2. Gramatyka jest ważna

8.2.1. Nominative and accusative plural of masculine non-personal, feminine and neuter nouns

	Nom. sg.		Nom. pl.
To jest	stół.	To są	stoł-y.
	zeszyt.		zeszyt-y.
	długopis.		długopis-y.
	ołówek.		ołówk-i.
	słownik.		słownik-i.
	pokój.		pokoj-e.
	kaset-a.		kaset-y.
	klasa.		klas-y.
	grup-a.		grup-y.
	studentk-a.		studentk-i.
	Polk-a.		Polk-i.
	Amerykank-a.		Amerykank-i.
	pan-i.		pani-e
	okn-o.		okn-a.
	zdani-e.		zdani-a.
	słow-o.		słow-a.

Nominative and accusative of the masculine non-personal and feminine nouns have identical forms. They are formed by adding -y to the nouns with stems ending in a hard consonant (except -k, -g).

Nouns with stems ending in -k, -g take in nominative the ending -i. Nouns with stems ending in other consonants (i.e. soft: ś, ź, ć, dź, ń, j and hardened: c, cz, sz, ż, rz, dz, dż, l) take the ending -e.

133

Neuter nouns also have identical forms in nominative and accusative plural. Nominative forms are obtained by adding the ending -a to the stem.

Syntactic use of the case forms (here: nominative and accusative) in plural does not change from that in singular. Also the questions in plural remain the same as in singular, e.g.:

nominative questions:

Kto to jest?	*To jest Polka.*
Kto to jest?	*To są Francuzki.*
Co to jest?	*To jest ołówek.*
Co to jest?	*To są długopisy.*

accusative questions

Kogo znasz?	*Znam Jolę.*
Kogo znasz?	*Znam Amerykanki.*
Co masz?	*Mam słownik.*
Co masz?	*Mam kasety.*

Please note that the answers containing nominative plural start with the expression *To są* (the verb must have the same number and gender as the subject).

8.2.2. Nominative and accusative plural of the modifiers combining with non--personal, feminine and neuter nouns

	Nom. sg.		Nom. pl.
To jest	*mój zeszyt.* *duża klasa.* *nasza grupa.* *miła Francuzka.* *trudne zadanie.*	*To są*	*moje zeszyty.* *duże klasy.* *nasze grupy.* *miłe Francuzki.* *trudne zadania.*

The nominative and accusative plural of the modifiers accompanying non-personal, feminine and neuter nouns have the ending -e. The pronoun asking for these forms also has the ending -e.

Jakie to są Francuzki?   *Miłe.*
         To są miłe Francuzki.

N o t e: In Polish, if we answer a question with just one word, it must have the same grammatical form that it would have appearing in the whole sentence.

8.2.3. Conjugation of the irregular verb *powinien, powinna*

Etymologically, the forms *powinien, powinna* were not verbs and that is why they do not have infinitive. They are inflected taking the past tense endings:

134

		masc.	fem.	neut.
1.	(ja)	*powinienem*	*powinnam*	–
2.	(ty)	*powinieneś*	*powinnaś*	–
3.	on, pan	*powinien*	–	–
	ona, pani	–	*powinna*	–
	ono	–	–	*powinno*

		virile	nonvirile
1.	(my)	*powinniśmy*	*powinnyśmy*
2.	(wy)	*powinniście*	*powinnyście*
3.	oni, państwo	*powinni*	–
	one, panie	–	*powinny*

These forms are used while giving advice, or talking about someone's duties. They combine very often with infinitives of perfective verbs, e.g.: *Powinienem napisać list. Powinnaś powiedzieć prawdę.*

8.2.4. Use of infinitives of perfective and imperfective verbs after *prosić, musieć, trzeba, warto, powinien*

In sentences expressing requests, orders or advice, the infinitives of perfective verbs are used to strengthen the request, order or advice.

In negative sentences, the corresponding imperfective verbs are used.

The following scheme shows how this is done:

affirmative forms (with perfective verbs)	negative forms (with imperfective verbs)
1. *Proszę to przeczytać.* Please read it!	1. *Proszę tego nie czytać.* Please do not read it!
2. *Musi pani to przeczytać.* You have to read it!	2. *Nie musi pani tego czytać.* You needn't read it!
3. *Musisz to zrobić.* You have to do it!	3. *Nie musisz tego robić.* You needn't do it!
4. *Trzeba to przeczytać.* You need to read it!	4. *Nie trzeba tego czytać.* It's not necessary to read it!
5. *Warto to przeczytać.* It's worth reading!	5. *Nie warto tego czytać.* It's not worth reading!
6. *Powinieneś to zrobić.* You should do it!	6. *Nie powinieneś tego robić.* You shouldn't do it!

8.3. Jak to powiedzieć?

8.3.1. Giving advice

8.3.1.1. Asking for advice

formal	informal
Chciałem panią (pana) prosić o radę.	*Chciałem cię prosić o radę.*
Jak pani (pan) myśli, co robić?	*Jak myślisz, co robić?*
Co pani (pan) mi radzi?	*Co mi radzisz?*
Nie wiem, co mam robić.	*Nie wiem, co robić.*
Proszę mi coś doradzić.	*Doradź mi coś.*

8.3.1.2. Advising — persuasion

formal	informal
Radzę pani (panu) wyjechać do domu.	*Radzę ci wyjechać.*
Radzę pani (panu) pójść do lekarza.	*Radzę ci pójść do lekarza.*
Myślę, że powinien pan pójść do lekarza.	*Myślę, że powinieneś (powinnaś) pójść do lekarza.*
Moim zdaniem musi pan pójść...	*Moim zdaniem musisz pójść...*
Według mnie powinien pan...	*Powinieneś, powinnaś...*
Dlaczego nie porozmawia pan z dyrektorem?	*Dlaczego nie porozmawiasz z dyrektorem?*

8.3.1.3. Advising — dissuasion

formal	informal
Nie musi pan (pani) jechać do domu.	*Nie musisz jechać do domu.*
Proszę nie jechać do domu.	*Lepiej nie jechać do domu.*
Proszę pana, nie trzeba...	*Nie trzeba iść do lekarza.*
Proszę pani, nie warto iść...	*Nie warto iść do lekarza.*

8.3.2. Expressing time and hour

8.3.2.1. Asking for time

Która jest godzina?
O której (godzinie) jest pociąg do Warszawy?
Za ile (minut/godzin) jest pociąg do Warszawy?

8.3.2.2. Information on exact time

Która godzina?

formal	Time:	informal
Jest godzina piąta.	(5 A.M.)	*Jest piąta.*
Jest piąta piętnaście.	(5:15 A.M.)	*Jest piętnaście po piątej.*
Jest piąta trzydzieści.	(5:30 A.M.)	*Jest wpół do szóstej.*
Jest piąta czterdzieści pięć.	(5:45 A.M.)	*(Jest) za piętnaście szósta.*
Jest godzina czternasta.	(2 P.M.)	*(Jest) druga (po południu).*
Jest czternasta dwadzieścia.	(2:20 P.M.)	*(Jest) dwadzieścia po drugiej.*
Jest czternasta trzydzieści.	(2:30 P.M.)	*(Jest) wpół do trzeciej (po południu).*
Jest czternasta czterdzieści.	(2:40 P.M.)	*(Jest) za dwadzieścia trzecia.*

Thus, the rules are as follows:

1. one to twenty nine minutes past the hour is denoted by the preposition *po* with the locative of the ordinal numeral in the feminine gender;

2. half to the next hour is denoted by the preposition *do* with the ordinal numeral in the genitive form, feminine gender;

3. one to twenty nine minutes to the hour is denoted by the preposition *za* used with cardinal numeral in the accusative form;

4. in Polish the 24-hour-clock is used for special formal purposes in public life. That is why the information provided at the railroad stations, on the radio, TV, etc. has the following form:

Pociąg do Warszawy odjedzie o godzinie szesnastej dziesięć (4:10 P.M.)

za x (minut)
(godzina)
ord. num. *-a*

x (minut)
po (godzinie)
ord. num. *-ej*

8.3.2.3. Information on the time of events

O której (godzinie) jest wykład?

formal	Time:	informal
O (godzinie) dziesiątej.	(10.00 A.M.)	*O dziesiątej.*
O dziesiątej pięć.	(10:05 A.M.)	*Pięć po dziesiątej.*
O dziesiątej trzydzieści.	(10:30 A.M.)	*O wpół do jedenastej.*
O dziesiątej pięćdziesiąt.	(10:50 A.M.)	*Za dziesięć jedenasta.*

137

8.4. Powiedz to poprawnie!

8.4.1. Use the correct form of the verb *powinien*:
Example: *Czy on powinien pojechać do domu?*

Myślę, że ty .... pojechać do Francji. Czy ona ....
pojechać do domu? Oni .... pojechać do domu. My ....
pojechać do domu .... i wy .... zrobić to samo.
Czy ja .... pojechać do domu?

8.4.2. Use perfective verbs after the verb *musieć* following the model:
Example: *Czytała to pani? Nie? Musi pani to przeczytać.*

Jadłeś to kiedyś? Nie!? ....
Widziałaś to kiedyś? Nie!? ....
Piliście to kiedyś? Nie!? ....
Opowiadałem ci to kiedyś? Nie!? ....
Zamawialiśmy to kiedyś? Nie!? . ; ....
Zapraszałeś go kiedyś? Nie!? ....

8.4.3. Using examples from 7.4.2. form negative sentences:
Example: *Czytała to pani? Nie? Nie musi pani tego czytać.*

8.4.4. Use perfective verbs following the model:
Example: *Proszę przeczytać ten tekst (czytać).*

Proszę .... do Roberta (iść). Proszę .... to ciastko (jeść).
Proszę .... zadanie (kończyć). Proszę ....
przez chwilę (myśleć). Proszę .... wodę mineralną (pić). Proszę
.... to zadanie (pisać). Proszę .... z Michelem
(rozmawiać). Proszę .... moją sytuację (rozumieć). Proszę
.... się tego na pamięć (uczyć). Proszę .... to słowo
(pamiętać).

8.4.5. Use the nominative plural following the model:
Example: *To jest moja kaseta. To są moje kasety.*

To jest mój pokój. To są .... To jest mój stół. To są
.... To jest moje krzesło. To są ....
To jest moje zdjęcie. To są .... To jest moja książka.
To są .... To jest mój słownik. To są ....
To jest mój zeszyt. To są .... To jest mój długopis.
To są .... To jest mój ołówek. To są ....
To jest moja gumka. To są ....

8.4.6. Use the nominative plural of adjectives and nouns following the model:
Example: *Tu są ładne Rosjanki* (*ładna Rosjanka*).

Poznałem bardzo . . . . (sympatyczna Amerykanka).
W kawiarni widziałem . . . . (miła Polka).
W naszej klasie są bardzo . . . . (inteligentna Japonka).
Do klubu przychodzą . . . . (piękna Francuzka).
Wczoraj poznałem dwie . . . . (ambitna Niemka).
W instytucie są . . . . (ładna Włoszka).

8.4.7. Express your surprise asking questions:
Examples: *On jest inteligentny. Jaki on jest?*

Adam jest przystojny. . . . .
One są bardzo ładne. . . . .
Piotr jest inteligentny. . . . .
Ona jest piękna. . . . .
One są bardzo miłe. . . . .
Ona jest sympatyczna. . . . .
Robert jest ambitny. . . . .
One są bardzo inteligentne. . . . .

8.4.8. Use the accusative plural following the model:
Example: *Wczoraj kupiłem dwa słowniki (słownik).*

Wczoraj przeczytałem dwie . . . . (książka). Wczoraj przeczytałem
dwa . . . . (artykuł). Wczoraj zjadłem dwa . . . .
(ciastko). Wczoraj wypiłem dwie . . . . (coca-cola). Wczoraj wypiłem
dwa . . . . (piwo). Wczoraj zjadłeś dwie . . . . (zupa).
Wczoraj zapamiętałeś tylko dwa . . . . (słowo). Wczoraj napisaliście
tylko dwa . . . . (tekst).

8.5. Czy umiesz to powiedzieć?

8.5.0. Do you remember what happened in the last lesson? Say it in Polish.

8.5.1. Check whether you understand the dialogues 8.1.1.–8.1.3.:

	prawda	*nieprawda*
Peter jest bardzo zmartwiony.		
Matka Michela jest w szpitalu.		
Peter nie wie, co robić.		
Michel chce rozmawiać z dyrektorem.		
Dyrektor jest bardzo zajęty.		
Michel spotyka się z dyrektorem o trzeciej.		

8.5.2. Check whether you understand the dialogue 8.1.4.:

	prawda	nieprawda
Michel chce wyjechać z Krakowa.		
Michel chce być z matką.		
Michel nie może się uczyć, bo bardzo się denerwuje.		
Michel może kontynuować studia w uniwersytecie.		
Michel jest dobrym studentem i może nadrobić zaległości.		

8.5.3. Answer the questions using the structure with the preposition *po*: *Która godzina?*

6:10 ....   2:08 ....

10:05 ....   4:12 ....

8:20 ....   9:04 ....

12:15 ....   1:07 *do lekarza*................

3:25 ....   11:24 ....

8.5.4. Answer the question *Która godzina?* using the preposition *wpół do*:

4:30 ....   8:30 ....

2:30 ....   5:30 ....

7:30 ....   11:30 ....

10:30 ....   1:30 ....

12:30 ....   9:30 ....

8.5.5. Answer the question *Która godzina?* using the preposition *za*:

1:40 ....   5:35 ....

3:50 ....   2:55 ....

11:58 ....   6:45 ....

7.38 ....   12:52 ....

8:35 ....   10:40 ....

8.5.6. You would like to buy tickets for a movie. Please, ask your friend at what time the shows start.

Ty: ....

Kolega: .... (15:30, 18:00, 20:30)

8.5.7. You would like to buy tickets for a concert. Please, ask the cashier at what time the concert starts and how much the tickets cost.

Ty: ....

Kasjerka: .... (19:15)

Ty: ....

Kasjerka: ....

140

8.5.8. You inquire about trains from *Kraków* to *Warszawa*. A man answers the questions:

Ty: ....

Pan: Rano, czy po południu?

Ty: ....

Pan: .... (6:10, 7:10, 8:10, 11:10)

8.5.9. You inquire about trains from *Warszawa* to *Kraków*. A woman answers your questions:

Ty: ....

Pani: Rano,czy po południu?

Ty: ....

Pani: .... (14:55, 15:55, 16:55, 7:55)

8.5.10. You inquire about buses *(autobus pospieszny)* from *Kraków* to *Zakopane*. A woman gives you information about the fast connections:

Ty: ....

Pani: .... (6:20, 7:40, 9:30, 11:00)

8.5.11. Advise your friend following a model (+ = persuasion, – = dissuasion):
    Example: *(torebka) Jak myślisz, kupić tę torebkę?*
    (–) Nie warto jej kupować. Jest za droga.

(krawat) ....

(++). ....

(dżinsy) ....

(–). ....

(sweter) ....

(+). ....

(sukienka) ....

(–). ....

(buty) ....

(– –). ....

8.5.12. A friend is asking for advice. Give him (her) an advice:

On(a):•Źle się czuję. Nie wiem, co robić.

Ty: ....

On(a): Jestem bardz zmęczona.

Ty: ....

On: Co myślisz o tej marynarce?

Ty: ....

Ona: Adam bardzo mi się podoba.

Ty: ....

On: Kocham Ewę, ale ona o tym nie wie.

Ty: ....

8.5.13. Ask your classmates some questions in order to find someone who:

a) goes to bed past midnight,

b) gets up very early.

8.6. Co o tym myślicie?
FILMY KIEŚLOWSKIEGO

Agnieszka i Michel obejrzeli film Krzysztofa Kieślowskiego "Niebieski". A wy? Czy znacie jakiś film Kieślowskiego? Czy ten fim podoba wam się? Czy chcecie zobaczyć inne filmy Kieślowskiego? Które? Dlaczego?

Krzysztof Kieślowski urodził się 27 czerwca 1941 r. w. Warszawie. W 1968 r. ukończył PWSTiF w Łodzi, gdzie na Wydział Reżyserii zdawał trzykrotnie. Już podczas studiów realizował filmy fabularne i dokumentalne dla Telewizji Polskiej. Zadebiutował w 1968 r. filmem "Zdjęcie", następnie pracował w Wytwórni Filmów Dokumentalnych w Warszawie. W latach 1979–1982 wykładał na Wydziale RTV Uniwersytetu Śląskiego, a od roku 1978 do 1981 był wiceprezesem Stowarzyszenia Filmowców Polskich. Uczył reżyserii na uczelniach w Niemczech, Finlandii i Szwajcarii.

K. Kieślowski 1941–1996

W 1973 r. nakręcił swój pierwszy telewizyjny film fabularny "Przejście podziemne". Dwa lata później otrzymał za "Personel" Grand Prix na festiwalu w Mannheim. W 1981 r. za film "Spokój" uhonorowano go nagrodą specjalną na festiwalu w Gdańsku. Dużą popularność przyniósł mu "Amator", nagrodzony na festiwalach w Moskwie, Gdańsku i Chicago. Swoją pozycję umocnił obrazami "Przypadek" z 1981 r. i "Bez końca" z 1984 r. Kieślowski był m.in. laureatem Fenixa za "Krótki film o zabijaniu", Złotych Lwów za "Trzy kolory" i nagrody na festiwalu w Wenecji za "Dekalog". Film "Trzy kolory. Czerwony" zdobył również nominację do Oscara. Reżyser otrzymał też nagrody na festiwalach filmów fabularnych w Cannes, Berlinie, Lille, Wenecji, São Paulo, Strasburgu, Moskwie i San Sebastian.

W. Kost, *Bez końca*,
"Wprost", nr 12 z 24 III 1996 r.

Nie czuję się obywatelem świata; czuję się w dalszym ciągu Polakiem. W istocie sprawy dotyczące Polski dotyczą mnie bezpośrednio: nie odczuwam takiego dystansu, żeby przestały mnie obchodzić. Nie obchodzą mnie już i nie dotyczą rozgrywki polityczne, ale nie świat. To jest mój świat. Z tego świata się wziąłem i pewnie w nim umrę. Gdy jestem poza domem, jestem tam zawsze na chwilkę, przejazdem. Nawet jeśli trwa to rok czy dwa, mam uczucie tymczasowości. Inaczej mówiąc, istnieje uczucie powrotu, świadomość, że wracasz. Człowiek powinien mieć miejsce, do którego wraca. Ja mam to miejsce w Polsce – dom w Warszawie, dom na Mazurach. Przyjeżdżając do Paryża, nie mam poczucia powrotu. Do Paryża przyjeżdżam. Wracam zawsze do Polski.

K. Kieślowski, *O sobie*,
Wydawnictwo Znak, Kraków 1997, s. 10

Lekcja 9

9.1. Wszystko będzie dobrze

9.1.1. Zbliżają się święta Bożego Narodzenia. Peter i Wojtek skończyli ostatnie lektoraty przed świętami. Są w biurze szkoły języków obcych. Wszyscy składają sobie życzenia. Do Wojtka zadzwonił znajomy.

Wojtek: Dziękuję bardzo za życzenia. Ja również życzę wam wesołych świąt i szczęśliwego Nowego Roku. Bawcie się dobrze w górach. Dobrze, zadzwonię, pa! (*do Petera*) Cześć, Piotr. No to mamy za sobą ostatnie zajęcia w tym roku. Wyjeżdżasz na święta do domu?

Peter: Jeszcze nie wiem, ale chyba zostanę w Polsce.

Wojtek: I co będziesz robił?

Peter: Będę odpoczywał.

Wojtek: Sam? W święta!? Przecież to nie ma sensu. Zapraszam cię do siebie.

Peter: To miło z twojej strony, ale ja jestem nieśmiały a ty na pewno będziesz z rodziną...

Wojtek: Święta będę spędzał tylko z rodzicami. Przecież ich znasz! Oni bardzo cię lubią, musisz przyjść.

Peter: Dziękuję. Lepiej będzie, jeśli będę sam.

Wojtek: Nie będziesz sam. Przyjadę po ciebie w wigilię rano.

143

9.1.2. Michel jest w domu, w Lille we Francji. Pisze listy do Polski. Najpierw pisze do Agnieszki, a potem do dyrektora Instytutu Polonijnego.

Lille, 26 grudnia

Droga Agnieszko,

przepraszam, że wyjechałem bez pożegnania i że piszę tak późno. Przed wyjazdem dzwoniłem, ale nie było Cię w domu. Mam nadzieję, że mama powiedziała Ci o wszystkim. Było mi wtedy bardzo ciężko, ale wszyscy bardzo mi pomagali.

Moja mama nie czuje się jeszcze dobrze, ale doktor mówi, że jest coraz lepiej. Ona i ja mamy nadzieję, że wyjdzie ze szpitala przed pierwszym stycznia.

Do Krakowa wrócę w styczniu, kiedy mama dobrze już będzie się czuć. Martwię się, czy dam sobie radę na studiach. Wierzę jednak, że wszystko będzie dobrze.

U was w Polsce dzisiaj są jeszcze święta, ale we Francji jest już po świętach. Dlatego chcę Ci złożyć życzenia szczęśliwego Nowego Roku.

Proszę przekazać rodzicom wyrazy szacunku i pozdrowić kolegów.

Do zobaczenia w Krakowie.

Serdecznie Cię pozdrawiam —
Michel

P.S. Zadzwonię zaraz po powrocie.

9.1.3.

Lille, 5 stycznia

Szanowny Panie Profesorze,

przepraszam, że piszę tak późno, ale czekałem na chwilę, kiedy będę miał dobre wiadomości.

Moja mama wyszła ze szpitala 30 grudnia. Jest w domu i czuje się coraz lepiej. Ona mówi nawet, że czuje się już bardzo dobrze, ale ja wolę być ostrożny.

Mam nadzieję, że do Instytutu wrócę między 15. a 20. stycznia. Będę się dużo uczył, żeby zdać testy i egzaminy. Ten list jest jednym z ćwiczeń. Robię je tu, żeby nie zapomnieć języka polskiego.

Jeszcze raz dziękuję za radę i pomoc.

Z wyrazami szacunku —

Michel Deschamps

145

Vocabulary

bawić się (bawię się, bawisz się Imperf.) *to amuse oneself, to enjoy oneself*
bez + G *without*
Boże Narodzenie (n) *Christmas*
chwila (f G chwili) *moment, while*
ciężko Adv. *heavily, hard*; → **ciężko mi było** *I was having a hard time*
coraz Adv., **coraz lepiej** *better and better*
czuć się (czuję się, czujesz się Imperf.) *to feel*; → **czuć się dobrze** *to feel well*
ćwiczenie (n G ćwiczenia) *exercise, drill*
do zobaczenia *good-bye*
doktor (m G doktora) *doctor*
drogi, -a, -e Adj. *dear*
dzwonić + **do** + G (dzwonię, dzwonisz Imperf.) *to call, to ring up*; → **zadzwonić** (zadzwonię, zadzwonisz Perf.) *to call, to ring up*
góry (pl. G gór) *mountains*
grudzień (m G grudnia) *December*
jednak *however, but, yet, still*
lektorat (m G lektoratu) *(foreign language) class*
list (m G listu) *letter*
mieć coś za sobą *have (just) finished*
między (+ I) *between*
na (+ Ac.) *for*
nieśmiały, -a, -e Adj. *shy, timid*
nowy, -a, -e Adj. *new*
odpoczywać (odpoczywam, odpoczywasz Imperf.) *to rest, to take a rest*; → **odpocząć** (odpocznę, odpoczniesz Perf.) *to rest, to take a rest*
ostatni, -a, -e Adj. *last*
ostrożny, -a, -e Adj. *careful, cautious*
pa *bye*
powrót (m G powrotu) *return*
pozdrawiać + Ac. (pozdrawiam, pozdrawiasz Imperf.) *to greet, to give somebody kind regards*; → **pozdrowić** + Ac. (pozdrowię, pozdrowisz Perf.) *to greet, to give somebody kind regards*
pożegnanie (n G pożegnania) *leave-taking, farewell*
przed (+ I) *before, in front of*
przekazać + Ac. (przekażę, przekażesz Perf.) *to transfer, to give a massage*; → **przeka-**

zywać + Ac. (przekazuję, przekazujesz Imperf.) *to transfer, to give a massage*
przyjechać (przyjadę, przyjedziesz Perf.) *to come, to arrive*; → **przyjeżdżać** (przyjeżdżam, przyjeżdżasz Imperf.) *to come, to arrive*
rada (f G rady) *advice*
rano Adv. *in the morning*
raz, jeszcze raz *time, one more time*
również *also, too, as well*
sens (m G sensu) *sense, meaning*; → **to nie ma sensu** *it doesn't make sense*
serdecznie Adv. *sincerely, cordially*
składać życzenia (składam, składasz Imperf.) *to wish*; → **złożyć życzenia** (złożę, złożysz Perf.) *to wish*
spędzać + Ac. (spędzam, spędzasz Imperf.) *to spend*; → **spędzić** + Ac. (spędzę, spędzisz Perf.) *to spend*
styczeń (m G stycznia) *January*
szacunek (m G szacunku) *respect, esteem*
szanowny, -a, -e Adj. *respectable, honourable*
szczęśliwy, a, -e Adj. *happy*; → **wesołych świąt** *merry Christmas*
wiadomość (f G wiadomości) *news, a piece of information*
wierzyć + **w** + Ac. (wierzę, wierzysz Imperf.) *to believe*
wigilia (f G wigilii) *Christmas Eve*
wracać (wracam, wracasz Imperf.) *to come back, to return*; → **wrócić** (wrócę, wrócisz Perf.) *to come back, to return*
wyjazd (m G wyjazdu) *departure*
wyraz (m G wyrazu) *word*; → **wyrazy szacunku** *compliments, kind regards*
zbliżać się (zbliżam się, zbliżasz się Imperf.) *to approach, to near*; → **zbliżyć się** (zbliżę się, zbliżysz się Perf.) *to approach, to near*
zdawać + Ac. (zdaję, zdajesz Imperf.) *to pass (an exam)*; → **zdać** + Ac. (zdam, zdasz Perf.) *to pass (an exam)*
znajomy, -a Adj. *acquaintance*
żeby *that, in order that, in order to*
życzyć + D + G (życzę, życzysz Imperf.) *to wish*
życzenie (n G życzenia) *wish, desire*

Warto zapamiętać te słowa!
ODZIEŻ

A. MĘSKA: 1. slipy; 2. podkoszulek; 3. spodnie; 4. marynarka; 5. garnitur; 6. koszula; 7. krawat; 8. skarpeta, skarpety.

B. DAMSKA: 1. majtki; 2. biustonosz; 3. spódnica; 4. bluzka; 5. żakiet; 6. sukienka; 7. naszyjnik; 8. pończocha, pończochy; 9. beret; 10. kapelusz.

C. 1. płaszcz; 2. kurtka; 5. but, buty; 6. tenisówki; 7. adidasy; 8. sweter; 9. golf; 3. rękawiczki; 4. szalik; 10. dżinsy; 11. dres; 12. kapelusz; 13. czapka.

9.2. Gramatyka jest ważna

9.2.1. Future tense of the imperfective verbs

9.2.1.1. Forms with the infinitive

When discussing aspect (see 6.2.2.) we stated that the future tense forms of the imperfective verbs are complex. They consist of two parts: the future tense form of the verb *być* (see 5.2.4.), and the infinitive of the inflected verb. Thus future tense of the verb *studiować* looks like this:

		STUDIOWAĆ future tense			
1.	*(ja)*	*będę studiować*	1.	*(my)*	*będziemy studiować*
2.	*(ty)*	*będziesz studiować*	2.	*(wy)*	*będziecie studiować*
3.	*on, pan ona, pani ono, to*	*będzie studiować*	3.	*oni, państwo, panowie one, panie*	*będą studiować*

9.2.1.2. Forms with the former past participle

Imperfective verbs form future tense in one more way. It is similar to the one already mentioned, for it is also a complex form and its first part is also the verb *być* in the future. The only difference is the second part, being the former active past participle, already known to us in its form from the third person sg. and pl. of the past tense. Because this participle is associated by foreigners with the past tense, its use in the future tense comes as a psychological shock, and thus, the forms employing the participle are more difficult for foreigners. One more difficulty is that using them we have to pay attention to the gender.

The future tense forms with the former past participle are as follows:

		masc.	fem.
1.	*(ja)*	*będę studiował*	*będę studiowała*
2.	*(ty)*	*będziesz studiował*	*będziesz studiowała*
3.	*on, pan*	*będzie studiował*	
	ona, pani		*będzie studiowała*

		virile	nonvirile
1.	*(my)*	*będziemy studiowali*	*będziemy studiowały*
2.	*(wy)*	*będziecie studiowali*	*będziecie studiowały*
3.	*oni, państwo, panowie*	*będą studiowali*	
	one, panie		*będą studiowały*

Frequency research indicates that the forms of the type *będziemy pisać* are used twice as often as the forms *będę pisał*.

9.2.2. Future tense of the perfective verbs

Perfective verbs expressing a complete action can not take the form of the present tense, because the action is still being performed in the moment of speaking and can not be referred to as finished. Therefore, the perfective verbs use the present tense forms in referrence to the future. This means that constructing their future forms, one should use the rules given for imperfective verbs in lessons 1–3 (see 1.2.9., 2.2.4., 3.2.1.). We should also remember that these forms should be translated into English in the future tense, e.g.:

Mama wyjdzie ze szpitala.	Mother will leave the hospital.
Do Krakowa wrócę w styczniu.	I will come back to Kraków in January.
Dam sobie radę na studiach.	I will do fine during my studies.
Zadzwonię po powrocie.	I will call when I come back.

The verb *wyjdę, wyjdziesz* is inflected like *idę, idziesz* (see 4.2.5.). The verb *dam, dasz* is inflected as *mam, masz* (see 1.2.9.), and the verb *zadzwonię, zadzwonisz* like *mówię, mówisz* (see 3.2.1.). The verb *wrócę, wrócisz* is conjugated in the same way.

The future tense of perfective verbs stresses the speaker's belief in doing what he or she intends to do. It also refers to brief actions (*wyjdzie, wrócę, zadzwonię*) which are perceived by the Pole as being completed in the future.

9.2.3. Forms *nie ma, nie było, nie będzie*

The verb *być* takes unusual negative forms if used in the meaning "to exist", "to be present". In the present, past and future they look like this:

Present tense

		affirmative form	negative form
1.		*jestem*	*nie ma mnie*
2.		*jesteś*	*nie ma cię*
3.		*on jest*	*nie ma go*
		pan jest	*nie ma pana*
		ona jest	*nie ma jej*
		pani jest	*nie ma pani*
1.		*jesteśmy*	*nie ma nas*
2.		*jesteście*	*nie ma was*
3.		*oni są*	*nie ma ich*
		państwo są	*nie ma państwa*
		one są	*nie ma ich*

Note that the form *nie ma* has two meanings: 1) Lat. non habet = does not have, 2) Lat. non est = does not exist. It is also worth noting that the subject of the negative forms is not in the nominative case, as one might at first expect. Here, the subject appears in the genitive, for the forms *mnie, cię, go* are the genitives of pronouns, which you already know.

	Past tense	Future tense
1.	*nie było mnie*	*nie będzie mnie*
2.	*nie było cię*	*nie będzie cię*
3.	*nie było go*	*nie będzie go*
	nie było jej	*nie będzie jej*
1.	*nie było nas*	*nie będzie nas*
2.	*nie było was*	*nie będzie was*
3.	*nie było ich*	*nie będzie ich*

9.2.4. The dative of personal pronouns and courtesy titles, and its use

Dative is a case which is used very rarely (it has a frequency of about 1.5%) and because of that you do not have to learn it when you are just beginning to learn Polish. The only forms which are used more often in the dative are the pronouns, as they appear in such expressions as: *podoba mi się, zimno ci, radzę panu* and therefore we would like to present them right now.

Nom.	*ja*	*ty*	*on*	*ona*	*ono*	*my*	*wy*	*oni*	*one*	*pan*	*pani*	*państwo*
Dat.	*mnie*	*tobie*	*jemu*	*jej*	*jemu*	*nam*	*wam*	*im*	*im*	*panu*	*pani*	*państwu*
	mi	*ci*	*mu*		*mu*							

Phrases with the dative often express human — physical and psychical — impressions:

physical impressions

jest mi zimno = zimno mi
jest mi ciepło = ciepło mi
jest mi gorąco = gorąco mi
jest mi duszno = duszno mi
jest mi słabo = słabo

psychical impressions

podoba mi się,
nie podoba mi się
jest mi smutno = smutno mi
jest mi wesoło = wesoło mi
mi jest mi żal = żal mi
jest mi głupio = głupio mi
jest mi ciężko = ciężko mi

Remember that inflecting the expressions like *jest mi zimno* in the past we use the past tense of the 3rd person neuter, i.e. we say *wczoraj było mi zimno*. Similarly, in the future we say *Będzie mi zimno*.

Here is the form of the verb *podobać się* in the past:

Film podobał mi się.

Here it is in the future:

Mam nadzieję, że Polska będzie ci się podobać.

9.2.5. Forming adverbs from adjectives

It is significant that many adverbs in Polish are formed by adding the morphemes *-o, -e* to the adjectives. Thus, if you know an adjective, it is easy to create an adverb. Here is a list of the most popular adjectives and adverbs:

adjective — adverb	adjective — adverb
dobry — dobrze	*serdeczny — serdecznie*
zły — źle	*ostatni — ostatnio*
duży — dużo	*podobny — podobnie*
mały — mało	*obecny — obecnie*
częsty — często	*dokładny — dokładnie*
rzadki — rzadko	*spokojny — spokojnie*
wczesny — wcześnie	*dawny — dawno*
późny — późno	*specjalny — specjalnie*
łatwy — łatwo	*zupełny — zupełnie*
trudny — trudno	
tani — tanio	
drogi — drogo	
szybki — szybko	
wolny — wolno	
ładny — ładnie	
brzydki — brzydko	

On the left of the chart the adjectives and adverbs have been grouped in antonymous pairs, positive first, negative next.

9.2.6. Use of adjectives and adverbs

Adjectives and adverbs in Polish can not be substituted for one another. Adjectives in most cases modify nouns, following their case, number and gender. Adverbs refer to verbs or other adjectives, e.g.:

Kupiłem tani sweter.   *Kupiłem tanio.*
Kupiłem drogą książkę.   *Kupiłem drogo.*
To jest dobre zdanie.   *Mówię dobrze.*
Jest wczesny ranek.   *Jest wcześnie.*
Jest późny wieczór.   *Jest późno.*

9.3. Jak to powiedzieć?

9.3.1. Writing letters — patterns

As in every other language, also in Polish there are some customs connected with writing letters, especially concerning their beginning and ending.

informal letters	formal letters
form of address	
Kochana Mamo! Kochany Tato! Kochani! Kochana Krysiu! Droga Agnieszko! Drogi Jurku! Moi drodzy! Cześć, Robert!	Szanowna Pani! Szanowny Panie! Szanowni Państwo! Szanowna Pani Profesor! Szanowny Panie Profesorze! Szanowny Panie Doktorze! Szanowna Pani Doktor!
beginning	
Właśnie dostałem twój list i zaraz odpisuję, bo... Przepraszam, że piszę tak późno. Mam nadzieję, że... Dziękuję ci bardzo za twój list i za wszystkie wiadomości. Dlaczego nic nie piszesz? Martwię się, czy...	Otrzymałem Pański list i natychmiast odpisuję, ponieważ.... Przepraszam, że piszę tak późno, ale... Dziękuję bardzo Pani Profesor za list. Od dawna nie mam wiadomości z uniwersytetu i bardzo się martwię, czy...
ending	
Proszę pozdrowić Roberta. Proszę przekazać rodzicom wyrazy szacunku. Proszę pozdrowić kolegów. Na tym kończę i czekam na odpowiedź. Serdecznie cię pozdrawiam. Pozdrawiam cię, pisz! Całuję cię, ściskam cię!	Z wyrazami szacunku – Z poważaniem – Łączę wyrazy szacunku – Przesyłam wyrazy szacunku – Proszę przyjąć wyrazy szacunku –
ending and a signature	
Twój syn Marek kochający was tatuś Mama Marysia twój Adam Krzyś Krysia	Szczerze oddany Jan Kowalski Andrzej Kowalski Anna Zagórska

In Polish there is no phrase equivalent to the English "To whom it may concern". In such cases the letters have the heading *Szanowni Państwo*.

Remember that the word *drogi* is reserved only for informal contacts and that is why in Polish we do not write *Drogi Profesorze Kowalski*. In the heading of a formal letter we may use only the adjective *Szanowny, -a*. The family name is not used here.

It is customary in Polish that all the words referring to the addressee are spelled with a capital letter at the beginning. This concerns mainly possessive and personal pronouns, e.g.: *dziękuję Ci bardzo za list; dziękuję bardzo Pani Profesor za list; dostałem Twój list.*

9.3.2. Use of vocative in the headings

In the headings we use the vocative singular. In spoken Polish this case is used rarely (the frequency of its occurrence is about 1%), being gradually replaced by the nominative (as in the expression *Cześć, Robert!*). Written language, however, and especially the formal style, requires vocative. In the chart we have presented the most typical examples of its use.

9.3.3. Addressing envelopes

to the private person:

Szanowny Pan
Andrzej Nowakowski
Al. Mickiewicza 20 m. 5
30–065 Kraków

to the official person:

Szanowna Pani
prof. dr hab. Zofia Nowak
Instytut Polonijny UJ
ul. Jodłowa 13
30–252 Kraków

to the office or institution:

Dyrekcja Instytutu Polonijnego
Uniwersytetu Jagiellońskiego
ul. Jodłowa 13
30–252 Kraków

Szan. Pan, Szan. Pani are the abbreviations of *Szanowny Pan, Szanowna Pani.* Polish likes titles, and therefore we should use them whenever they are appropriate. The titles do not eliminate the word *pan,* but to the contrary — they supplement it, as in the expression: *Szanowny pan profesor.*
Prof. dr hab. are the three words meaning *profesor doktor habilitowany.*
UJ is a popular abbreviation of the name *Uniwersytet Jagielloński.*

9.3.4. Expressing hope

Mam nadzieję, *że wrócę do Instytutu.*
Mamy nadzieję, *że mama wyjdzie ze szpitala.*
Wierzę, *że wszystko będzie dobrze.*
Wszystko będzie dobrze!

153

9.3.5. Expressing concern and worry

Martwię się, że masz dużo problemów.
Martwię się, czy dasz sobie radę.
Obawiam się, że on jest chory.
Nie wiem, czy wszystko jest w porządku.
Nie wiem, czy mama jest już zdrowa.

As we see, the verbs *martwię się, obawiam się* may be followed by the conjunction *że* or *czy*. The first is used whenever we are certain that there exists a problem. The second conjunction is used when we think that problems are possible, but we are not sure. This state is well reflected by the syntax of the verb *wiem*:

Wiem, że mama jest zdrowa.
Nie wiem, czy mama jest zdrowa.

9.3.6. Expressing negative feelings

present	past
Tęsknię za domem, za Peterem, za Francją.	*Tęskniłem za...*
Jest mi smutno(, że)...	*Było mi smutno, że...*
Jest mi żal(, że)...	*Było mi żal, że...*
Jest mi bardzo ciężko.	*Było mi bardzo ciężko.*
Nie czuję się dobrze.	*Nie czułem się dobrze.*
Martwię się (chorobą).	*Martwiłem się (chorobą).*
Mam zmartwienie.	*Miałem zmartwienie.*
Mam dużo problemów.	*Miałem dużo problemów.*
Jestem zdenerwowana (chorobą).	*Byłam zdenerwowana (chorobą).*
Mam chandrę. (coll.)	*Miałem chandrę.*

9.4. Powiedz to poprawnie!

9.4.1. Use imperfective verbs following the model:
Example: *Napisałaś zadanie? — Właśnie kończę pisać!*

Zjadłaś zupę? ....

Wypiłeś herbatę? ....

Zrobiłaś ćwiczenia? ....

Zapłaciłeś za książki? ....

Przeczytaliście artykuł? ....

Napisałyście artykuł? ....

Pokroiłaś kiełbasę? ....

Opowiedziałeś mu to? ....

9.4.2. Answer questions from 9.4.1. following the model:
Example: *Napisałeś zadanie? — Jeszcze nie. Dopiero zacząłem pisać.*

Jeszcze nie. . . . .

Jeszcze nie. . . . .

Jeszcze nie. . . . .

Jeszcze nie. . . . .

Jeszcze nie. . . . .

Jeszcze nie. . . . .

Jeszcze nie. . . . .

Jeszcze nie. . . . .

9.4.3. Give negative answers following the model:
Example: *Czy Agnieszka jest w domu? Niestety, nie ma jej.*

Czy pan Nowak jest w domu?
Niestety, ...

Czy pani Maria jest w domu?
Niestety, ...

Czy oni są w domu?
Niestety, ...

Czy Basia i Ewa są w domu?
Niestety, ...

Czy będziecie w domu?
Niestety,. . . . .

Czy będziesz w domu?
Niestety, ...

Byłeś wczoraj w domu?
Niestety, ...

Byliście wczoraj w domu?
Niestety, ...

Byłyście wczoraj w domu?
Niestety, ...

9.4.4. Use the dative of personal pronouns following the model:
Example: *Ja mówię: To jest dobry film! Film podoba mi się.*

Agnieszka mówi: To jest dobry koncert! . . . . :. . . . .

Robert mówi: To jest dobra książka! . . . .

Michel i Peter mówią: Kraków jest ładny. . . . .

My mówimy: Polska jest ładna. . . . .

Wy mówicie: Język polski jest łatwy. . . . .

Eric i Ewa mówią: Ten artykuł jest dobry. ....

Ja mówię: Agnieszka jest ładna. ....

Ty mówisz: Peter jest przystojny. ....

9.4.5. Put verbs from 9.4.4. into the past tense following the model:
   Example: *Ja mówię: To był dobry film! Film podobał mi się.*

Koncert ....

Książka ....

Kraków ....

Polska ....

Język polski ....

Ten artykuł ....

Agnieszka ....

Peter ....

9.4.6. Answer the questions using adverbs:
   Example: *Czujesz się dobrze? Nie, czuję się źle.*

Często chodzisz do kolegi?

Nie, ...

Czy wcześnie wstajesz?

Nie, ...

Czy on mówi szybko?

Nie, ...

Czy ona pisze ładnie?

Nie, ...

Czy wy czujecie się dobrze?

Nie, ...

Macie dużo czasu?

Nie, ...

9.4.7. Use adjectives expressing your surprise and disbelief:
   Example: *Język polski jest łatwy? — Ależ skąd, jest bardzo trudny!*

Twój pokój jest tani?

Ależ skąd, ...

Studia w Polsce są tanie?

Ależ skąd, ...

Wasz lektor jest brzydki?

Ależ skąd, ...

Twoja siostra jest duża?

Aleź skąd, ...

Wasz test był trudny?

Aleź skąd, ...

9.5. Czy umiesz to powiedzieć?

9.5.0. Do you remember what happened in the last lesson? Say it in Polish.

9.5.1. Check whether you understand the dialogue 9.1.1.:

	prawda	*nieprawda*
Wojtek i Peter skończyli lektoraty. *Do Petera zadzwonił znajomy z życzeniami.* *Peter wyjedzie na święta do Niemiec.* *Peter jest nieśmiały i chce być sam.* *Rodzice Wojtka bardzo lubią Petera.* *Peter będzie w święta z Wojtkiem i jego rodzicami.*		

9.5.2. Check whether you understand the text 9.1.2.:

	prawda	*nieprawda*
Michel pisze list z Francji. *Jego matka czuje się coraz lepiej.* *Michel wróci do Krakowa w lutym.* *Michel nie myśli, że wszystko będzie dobrze.* *Michel życzy Agnieszce wesołych świąt.*		

9.5.3. Check whether you understand the text 9.1.3.:

	prawda	*nieprawda*	*brak informacji*
Michel pisze list do dyrektora instytutu. *Matka Michela wyszła ze szpitala przed 1 stycznia.* *Matka czuje się już dobrze.* *Michel wróci do UJ przed 15 stycznia.* *Michel nie mówi we Francji po polsku.*			

9.5.4. Write a short letter to your professor inviting him to *Zakopane*. Include directions on how to get to *Zakopane*.

9.5.5. Write a ten-sentence letter to your mother describing your life in Poland.

157

9.5.6. Write a ten-sentence letter to your close friend describing your life in Poland.

9.5.7. Your friend speaks about various problems. Express hope following the model:
Kolega/koleżanka: *Muszę być z mamą jeszcze przez tydzień.*
Ty: *Mam nadzieję, że potem wrócisz do instytutu.*

Kolega: Teraz mam bardzo dużo problemów.
Ty: ....

Koleżanka: Nie wiem, czy nie jestem chora.
Ty: ....

Kolega: Nie wiem, czy dam sobie radę.
Ty: ....

Koleżanka: Nie wiem, czy napiszę dobrze test.
Ty: ....

Kolega: Nie wiem, czy zdam egzamin.
Ty: ....

Koleżanka: Nie wiem, czy on mnie kocha.
Ty: ....

9.5.8. Express negative feelings following the model:
(Peter) *Nie ma Petera. Bardzo za nim tęsknię.*

(mama) ....
(ojciec) ....
(siostra) ....
(brat) ....
(babcia) ....
(dziadek) ....
(kolega) ....
(koleżanka) ....
(przyjaciel) ....
(przyjaciółka) ....

9.5.9. Express negative feelings following the model:
Jest mama? Nie!? Jest mi smutno, że jej nie ma w domu.

Jest Piotr? Nie!? Jest mi żal ....
Jest Ewa? Nie!? Jest mi smutno ....
Jest ojciec? Nie!? Jest mi żal ....
Jest babcia? Nie!? Jest mi smutno ....

158

Są rodzice? Nie!? Jest mi żal. . . . .

Jest kolega? Nie!? Jest mi smutno . . . .

9.5.l0. Ask questions using the dative.
   Model: (ty) *Zimno ci?* — *Było mi zimno, ale już nie jest.*

(on) Zimno . . . . ?. . . . .

(wy) Ciepło . . . . ? . . . .

(my) Gorąco . . . . ? . . . .

(ty) Duszno . . . . ? . . . .

(ona) Zimno . . . . ? . . . .

(pan) Słabo . . . . ? . . . .

(pani) Podoba się . . . . ? . . . .

9.5.11. Say what you are wearing today.

9.5.12. Look at your classmates, choose one of them, then say what he or she is wearing today. Your colleagues should guess who he or she is.

9.5.13. What are they wearing today? Describe characters you see in the picture.

9.6. Co o tym myślicie?

POPULARNOŚĆ KAPUŚCIŃSKIEGO

Czy znacie książki Josepha Conrada, Jerzego Kosińskiego, Ryszarda Kapuścińskiego, Stanisława Lema? Czy wiecie, o czym piszą R. Kapuściński i S. Lem?

Charyzma Kapuścińskiego

Z okazji nagrody PEN Clubu dla Ryszarda Kapuścińskiego warto podkreślić, że autor ten dokonał rzeczy nie do pomyślenia — zrobił karierę międzynarodową jako dziennikarz polski. Na każdym lotnisku w każdej dziurze kiosk z książkami oferuje — pośród innych — trzy tytuły pisarzy pochodzących z Polski: "Lorda Jima" Conrada, "Malowanego ptaka" Jerzego Kosińskiego i "Cesarza" Ryszarda Kapuścińskiego.

■ Adam Keliher, Nowozelandczyk i korespondent UPI w Delhi, wydawał przed laty pożegnalne przyjęcie. Jego narzeczoną była modelka znana z okładek wszystkich magazynów w Azji. Dowiedziawszy się, że jestem korespondentem polskim zaciągnęła mnie do kąta i tam, ku wyraźnej zazdrości pozostałych kolegów, rozmawiała ze mną przez godzinę. — Czy znasz Kapuczinky? — takie było jej pierwsze pytanie. Kiedy okazało się, że znam, zaczęła mnie wypytywać, w jaki sposób pisał on takie książki jak o Angoli, Salwadorze, Iranie i Etiopii. Bo ona chciałaby wszystkiego tego dowiedzieć się w szczegółach, zapamiętać i przekazać Adamowi Keliherowi, żeby zaczął pisać tak samo dobrze. Zapytałem wtedy, skąd ona zna Kapuczinky. Powiedziała, że kupiła "Emperor" na lotnisku w Manili. [KMr.]

(*Na afiszu*, "Polityka" nr 13, 30 III 1996)

Lekcja 10

10.1. Jak tam dojechać?

10.1.1. Michel wrócił do Krakowa. Zaczął chodzić na zajęcia. Dzisiaj dostał list i jest bardzo podniecony. Wchodzi do pokoju, gdzie jest Peter.

Michel: Wiesz, mam rodzinę w Polsce!
Peter: Jesteś pewny?
Michel: Oczywiście, właśnie dostałem list, że koło Mielca żyje rodzina mojej babci. Jadę do nich z wizytą.

10.1.2. Recepcja hotelu studenckiego. Michel zastanawia się, jak dojechać do Radomyśla. Właśnie studiuje mapę Polski. Podchodzi do niego recepcjonista.

Pan: Co tak studiujesz uważnie?
Michel: Zastanawiam się, jak dojechać do Mielca.
Pan: Chcesz jechać pociągiem?
Michel: Nie jestem pewien. Po prostu nie wiem, jak tam dojechać. Nigdy tam nie byłem.
Pan: Ja mam tam rodzinę i czasami jeżdżę. Pociąg jest tańszy, ale jedzie się dłużej. Trzeba jechać najpierw z Krakowa przez Tarnów do Dębicy i tam przesiąść się na pociąg do Mielca. Dla mnie autobus jest lepszy, chociaż droższy.

10.1.3. Kraków. Dworzec autobusowy. Informacja.

Michel: Chciałbym zapytać, jak dojechać
do Radomyśla.
Pani: Którego Radomyśla?
Michel: Do Radomyśla koło Mielca.
Pani: Może pan jechać autobusem pospiesznym z Krakowa do Mielca.
Michel: O której godzinie odjeżdża?
Pani: O ósmej trzydzieści, czternastej
i szesnastej czterdzieści.
Michel: A jak długo jedzie się do Radomyśla?
Pani: Około dwie i pół godziny.
Michel: Czy mogę wrócić do Krakowa tego samego dnia?
Pani: Tak, ma pan bezpośredni autobus do Krakowa o szesnastej.

10.1.4. Peter zaprzyjaźnił się z Wojtkiem. Często go odwiedza. Lubią rozmawiać ze sobą. Dzisiaj rozmawiają o pracy.

Wojtek: Nigdy nie pytałem, dlaczego tu
pracujesz?
Peter: Po prostu, żeby zarobić. A ty?
Wojtek: Ja też. Uczę angielskiego w szkole na pół etatu, ale zarabiam mało. Tu pensje są wyższe. Wiesz,
muszę płacić za mieszkanie, gaz,
prąd, telefon... Wszystko coraz
droższe.
Peter: No tak, ceny jak na Zachodzie.

Wojtek: Za wszystko płacę sam.
Peter: To tak jak ja. Moja rodzina nie jest biedna, ale wolę pracować i sam płacić za
studia.
Wojtek: Ile zapłaciłeś za ten rok w Polsce?
Peter: 3200 dolarów.
Wojtek: To chyba dużo?
Peter: Dużo, kiedy sam musisz zarobić te pieniądze. U nas opłaty są podobne, ale
jest więcej możliwości pracy. W Niemczech można zarobić więcej, więcej
też można oszczędzić.
Wojtek: Dlaczego nie studiujesz w Niemczech?
Peter: Chyba lepiej uczyć się polskiego w Polsce. Przynajmniej jestem pewien, że
ludzie rozumieją to, co mówię.
Wojtek: Oczywiście. Studia w Polsce są trudne?
Peter: Trudniejsze niż w Niemczech, bo studiuję w języku polskim. Niestety, niemiecki wciąż znam lepiej.

162

Vocabulary

angielski *English language*
autobusowy, -a, -e Adj. *bus*
bezpośredni, -a, -e Adj. *direct*
biedny, -a, -e Adj. *poor*
cena (f G ceny) *price*
chociaż *although*
chodzić na + Ac. (chodzę, chodzisz Imperf.)
to attend classes
dojeżdżać do + G (dojeżdżam, -sz Imperf.)
to reach, to arrive; → **dojechać do** + G (doja-
dę, dojedziesz Perf.) *to reach, to arrive*
dolar (m dolara) *dollar*
dworzec (m G dworca) *station, bus station*
etat (m G etatu) *permanent post*
gaz (m G gazu) *gas*
godzina (f G godziny) *hour*
informacja (f G informacji) *information*
który, która, które *which*
mapa (f G mapy) *map*
mieszkanie (n G mieszkania) *appartment*
możliwość (f G możliwości) *possibility*
nigdy *never, not ... ever*
niż *than*
odjeżdżać (odjeżdżam, -sz Imperf.) *to leave,*
to depart
około *about, near*
opłata (f G opłaty) *charge, fee*
oszczędzać + G (oszczędzam, -sz) *to save, to*
spare; → **oszczędzić** + G (oszczędzę, oszczę-
dzisz Perf.) *to save, to spare*
pensja (f G pensji) *salary*
pewien, pewny, -a, -e Adj. *sure*
płacić za + Ac. (płacę, płacisz Imperf.) *to pay*;
→ **zapłacić za** + Ac. (zapłacę, zapłacisz Perf.)
to pay
pociąg (m G pociągu) *train*
podchodzić do + G (podchodzę, podchodzisz
Imperf.) *to come near*
podniecony, -a, -e Adj. *excited*

podobny, -a, -e Adj. *similar, like*
pospieszny → **pospieszny pociąg** (autobus)
fast bus, train
pół *haft*
pracować (pracuję, pracujesz Imperf.) *to work*
prąd (m G prądu) *current, electric power*
po prostu *simply*
przesiadać (przesiadam, -sz, Imperf.) *to*
change (*trains*); → **przesiąść się** (przesiądę,
przesiądziesz się Perf.) *to change* (*trains*)
przez + Ac. *through, across*
przyjaźnić się z + I (przyjaźnię się, przyjaźnisz się Imperf.) *to be on friendly terms*; →
zaprzyjaźnić się z + I (zaprzyjaźnię się, za-
przyjaźnisz się Perf.) *to be on friendly terms*
przynajmniej *at least*
pytać + Ac. **o** + Ac. (pytam, -sz Imperf.) *to*
ask; → **zapytać** + Ac. **o** + Ac. (zapytam, -sz
Perf.) *to ask*
recepcjonista (m G recepcjonisty) *receptio-*
nist
tani, tania, tanie Adj. *cheap*
telefon (m G telefonu) *telephone*
trzeba *it is necessary*
uważnie Adv. *attentively*
wciąż *continually, still*
wizyta (f G wizyty) *call, visit*; → **jadę z wi-**
zytą *I will pay a visit*
wysoki, wysoka, wysokie Adj. *high*
zachód (m G zachodu) *West*
zarabiać + Ac. (zarabiam, -sz Imperf.) *to earn,*
to gain; → **zarobić** + Ac. (zarobię, zarobisz
Perf.) *to earn, to gain*
zastanawiać się nad + I (zastanawiam, -sz
Imperf.) *to think over, to reflect in order to*;
→ **zastanowić się nad** + I (zastanowię,
zastanowisz Perf.) *to think over, to reflect in*
order to
żyć (żyję, żyjesz Imperf.) *to live, to be alive*

Warto zapamiętać te słowa!
MIESZKANIE

A. KUCHNIA: 1. stół; 2. taboret; 3. piec; 4. szafka; 5. talerz (płytki i głęboki); 6. talerzyk; 7. łyżka; 8. nóż; 9. widelec; 10. łyżeczka; 11. czajnik; 12. garnek; 13. patelnia; 14. rondel; 15. szklanka; 16. filiżanka; 17. telefon.

B. POKÓJ: 1. stół; 2. krzesło; 3. obrazy; 4. kredens; 5. okno; 6. drzwi; 7. wazon na kwiaty; 8. kwiaty; 9. telewizor; 10. magnetowid; 11. regał na książki; 12. fotel.

C. SYPIALNIA: 1. tapczan; 2. szafa; 3. szafka nocna; 4. lampka; 5. radio; 6. fotografie; 7. lustro.

D. ŁAZIENKA: 1. wanna; 2. prysznic; 3. umywalka; 4. półka na kosmetyki; 5. szafka na kosmetyki; 6. lustro; 7. wieszaki na ręczniki; 8. ręczniki; 9. kosz na bieliznę; 10. pralka.

10.2. Gramatyka jest ważna

10.2.1. Use of prepositions with cases

Here are the most common prepositions and the cases which they take:

case	prepositions
Nominative	*jako*
Genetive	*u, z(e), dla, do, od(e), podczas, sprzed*
Accusative	*na, o, po, przez(e), w(e), za*
Instrumental	*z(e), za, nad, przed*
Locative	*na, o, po, przy, w(e)*

Examples:

a) *Robert idzie **do mamy**. Ma **dla niej** prezent. On jest **u mamy**. A teraz wraca **od mamy**.*

b) *Michel przyjechał **z Lille** przez **Warszawę** do **Krakowa**. Potem pojedzie **do rodziny** w **Radomyślu**. On pojedzie **z Krakowa** przez **Tarnów** do **Radomyśla** koło **Mielca**.*

c) *Po zajęciach rozmawiamy **w klubie** o **literaturze** i **sztuce polskiej**.*

d) *Peter prosi **o piwo**.*

10.2.2. Prepositions naming places

preposition	examples	question
u	*u kolegi, u pani Basi*	*gdzie? u kogo?*
z	*z Warszawy, ze Szczecina*	*skąd?*
do	*do Krakowa, do Polski, do kolegi*	*dokąd? gdzie? do kogo?*
od	*od pani Basi, ode mnie*	*skąd? od kogo?*
sprzed	*sprzed domu*	*skąd?*
na	*na pocztę, na Węgry*	*dokąd?*
po	*po wodę, po wino*	*po co?*
przez	*przez ulicę, przez rynek*	*którędy? przez co?*
za	*za dom, za fotel*	*dokąd? za co?*
za	*za domem, za Wisłą*	*gdzie? za czym?*
nad	*nad łóżkiem, nad Wisłą*	*gdzie? nad czym?*
przed	*przed domem, przed Wisłą*	*gdzie? przed czym?*
na	*na poczcie, na Węgrzech*	*gdzie?*
po	*po mieście, po ulicach*	*gdzie?*
przy	*przy kościele, przy oknie*	*gdzie? przy czym?*
w	*w domu, w Krakowie*	*gdzie?*

10.2.3. Prepositions expressing time

preposition	examples	question
do	*do wieczora, do jutra, do siódmej*	*do kiedy?*
od	*od rana, od wczoraj, od siódmej*	*od kiedy?*
od — do	*od ósmej do trzeciej*	*od której do której? jak długo?*
podczas	*podczas obiadu, podczas lekcji*	*kiedy?*
w	*w piątek, w sobotę*	*kiedy?*
na	*na wtorek, na maj* (referring to the term)	*na kiedy?*
przez	*przez tydzień, przez rok* (speaking about the future and the past)	*jak długo?*
przed	*przed tygodniem, przed rokiem* (speaking about the past)	*kiedy?*
w	*w maju, w tym roku*	*kiedy?*
po	*po tygodniu, po miesiącu*	*kiedy?*

10.2.4. Prepositions taking two cases

One should pay attention not only to the fact that the same prepositions appear in the expressions naming place and time, but also that the same prepositions may take two cases, e.g.: *na poczcie* and *na pocztę*.

The use of various cases depends upon the meaning of the whole expressions: those with the accusative indicate the direction of movement (action) of an object, those with the locative — the place of an object.

The chart shows the relations between the directions, to *do* and from *od*, and place:

DOKĄD? the direction to (*do*)	*SKĄD?* the direction from (*do*)	*GDZIE?* the place
do domu *do Krakowa* *do Europy*	*z domu* *z Krakowa* *z Europy*	*w domu* *w Krakowie* *w Europie*
do mamy *do Piotra* *do mnie*	*od mamy* *od Piotra* *ode mnie*	*u mamy* *u Piotra* *u mnie*
na pocztę *na uniwersytet* *na Ukrainę*	*z poczty* *z uniwersytetu* *z Ukrainy*	*na poczcie* *na uniwersytecie* *na Ukrainie*

This chart presents the basic principles of expressing direction and place. The exceptions are mountains, seas and rivers if we refer to them as landmarks, areas where we spend some time, e.g. holidays. Then we use the prepositions presented in the chart below:

DOKĄD? the direction to (do)	SKĄD? the direction from (do)	GDZIE? the place
w góry	z gór	w górach
w Tatry	z Tatr	w Tatrach
w Alpy	z Alp	w Alpach
nad morze	znad morza	nad morzem
nad Wisłę	znad Wisły	nad Wisłą
nad jezioro	znad jeziora	nad jeziorem

(when they indicate a concrete direction or place of action, they behave in a regular way: *Adam wchodzi do Wisły. Adam wychodzi z Wisły. Adam stoi w Wiśle*).

10.2.5. Comparison of adjectives

A given feature of an object may be more or less intense, especially if we compare different objects. To express this intensity we use comparison of adjectives. As in English, in Polish there are three degrees:

1. positive,
2. comparative,
3. superlative.

The comparative degree is formed by adding suffixes *-sz, -ejszy* to the positive adjective stem. The suffix *-ejszy* is added to the stems ending in consonant clusters, e.g.:

tan-i	tań-szy	
drog-i	droż-szy	g:ż
mił-y	mil-szy	ł:l
częst-y	częst-szy	
rzad-ki	rzad-szy	
nis-ki	miż-szy	s:ż
wys-oki	wyż-szy	s:ż
dal-eki	dal-szy	
szyb-ki	szyb-szy	
trudn-y	trudni-ejszy	n:ni
łatw-y	łatwi-ejszy	w:wi
dawn-y	dawni-ejszy	n:ni

N o t e that the adjectives with the *-ki, -eki, -oki* suffixes form the comparative degree after dropping these suffixes, e.g.: *wys-oki → wyższy*.

The following adjectives are irregular in forming the comparative degree:

dobry	lepszy
zły	gorszy
duży	większy
mały	mniejszy

The superlative degree is formed by adding the prefix *naj-* to the comparative degree, e.g.:

tańszy	*najtańszy*
milszy	*najmilszy*
niższy	*najniższy*
trudniejszy	*najtrudniejszy*
lepszy	*najlepszy*

Not all of adjectives follow the same pattern. In such cases, the comparative and superlative degree may be formed by adding the words *bardziej, najbardziej,* or *mniej, najmniej* to the adjectives, e.g.:

interesujący — bardziej interesujący — najbardziej interesujący
interesujący — mniej interesujący — najmniej interesujący

10.2.6. Syntax of comparison with adjectives

Comparing the intensity of a given feature, we use the following syntactic patterns:

positive degree

> *tak (samo)* + Adj. + *jak* + Nom.

Piotr jest tak wysoki jak Adam.
Piotr jest tak samo wysoki jak Adam.

comparative degree

> Adj. + *od* + Gen.
> Adj. + *niż* + Nom.

Robert jest wyższy od Adama.
Robert jest wyższy niż Adam.

Superlative degree

> Adj. + *z(e)* + Gen.

Robert jest najwyższy z nich.
Peter jest najbardziej interesujący z chłopców.

10.2.7. Use of expressions *coraz* + comparative

If we do not compare the same feature of two objects, but speak only of some feature of a single object or person, we use the expression *coraz* + comparative degree. This construction expresses the process of changing of the given feature, e.g.:

Agnieszka jest coraz milsza.
Język polski jest coraz łatwiejszy.
Gramatyka polska jest coraz trudniejsza.
Wszystko jest coraz droższe.

10.2.8. Complex sentences

A. Contrasting clauses combined by the conjunction *ale*

Pociąg jest tańszy, ale jedzie dłużej.
Uczę angielskiego w szkole, ale nie zarabiam dość.
Moja rodzina nie jest biedna, ale wolę pracować.
U nas opłaty podobne, ale jest więcej możliwości pracy.

B. Result clauses with the conjunction *więc*

W Niemczech można zarobić dużo więcej, więc można więcej oszczędzić.
Jestem głodny, więc muszę coś zjeść.
Nie mam pieniędzy, więc muszę iść do pracy.

C. Intentional clauses with the conjunction *żeby*

Pracuję, żeby zarobić pieniądze.
Jestem tu, żeby studiować.
Jadę na dworzec, żeby kupić bilet.

The construction *żeby* + infinitive is used whenever the subject of an action expressed by the personal form of the verb and the subject of an action expressed by the infinitive are identical.

10.3. Jak to powiedzieć?

10.3.0. Expressing spatial relations

10.3.1. Names of parts of the world

names of parts of the world	gdzie?
północ	*na północy (Polski)*
południe	*na południu (Polski)*
wschód	*na wschodzie (Polski)*
zachód	*na zachodzie (Polski)*

Examples:

Gdańsk	*jest* *leży* *znajduje się*	*na północy Polski.*

169

Zakopane jest na południu Polski.
Przemyśl jest na wschodzie Polski.
Zgorzelec jest na zachodzie Polski.
Szczecin jest na północnym zachodzie Polski.
Warszawa jest w centrum Polski.

10.3.2. Spatial relations in reference to other cities

Rzeszów jest na wschód od Krakowa.
Warszawa jest na północ od Krakowa.
Pozna jest na zachód od Krakowa.
Zakopane jest na południe od Krakowa.

10.3.3. Spatial relations expressed by prepositions

1. na	6. w	10. do
2. pod	7. koło/obok	11. z
3. nad	8 między	12. wzdłuż
4. przed	9. przy	13. przez
5. za		

10.3.4. Spatial relations expressed by verb prefixes

Explaining the spatial meaning of verbs we will consider the verbs of motion (see 4,2,5, and 5.2.5.), bear in mind, however, that the rules apply to other verbs as well.

♦ do-

corresponds with the preposition *do* (+ Gen.) and indicates the movement towards an object, or bringing the action to an end, e.g.: *Proszę dojść do Wisły. Wieczorem dojedziesz do Krakowa.*

♦ na-

corresponds with the preposition *na* (+ Acc.) and indicates directing the action or movement towards an object, e.g.: *Najechałem na kamień.* The prefix *na-* followed by the pronoun *się* carries the meaning of being fully satisfied and content with the action, e.g.: *Najeździłem się po świecie do woli.*

♦ od-, ode-

corresponds with the preposition *od* (+ Gen.) and indicates directing the action from an object (to the side), e.g.: *Ona odeszła ode mnie. Proszę odjechać samochodem na bok.* Here, the prefix *od-* stands in opposition to the prefix *pod-*.

♦ po-

indicates either the beginning of movement or brevity of the action described by the adverb *trochę*, e.g.: *Robert właśnie pojechał do miasta. Pochodziłem trochę po lesie, a teraz muszę się uczyć.* The verbs with the prefix *po-* are perfective and do not have the imperfective aspect.

♦ pod-, pode-

corresponds with the preposition *pod* (+ Acc.) and indicates that the action is directed towards or under an object, e.g.: *Proszę podejść do mnie. Proszę podjechać pod szkołę.*

♦ prze-

corresponds with the preposition *przez* (+ Acc.) and indicates that either the action is performed across, through the middle or near something, or is repeated, e.g.: *Proszę przejść przez rynek. Przejechał przez całe miasto. Przejechał koło domu. Musisz przejść to jeszcze raz.*

♦ przy-

indicates that the movement has reached its destination, e.g.: *Michel przyszedł do mnie. Peter przyjechał do hotelu z Wojtkiem.*

♦ w-, we-

indicates that the movement is directed inwards, towards the center of an object, e.g.: *Proszę wejść do środka* (speaking to a person standing at the door). *Proszę wjechać do garażu.* As we can see, verbs which take this prefix take the preposition *do* (+ Gen.). The opposite meaning is conveyed by the prefix *wy-*.

♦ *wy-*

denotes the movement from the center, outside, e.g.: *Proszę wyjść z pokoju. Musisz wyjechać z Krakowa!* As we can see, verbs with the prefix *wy-* take the preposition *z* (+ Gen.).

♦ *z-, ze-, s-*

correspond with the preposition *z(e)* (+ Gen.) and indicate either the movement downwards, or from different directions towards the center, e.g.: *Proszę zejść na dół. Proszę zjechać do kawiarni na parterze. Wszystkie Amerykanki zjechały się do Krakowa.*

♦ *za-*

corresponds with the preposition *za* (+ Acc.) and denotes the movement behind an object, e.g.: *Słońce zaszło za las. Proszę zajechać za hotel.*

Pay attention to the meanings of prefixes, for it will enable you both to understand and to use various verbs formed from one common root (e.g. from the verb *jechać* we may form such verbs as: *dojechać, najechać, odjechać, pojechać, podjechać, przejechać, przyjechać, wjechać, wyjechać, zjechać, zajechać*).

10.3.5. Travels

10.3.5.1. Asking for transportation to the given destination point

Jak dojechać do Radomyśla?
Czy jest pociąg do Lublina?
Czy jest bezpośredni pociąg do Gdańska?
Gdzie trzeba się przesiąść?

10.3.5.2. Asking for the cash desk, platform, exit, etc.

Gdzie jest informacja?
Gdzie jest kasa?
W której kasie można kupić bilety sypialne?
Z którego peronu | *jest* | *pociąg do Gdańska?*
                  | *odjeżdża* |
Gdzie jest peron drugi?
Gdzie jest wyjście?
Którędy do wyjścia?

10.3.5.3. Buying tickets in advance

Proszę bilet normalny pierwszej klasy na ekspres z Krakowa do Warszawy na jutro na godzinę 7:10, w wagonie dla niepalących.

before the departure:

Proszę bilet na ekspres do Warszawy, pierwsza klasa, normalny, dla niepalących.

172

10.3.5.4. Railway information

Pociąg ekspresowy z Krakowa do Warszawy odjeżdża z peronu czwartego o godzinie 7:10.
Pociąg pospieszny z Przemyśla do Szczecina wjeżdża na tor drugi przy peronie pierwszym.
Pociąg pospieszny z Przemyśla do Szczecina jest opóźniony o czterdzieści minut. Za opóźnienie przepraszamy. Opóźnienie może się zwiększyć lub zmniejszyć.

10.4. Powiedz to poprawnie!

10.4.1. Use appropriate prepositions with nouns following the model: *Robert pojechał do sklepu, zrobił zakupy w sklepie a teraz wraca ze sklepu.* (*sklep*).

Pojechaliśmy . . . ., byliśmy . . . . a teraz wracamy
. . . . (biuro). Pojechałem . . . ., byłem . . . .
a teraz wracam . . . . (kolega). On pojechał . . . .,
był tydzień . . . . a teraz wraca . . . . (Gdańsk). Ona poszła
. . . ., była . . . . a teraz wraca . . . . (rynek).
Poszliśmy . . . ., byliśmy na zajęciach . . . . a teraz
wracamy . . . . (uniwersytet). Adam pojechał . . . .,
był tydzień . . . . a teraz wraca . . . . (rodzina).

10.4.2. Using examples from 10.4.1., ask the questions:
    Example: *Robert pojechał do sklepu, zrobił zakupy w sklepie, a teraz wraca ze sklepu.*

Dokąd pojechał Robert? Gdzie zrobił zakupy? Skąd teraz wraca?

. . . .
. . . .
. . . .
. . . .
. . . .

10.4.3. Fill the blanks with appropriate prepositions:
Example: *Robert wraca od mamy.*

Wczoraj Adam pojechał . . . . kolegi. Niestety, kolegi nie było . . . . domu,
bo był . . . . uniwersytecie. Studiował . . . . bibliotece. Adam pojechał . . . .
biblioteki, bo chciał spotkać się . . . . nim.

10.4.4. Answer the questions following the model:
Example: *Czy on idzie do kawiarni? Nie, on już jest w kawiarni.*

Czy ona idzie na pocztę?
Nie, ...

Czy Adam idzie na uniwersytet?

Nie, ...

Czy Ewa jedzie na Litwę?

Nie, ...

Czy pan Jan jedzie na Ukrainę?

Nie, ...

Czy dyrektor jedzie na Słowację?

Nie, ...

Czy Basia jedzie na wakacje?

Nie, ...

Czy one idą na kawę?

Nie, ...

Czy oni idą na rynek?

Nie, ...

10.4.5. Use appropriate prepositions, following the model:
Example: *Do domu pojadę w sobotę.*

Do domu pojechałem . . . . piątek wieczorem. Byłem . . . . domu dopiero
. . . . 22:20 . . . . Weekendu spotkałem się . . . . kolegami:
. . . . sobotę rano rozmawiałem . . . . godzinę . . . . Wojtkiem
i Marcinem, a . . . . południu byłem . . . . kinie . . . . Adamem i Ewą.
. . . . filmie byłem . . . . północy . . . . Adama . . . . niedzielę . . . . . .
południem wróciłem . . . . Krakowa.

10.4.6. Use comparatives following the model:
Example: *Adam jest wysoki, ale Robert jest wyższy.*

Ten test był trudny, ale egzamin będzie . . . . Język rosyjski
jest trudny, ale polski jest . . . . Ten tekst był łatwy, ale
artykuł będzie . . . . Ewa jest miła, ale Agnieszka jest
. . . . Prąd jest drogi, ale gaz jest . . . .
Piwo jest dobre, ale wino jest . . . . Kraków jest duży, ale
Warszawa jest . . . . Michel jest dobrym studentem,
ale Peter jest . . . .

10.4.7. Use comparatives following the model:
Example: *Robert jest zdolny. Ale ty jesteś zdolniejszy niż on!*

Ewa jest ładna. Ale Agnieszka . . . .
Kasia jest ambitna. Ale Ewa . . . .
Marcin jest miły. Ale Robert . . . .

On jest niski. Ale Janek . . . .

Adam jest wysoki. Ale Robert . . . .

10.4.8. Use comparatives following the model:
   Example: *Wszystko jest drogie? Wszystko jest coraz droższe!*

Agnieszka jest miła? . . . .

Język polski jest łatwy? . . . .

Gramatyka jest trudna? . . . .

Peter jest dobrym studentem? . . . .

Robert jest dobrym kolegą? . . . .

Mieszkanie jest drogie? . . . .

Pociągi są szybkie? . . . .

Dni są krótkie? . . . .

Noce są długie? . . . .

Czy są dobre towary? . . . .

10.4.9. Use nouns in the appropriate case. Pay attention to the preposition *o* taking two cases.
   Example: *Proszę o kawę. — Myślisz tylko o kawie! (kawa)*

Proszę o . . . . — Myślisz tylko o . . . . (wino)

Piotr prosi o . . . . — On myśli tylko o . . . . (koniak)

Adam prosi o . . . . — On myśli tylko o . . . . (piwo)

Zosia prosi o . . . . — Ona myśli tylko o . . . . (czekolada)

10.4.10. Use nouns in the appropriate case. Pay attention to the preposition *na* taking two cases.
   Example: *Spieszę się na zajęcia. Już powinienem być na zajęciach. (zajęcia)*

Spieszę się na . . . . Już powinienem być na . . . .
(uniwersytet). On spieszy się na . . . . Już powinien być na . . . . .
. . . . (zebranie). Ona spieszy się na . . . . Już powinna
być na . . . . (przyjęcie). Pan spieszy się na . . . . Już
powinien być na . . . . (targ).

10.4.11. Use nouns in the appropriate case. Pay attention to the preposition *z(e)* taking two cases.
   Example: *Adaś wraca ze szkoły z kolegą. (szkoła, kolega)*

Stefan wraca . . . . (stadion, brat)

Zosia idzie . . . . (park, babcia)

Paweł wraca . . . . (klub, przyjaciel)

Peter idzie . . . . (kino, dziewczyna)

10.4.12. Fill the blanks with the appropriate verbs (*wyjechać, przyjechać, pojechać, podjechać, przyjechać, wjechać*)

Mój brat . . . . po mamę do biura. Najpierw . . . .
z domu, ... przez rynek, a potem . . . . pod biuro.
Tam nie było miejsca i dlatego musiał . . . . na parking. Teraz wraca
do domu. Właśnie . . . . do domu.

10.4.13. Fill the blanks with the appropriate verbs (*przelewać, dolewać, polać, nalewać*)

Śmigus-dyngus to popularna polska tradycja. Chłopcy przygotowują się do niej
długo. . . . . wodę do małych butelek albo do dużych wiader.
Potem czekają na dziewczyny na rogu ulicy, żeby je . . . .
wodą. Kiedy w butelce jest mało wody, ... do niej wody
z kranu. Czasami . . . .`. . . . . do butelki wodę z wiadra.

10.5. Czy umiesz to powiedzieć?

10.5.0. Do you remember what happened in the last lesson? Say in Polish.

10.5.1. Check whether you understand the dialogues 10.1.1.–10.1.3.:

	prawda	nieprawda	brak informacji
Koło Mielca żyje rodzina babci Michela. Michel nie wie, jak dojechać do Radomyśla. Do Radomyśla lepiej jechać pociągiem. Z Krakowa do Radomyśla jedzie się 4 godziny. Z Krakowa do radomyśla jest bezpośredni autobus.			

10.5.2. Check whether you understand the dialogue 10.1.4.:

	prawda	nieprawda	brak informacji
Peter i Wojtek rzadko rozmawiają ze sobą. Oni rozmawiają o pracy i pieniądzach. Wojtek zarabia mało w szkole. Rodzina Petera jest biedna i dlatego on musi pracować. Rok studiów w Polsce kosztuje 3200 dolarów. W Niemczech można zarobić więcej niż w Polsce. Peter jest dobrym studentem.			

10.5.3. Use the verbs of motion which are appropriate to the context:

Proszę . . . . do Wisły, a potem . . . . przez most. Kiedy
on . . . . ode mnie, ... z Poznania na zawsze. Z Poznania
. . . . do Krakowa. Wieczorem proszę . . . . na dół do
kawiarni. Robert . . . . pod hotel i tam się spotykamy.

10.5.4. You want to buy a second class ticket for an express train to *Warszawa* for 7:10. A cashier says that the seats in the second class are booked. You decide to buy a first class ticket.

Ty: . . . .
Pani: Nie ma już wolnych miejsc w drugiej klasie na ten pociąg.
Ty: . . . .
Pani: Tak, w pierwszej klasie są wolne miejsca.
Ty: . . . .

10.5.5. You want to buy a bus ticket from *Kraków* to *Tarnów*. What do you say?

Ty: . . . .
. . . .

10.5.6. You inquire about a direct train from *Kraków* to *Gdańsk*. A man says that the train leaves at 1:50 P.M.

Ty: . . . .
. . . .
Pan: . . . .
. . . .

10.5.7. Determine location of a given Polish city in reference to *Warszawa* (northern Poland) and *Kraków* (southern Poland):

Gdzie jest Gdańsk? . . . .
Gdzie jest Przemyśl? . . . .
Gdzie jest Poznań? . . . .
Gdzie jest Wrocław? . . . .
Gdzie jest Szczecin? . . . .
Gdzie jest Lublin? . . . .
Gdzie jest Łódź? . . . .

10.5.8. Determine location of a given state in reference to Poland:

Gdzie jest Litwa? . . . .
Gdzie są Niemcy? . . . .
Gdzie są Czechy? . . . .

Gdzie jest Szwecja? . . . .

Gdzie jest Ukraina? . . . .

Gdzie jest Słowacja? . . . .

Gdzie jest Białoruś? . . . .

Gdzie jest Rosja? . . . .

10.5.9. Describe your room in Poland.

10.5.10. Describe your apartment in your native country.

10.5.11. Describe one of the two rooms you can see in the picture.

10.5.12. Describe a students' dormitory you like in Poland.

10.5.13. Do you like living in the dormitory? Give reasons for and against staying in the dormitory.

10.6. Co o tym myślicie?
KTO LUBI TRADYCJĘ?

Kto lubi tradycję? Ludzie starsi? A może ludzie młodzi? A może wszyscy Polacy lubią tradycję?

Czy znacie taką tradycję jak śmigus-dyngus? Śmigus-dyngus to zwyczaj polewania innych ludzi wodą. Szczególnie popularne wśród chłopców jest polewanie młodych dziewcząt. Jest to zwyczaj praktykowany w drugi dzień Wielkanocy w całej Polsce — w mieście i na wsi. Stosunek do tej tradycji tak przedstawia "Gazeta Wyborcza" z kwietnia 1994 roku:

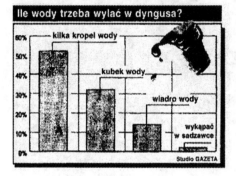

SZTUKA POLEWANIA

(P) Co drugi Polak uważa, że do świętowania śmigusa-dyngusa wystarczy kilka kropli wody. Co pięćdziesiąty najchętniej wykąpałby bliźniego w sadzawce lub rzece.

Aż 80 proc. sądzi, że śmigus-dyngus jest tradycją wartą kontynuowania. Najchętniej zlikwidowaliby to święto ludzie starsi, powyżej 65. roku życia, oraz osoby z wyższym wykształceniem. Najbardziej lubią się polewać młodzi poniżej 24 lat.

Dyngus jest tak samo popularny w miastach, jak i na wsi. Bardziej podoba się mężczyznom niż kobietom, które zwykle są obiektami ataków.

Większość z nas (63 proc.) uważa Wielkanoc za święto rodzinne. Tylko dla osób, które określają się jako "głęboko wierzące", Wielkanoc jest przede wszystkim przeżyciem religijnym, a dla "raczej wierzących" — miłą tradycją.

Tylko co 12 Polak uważa, że będzie to dobra okazja do wypoczynku i przerwy w pracy. Dla 3 proc. badanych Wielkanoc jest głównie dobrą okazją do jedzenia i picia. (oprac. kata)

Lekcja 11

11.1. Zaopiekujesz się mną?

11.1.1. W czasie podróży do rodziny Michel przeziębił się. Dzisiaj czuł się tak źle, że poszedł do lekarza. Właśnie wchodzi do gabinetu lekarskiego w przychodni.

Michel: Dzień dobry, panie doktorze.
Doktor: Dzień dobry. Proszę siadać. Co panu dolega?
Michel: Od poniedziałku czuję się źle. Jestem zmęczony, mam katar, kaszlę. Poza tym boli mnie głowa, gardło i plecy. Chyba mam grypę.
Doktor: Czy ma pan gorączkę?
Michel: Tak, mam 38,6.
Doktor: Proszę się rozebrać. Muszę pana zbadać.

11.1.2. Przychodnia. Gabinet lekarski. Doktor skończył badać Michela.

Michel: Czy już mogę się ubrać?
Doktor: Bardzo proszę. Tak, to rzeczywiście grypa, ale proszę jej nie lekceważyć. Jest pan bardzo przeziębiony i musi pan leżeć w łóżku przez 6 dni. Proszę, tu są recepty.
Michel: Dziękuję bardzo. Ile płacę za wizytę?

11.1.3. Agnieszka ma przyjaciółkę, Basię. Wyszły z Biblioteki Jagiellońskiej i spacerują po mieście.

Basia: Przepraszam, muszę już iść. Za 15 minut mam wizytę u lekarza. Czuję się już dobrze, ale pani doktor kazała mi przyjść do kontroli.

Agnieszka: Czy mogę cię odprowadzić do przychodni? Chciałabym skończyć naszą rozmowę.

11.1.4. Agnieszka pożegnała Basię. Michel właśnie wychodził z przychodni.

Michel: Agnieszka, dzień dobry!
Agnieszka: Dzień dobry. Jak to, jesteś już w Polsce?
Michel: Jak widzisz. Wróciłem tydzień temu.
Agnieszka: W liście obiecywałeś, że zadzwonisz zaraz po powrocie.
Michel: Zadzwoniłbym na pewno, gdyby nie moja polska rodzina. Wyobraź sobie, że znalazłem rodzinę babci koło Mielca i strasznie chciałem ich natychmiast odwiedzić. W niedzielę, kiedy do nich pojechałem, była okropna pogoda: zimno, wiatr, deszcz ze śniegiem. Przeziębiłem się i właśnie wracam od lekarza.

Agnieszka: To co, żałujesz tej podróży?
Michel: Ależ skąd, nie żałuję niczego. Właściwie to jestem szczęśliwy, że mam rodzinę w Polsce.
Agnieszka: Widzę, że łatwo cię uszczęśliwić.
Michel: O nie, wcale nie tak łatwo. Zresztą mogłabyś spróbować. Właśnie jestem ciężko chory, potrzebuję ciepła i opieki. Zaopiekujesz się mną?

11.1.5. Robert przeczytał w "Gazecie Wyborczej" interesującą ofertę pracy. Firma polsko-angielska poszukuje młodych ekonomistów ze znajomością języka angielskiego. Postanowił się zgłosić do biura firmy i przedstawić swoją kandydaturę.

Pan: Pańska kandydatura nas interesuje. Ale żeby zacząć pracę u nas, musiałby pan skończyć studia i przejść półroczne przeszkolenie w Anglii. Wyjazd byłby w czerwcu. Za tydzień proszę o odpowiedź, czy akceptuje pan propozycję.

Vocabulary

akceptować + Ac. (akceptuję, -esz Imperf.) *to accept*; **zaakceptować**+Ac. (zaakceptuję, -esz Perf.) *to accept*
ależ skąd *why no, nothing of the kind*
badać + Ac. (badam, badasz, -ają Imperf.) *to examine, to investigate*; → **zbadać** + Ac. (zbadam, zbadasz, -ają Perf.) *to examine, to investigate*
biblioteka (f G biblioteki) *library*
bliski, -a, -e Adj. *close, near*
boleć (only boli, bolało, będzie boleć Imperf.) *to ache, to hurt, to pain*; → **zaboleć** (only zabolało, zaboli Perf.) *to ache, to hurt, to pain*
chory, -a, -e Adj. *ill, sick*
ciepło (n G ciepła) *warmth, heat*
czerwiec (m G czerwca) *June*
czuć się (czuję się, -esz Imperf.) *to feel*; → **poczuć się** (poczuję się, -sz Perf.) *to feel*; → **czuć się dobrze** *to feel well*
czytać + Ac. (czytam, -sz Imperf.) *to read*; → **przeczytać** + Ac. (przeczytam, -sz Perf.) *to read*
deszcz (m G deszczu) *rain*
dolegać (only dolega, dolegało, będzie dolegać) *to pain, to irk*; → **co panu dolega?** *what's the matter with you?*

ekonomista (m G ekonomisty) *economist*
firma (f G firmy) *business, firm, establishment*
gardło (n G gardła) *throat*
gazeta (f G gazety) *newspaper*
gdyby *if*
głowa (f G głowy) *head*
gorączka (f G gorączki) *fever*
grypa (f G grypy) *flu*
interesujący, -a, -e Adj. *interesting*
kandydatura (f G kandydatury) *candidature*
kaszleć (kaszlę, kaszlesz Imperf.) *to cough*
katar (m G kataru) *cold*
kazać (każę, każesz Imperf.) *to order*
koleżanka (f G koleżanki) *colleague; girl friend*
kontrola (f G kontroli) *control*
lekarz (m G lekarza) *doctor, physician*
lekceważyć + Ac. (lekceważę, lekceważysz Imperf.) *to disregard*
leżeć (leżę, leżysz Imperf.) *to lie*; → **leżeć w łóżku** *to stay in bed*
łatwo Adv. *easily*
łóżko (n G łóżka) *bed*
młody, -a, -e Adj. *young*
natychmiast *at once, immediately*

obiecywać + Ac. (obiecuję, -esz Imperf.) *to promise*

odpowiedź (f G odpowiedzi) *answer, reply*

odprowadzać + Ac. (odprowadzam, -sz Imperf.) *to accompany*; → **odprowadzić** + Ac. (odprowadzę, odprowadzisz Perf.) *to accompany*

oferta (f G oferty) *offer*

okropny, -a, -e Adj. *horrible, terrible, awful*

opiekować się + I (opiekuję się, -esz Imperf.) *to take care of sb.*; → **zaopiekować się** + I (zaopiekuję się, -esz, Perf.) *to take care of sb.*

pański, -a, -e Adj. *your, yours (formal)*

plecy (pl. only G pleców) *back*

po + L *to, up to, for, on*

po mieście *to stroll about the streets*

podróż (f G podróży) *travel, trip*

pogoda (f G pogody) *weather*

poniedziałek (m G poniedziałku) *Monday*

postanawiać + Ac. or + Infin. (postanawiam, -sz Imperf.) *to resolue, to determine*; → **postanowić** + Ac. or + Infin. (postanowię, postanowisz Perf.) *to resolve, to determine*

poszukiwać + G (poszukuję, -esz Imperf.) *to search, to seek*; → **poszukać** + G (poszukam, -sz Perf.) *to search, to seek*

potrzebować + G (potrzebuję, -esz Imperf.) *to need, to want*

pożegnać + Ac. (pożegnam, -sz, -ają Perf.) *to take leave*; → **pożegnać się z** + I *to say good-bye to sb*

półroczny, -a, -e Adj. *half-yearly*

propozycja (f G propozycji) *proposal*

próbować + G (próbuję, -esz Imperf.) *to try, to test*; → **spróbować** + G (spróbuję, -esz Perf.) *to try, to test*

przejść + Ac. (przejdę, przejdziesz Perf.) *to pass by, to cross, to go over*

przeszkolenie (n G przeszkolenia) *training, schooling, reeducation*

przeziębiać się (przeziębiam się, -sz Imperf.)

to catch cold; → **przeziębić się** (przeziębię się, przeziębisz Perf.) *to catch cold*

przeziębiony, -a, -e Adj. (jestem przeziębiony) *I have a cold*

przychodnia (f G przychodni) *clinic for out-patients*

recepta (f G recepty) *prescription*

rozbierać się (rozbieram się, -sz, -ają Im-perf.) *to undress*; → **rozebrać się** (rozbiorę się, rozbierzesz Perf.) *to undress*

spacerować (spaceruję, -esz Imperf.) *to take a walk, to walk*

szczęśliwy, -a, -e Adj. *happy, lucky*

śnieg (m G śniegu) *snow*

tydzień temu *one week ago*

ubierać się w + Ac. (ubieram się, -sz, -ają Imperf.) *to dress*; → **ubrać się w** + Ac. (ubiorę się, ubierzesz Perf.) *to dress*

uszczęśliwiać + Ac. (uszczęśliwiam, -sz, -ają Imperf.) *to make happy*; → **uszczęśliwić** + Ac. (uszczęśliwię, uszczęśliwisz Perf.) *to make happy*

wcale nie *not at all*

wiatr (m G wiatru) *wind*

wyborczy, -a, -e Adj. *electoral*

wyjazd (m G wyjazdu) *departure*

wyobrażać sobie + Ac. (wyobrażam, -sz, -ają Imperf.) *to figure out*; → **wyobrazić sobie** + Ac. (wyobrażę, wyobrazisz Perf.) *to figure out*

zgłaszać się + do + Gen. (zgłaszam, -sz, -ają Imperf.) *to present oneself*; **zgłosić się** + do + Gen. (zgłoszę, zgłosisz Perf.) *to present oneself*

zimno (n G zimna) *cold*

znajdować + Ac. (znajduję, znajdujesz Imperf.) *to find out*; → **znaleźć** + Ac. (znajdę, znajdziesz Perf.) *to find out*

znajomość (f G znajomości) *knowledge, the know-how*

źle Adv. *badly, ill*

żałować + G (żałuję, -esz Imperf.) *to regret*

CZŁOWIEK — BUDOWA CIAŁA

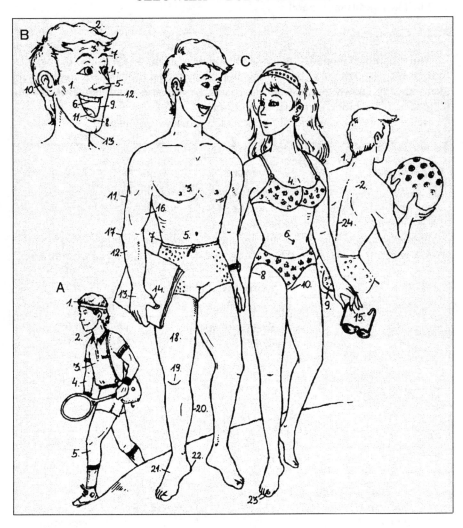

A. CIAŁO CZŁOWIEKA: 1. głowa; 2. szyja; 3. tułów; 4. ręka; 5. noga

B. GŁOWA: 1. twarz; 2. włosy; 3. czoło; 4. oko, oczy; 5. nos; 6. ząb, zęby; 7. brwi; 8. warga; 9. usta (pl.); 10. ucho, uszy; 11. język; 12. policzek; 13. broda.

C. TUŁÓW: 1. kark; 2. plecy; 3. piersi; 4. pierś (kobieca); 5. brzuch; 6. pępek; 7. pas; 8. biodra; 9. pośladki; 10. krocze; 24. kręgosłup. **RĘKA:** 11. ramię; 12. przedramię; 13. dłoń; 14. palec, palce; 15. paznokieć; 16. biceps; 17. łokieć. **NOGA:** 18. udo; 19. kolano; 20. łydka; 21. stopa; 22. pięta; 23. palce.

11.2. Gramatyka jest ważna

11.2.0. The conditional mood

11.2.1. Construction

The conditional mood is formed of the infinitive stem, which is also the basis for forming the past tense. As you will see, in the conditional forms, there are many elements already known to you from the past tense. Keep in mind, however, that the morpheme typical for conditional mood is -by.

Below we list the conditional forms for the verbs *chcieć* and *móc*.

CHCIEĆ (sg.)				
		masc.	fem.	neut.
1.	*(ja)*	*chciał-bym*	*chciała-bym*	–
2.	*(ty)*	*chciał-byś*	*chciała-byś*	–
3.	on, pan	*chciał-by*	–	–
	ona, pani	–	*chciała-by*	–
	ono, to	–	–	*chciało-by*

CHCIEĆ (pl.)			
		virile	nonvirile
1.	*(my)*	*chcieli-byśmy*	*chciały-byśmy*
2.	*(wy)*	*chcieli-byście*	*chciały-byście*
3.	oni, państwo		–
	panowie	*chcieli-by*	–
	one, panie	–	*chciały-by*

MÓC (sg.)				
		masc.	fem.	neut.
1.	*(ja)*	*mógł-bym*	*mogła-bym*	–
2.	*(ty)*	*mógł-byś*	*mogła-byś*	–
3.	on, pan	*mógł-by*	–	–
	ona, pani	–	*mogła-by*	–
	ono, to	–	–	*mogło-by*

MÓC (pl.)			
		virile	nonvirile
1.	*(my)*	*mogli-byśmy*	*mogły-byśmy*
2.	*(wy)*	*mogli-byście*	*mogły-byście*
3.	oni, państwo		–
	panowie	*mogli-by*	–
	one, panie	–	*mogły-by*

As you see, it is most convenient to construct the conditional forms from the 3rd person past tense sg. and pl., by adding the morphemes -*bym, -byś, -by, -byśmy, -byście, -by*:

	number		past tense	conditional mood
CHCIEĆ	sg.		*chciał, chciała*	*chciałby, chciałaby*
	pl.		*chcieli, chciały*	*chcieliby, chciałyby*
MÓC	sg.		*mógł, mogła*	*mógłby, mogłaby*
	pl.		*mogli, mogły*	*mogliby, mogłyby*

Here is the detailed analysis of the conditional form of the 2nd person sg. feminine verb:

chcia	*-ł*	*-a*	*-by*	*-ś*
infinitive stem	past tense suffix	feminine suffix	conditional suffix	2nd p. sg. ending

In order to construct conditional forms we select the past tense, because it contains all the stem alternations which are repeated in the conditional mood.

The verbs *chcieć* and *móc* have been presented as examples, because these verbs occur the most frequently in the conditional mood. Please, learn them by heart!

11.2.1.1. Accent and movability of morphemes

The present-day conditional forms used to consist earlier of the two parts: active past participle and the word *bym, byś, by, byśmy, byście, by*. There are two phenomena that testify to this: 1) the morpheme *bym, byś*, etc. is movable i.e. it may be added either to the verb, or to any other initial word in a sentence; 2) the accent in the plural is on the third or fourth syllable from the last, and in the singular on the third, e.g.: *chciałbyś, chciałoby, chcielibyśmy, chcielibyście, chcieliby*.

Here are some examples of the movability of morphemes:

Chciałabym wyjechać na wakacje do Sopotu.
Ja bym chciała wyjechać na wakacje do Sopotu.

(The second sentence is perceived as being colloquial.)

Czy myślisz, że on mógłby pracować w Anglii?
Czy myślisz, że on by mógł pracować w Anglii?

(The second sentence is perceived as being colloquial.)

11.2.1.2. Functions of the conditional

A. Conditional forms express uncertainty, or not so strong certainty as in the affirmative mood, and that is why they are considered more polite than affirmative forms. For this reason we introduced conditional expressions lexically before this lesson, in order to express polite request, suggestion, invitation, etc. E.g.:

Mam imieniny w sobotę.
Chciałabym zaprosić panią *na małe przyjęcie.* (invitation)
Chciałbym skończyć *naszą rozmowę.* (suggestion)
Czy mógłbym zaprosić panią *na śniadanie?* (invitation)
Czy mogłabym zobaczyć *tę bluzkę?* (request)
Mogłabyś spróbować *(mnie uszczęśliwić).* (suggestion)

B. Conditional forms express actions that are probable, but of which the speaker remains uncertain. Often, these are merely people's dreams, e.g.:

Chciałbym wyjechać na wakacje do Sopotu, ale chyba nie będę mieć dość pieniędzy.
On chciałby mówić dobrze po polsku, ale nie uczy się pilnie.

C. The conditional mood is used to express actions that are possible in the future, or impossible in the past:

Zadzwoniłbym na pewno, gdyby nie moja polska rodzina.
(= I have not called, because I found out I had a family in Poland.)

Żeby zacząć pracę u nas, musiałby pan przejść półroczne przeszkolenie w Anglii.
(= In order to start working you would have to undergo the 6-month training in England.)

Wyjazd *byłby w czerwcu.*
(= If you make up your mind, you will leave in June.)

11.2.2.1. Comparison of adverbs

Adverbs, similarly to adjectives, express the intensity of an action's charac-teristic. Just like in the case of adjectives, we divide them into three degrees: positive, comparative and superlative.

All the adverbs in lesson 9 are in the positive degree.

The comparative degree is formed by adding the morpheme -*ej* (instead of the -*o*, -*e* morphemes, characteristic for the positive degree). In case of adverbs ending in the morphemes -*ko*, -*oko*, -*eko*, the comparative is formed after dropping these morphemes:

tani-o	*tani-ej*	
drog-o	*droż-ej*	g : ż
częst-o	*części-ej*	s : ś; t : ci
rzadk-o	*rzadzi-ej*	d : dzi
wys-oko	*wyż-ej*	s : ż
nis-ko	*niż-ej*	s : ż
dal-eko	*dal-ej*	

The following adverbs form the comparative degree in an irregular manner:

dobrze	*lepiej*
źle	*gorzej*
dużo	*więcej*
mało	*mniej*

The superlative degree of adverbs is formed by adding the prefix *naj-* to the comparative form, e.g.:

tanio	*taniej*	*najtaniej*
wysoko	*wyżej*	*najwyżej*
daleko	*dalej*	*najdalej*
dobrze	*lepiej*	*najlepiej*
dużo	*więcej*	*najwięcej*

Like adjectives, some adverbs are compared by adding the words *bardziej, najbardziej; mniej, najmniej*, e.g.:

interesująco — bardziej interesująco — najbardziej interesująco

Michel opowiada interesująco.
Peter opowiada bardziej interesująco niż Michel.

11.2.2.2. Syntax of comparisons with adverbs

The syntax of comparisons with adverbs is similar to that of adjectives and is done in accordance with the following schemes:

Positive degree:

tak (samo) + Adv. + *jak* + Nom.

Ewa mieszka tak daleko jak Basia.
Ewa mieszka tak samo daleko jak Basia.

Comparative degree:

Adv. + *od* + Gen. Adv. + *niż* + Nom.

Agnieszka mieszka dalej od Ewy.
Agnieszka mieszka dalej niż Ewa.

Superlative degree:

Adv. + *z(e)* + Gen. pl.

Zosia mieszka najdalej z dziewcząt.
Zosia mieszka najdalej ze wszystkich.

11.3. Jak to powiedzieć?

11.3.1. Asking for permission

Asking for permission we employ the verb *móc* in the present tense *(mogę, możesz)* or in the conditional mood *(mógłbym, mogłabym)*. The conditional mood is assumed to be more polite. It is also used when the speaker is not sure whether he will receive permission. Examples:

— *Czy mogę się ubrać?*
— *Proszę bardzo.*

— *Czy mogę odprowadzić cię do przychodni?*
— *Tak, proszę.*

— *Czy mogę tu zaparkować?*
— *Owszem, może pan.*

— *Czy mógłbym tu zaparkować na chwilę?*
— *Nie, tu nie wolno parkować.*

11.3.2. Rules for using *czy mogę, czy można*

The personal form (*czy mogę...*) is a request for permission directed to the listener. It is used whenever the permission depends upon the listener's will, i.e. when he himself decides whether to grant it or not.

The impersonal form *można* is employed when we are aware of the existence of the general regulations forbidding or allowing something, but we are not sure if these apply in the given situation, e.g.:

— *Czy tu można palić?*
— *Tu tak, tylko w klasach nie wolno palić.*

— *Czy można już wziąć pieniądze?*
— *Tak, jest dziesiąta i kasa jest otwarta.*

11.3.3. Giving orders

Polite commands are formulated by combining the verb *proszę* with an infinitive, e.g.:

Proszę czytać.
Proszę pisać.

Proszę przeczytać to zdanie.
Proszę napisać na jutro list.

Firmer commands are constructed in Polish by combining the verb *móc* with an infinitive, like in the example:

— *Czy możesz zamknąć drzwi?*
— *Czy może pan zamknąć okno?*

Strong commands may refer to starting or stopping an action. Then, the verb *może* will be followed by two infinitives, as in the examples below:

— *Czy może pan zacząć pisać?*
— *Czy może pan przestać rozmawiać?*

11.3.4. Expressing possibility

We express possibility with the verb *móc* followed by the infinitive, e.g. :

Michel może dzwonić. Jeśli zadzwoni, proszę mu powiedzieć, że będę wieczorem.
Za tydzień możemy jechać w góry.
Za tydzień moglibyśmy wyjechać w góry. (suggestion)
Mogę zrobić śniadanie, jeśli chcesz.
Mogę opiekować się tobą, jeśli chcesz.

N o t e: Pay special attention to the use the impersonal *można*. This word indicates that the possibility of doing something exists, but does not specify who should do it, or whether it will be done at all. E.g.:

Można zrobić śniadanie.

This sentence indicates that it is possible to make breakfast (all the conditions are met), but we do not know whether the speaker or anybody else will start preparing it. The sentence suggests that the listener would be allowed to make breakfast if he or she wished to.

Thus, it is evident that when people say: *Można pracować,* they do not necessarily mean they are going to start working.

11.3.5. Combining modal verbs with infinitives

The most common use of the infinitive in Polish is in combination with modal verbs. Modal verbs express an action's certainty, probability, possibility or impossibility.

The most common modal verbs are:

A) inflected according to person:

musieć (Imperf.);   *muszę, musisz; musiałbym*
móc (Imperf.);   *mogę, możesz; mógłbym*
powinienem;   *powinieneś, powinien*
prosić (Imperf.);   *proszę, prosisz; prosiłbym*
chcieć (Imperf.);   *chcę, chcesz; chciałbym*
kazać (Imperf.);   *każę, każesz; kazałbym*

B) not inflected:

można
wolno
warto
trzeba

Examples

Muszę już iść.
Musi pan leżeć w łóżku.
Muszę płacić za mieszkanie, gaz, prąd.
Mogę pracować po południu.
Można pracować na godziny.
W Polsce może być ciepło w październiku.
Adam powinien już tu być.
Język polski nie powinien być trudny.

11.4. Powiedz to poprawnie!

11.4.1. Use correct forms of the verb *chcieć* in conditional:
Example: *(ja) Chciałbym mówić dobrze po polsku.*

(my) . . . . znać dobrze polską gramatykę. (ty) . . . .
poznać dobrze polską historię. Pan . . . . zrozumieć polską
historię. Pani . . . . umieć gotować polskie zupy. (wy)
. . . . wyjechać na tydzień do Gdańska. (one)
. . . . umieć śpiewać polskie piosenki. (oni) . . . .
mieć dobre oceny. (ja) . . . . zrobić karierę!

11.4.2. Use correct forms of the verb *móc* in conditional:
Example: *Czy (ja) mógłbym zapalić?*

Czy . . . . pan zacząć pisać? Czy . . . . pani
zacząć czytać? Czy (wy) . . . . przestać rozmawiać? Czy
(ja) . . . . zatelefonować? Czy (ty fem.) . . . .
przyjść do mnie? Za tydzień (my) . . . . wyjechać w góry.
Czy . . . . państwo zacząć pracować? Czy . . . .
panowie przestać palić?

11.4.3. Answer the questions using the verb *chcieć* in conditional:
Example: *Czy znasz już dobrze język polski?* ***Chciałbym, ale jeszcze nie znam.***

Czy mówicie już płynnie po polsku?
. . . .
Czy piszesz już dobrze po polsku?
. . . .
Czy rozumie pan wszystko?
. . . .
Czy zna pani wszystkie słowa?
. . . .

11.4.4. Use the comparative form of adverbs:
Example: *Uczę się polskiego dłużej (długo) niż ty.*

Chodzimy do kina . . . . (często) niż wy. Adam mieszka
. . . . (daleko) niż Robert. Napisałem zadanie . . . .
(dobrze) niż ty. On mówi po polsku . . . . (źle) niż ona. Pan
ma . . . . (mało) bagażu niż pani. Pani ma . . . .
(dużo) pieniędzy niż ja. Peter odpowiada . . . . (interesująco)
niż ty. Dzisiaj czuję się . . . . (źle) niż wczoraj.

11.4.5. Use the comparative forms of adverbs following the model:
Example: *Mówisz już dobrze po polsku? Jeszcze nie dobrze, ale coraz lepiej.*

Czy rozumiecie dużo po polsku?

. . . .

Czy pisze pan już poprawnie po polsku?

. . . .

Czy mówią już państwo dobrze po polsku?

. . . .

Czy znają państwo dobrze gramatykę polską?

. . . .

11.4.6. Use the superlative form of adverbs following the model: *Najcieplej jest latem (ciepło).*

. . . . (zimno) jest zimą. . . . . (szybko) można
podróżować samolotem. Myślę, że . . . . (dobrze) podróżować
samochodem. Michel dostał . . . . (dużo) listów. Joel jest w Polsce
. . . . (długo), bo już dwa lata. Chcę jak . . . .
(szybko) nauczyć się języka polskiego. Chciałbym jak . . . . (dobrze)
nauczyć się po polsku.

11.4.7. Fill out the blanks with appropriate prepositions and conjunctions (compare with the dialogue 11.1.4.):

Michel wychodził . . . . przychodni, ... spotkał Agnieszkę. Ona nie
wiedziała, ... Michel wrócił tydzień temu. Zdziwiła się, ... nie zadzwonił
. . . . niej. Michel powiedział, ... znalazł rodzinę . . . . Mielca
. . . . bardzo chciał ją odwiedzić. Pojechał tam . . . . . . niedzielę, ...
była zła pogoda: zimno, deszcz . . . . . . śniegiem . . . . wiatr. Michel przeziębił
się . . . . teraz wraca . . . . doktora. Jest chory . . . . nie
żałuje tej podróży. Jest nawet szczęśliwy, ... ma rodzinę . . . . Polsce.

11.5. Czy umiesz to powiedzieć?

11.5.0. Do you remember what happened in the previous lesson? Say it in Polish.

11.5.1. Check whether you understand the dialogues 11.1.1. and 11.1.2.:

	prawda	nieprawda	brak informacji
Michel przeziębił się w Mielcu. Dzisiaj Michel nie czuje się dobrze. Michel myśli, że ma anginę. Michel nie ma temperatury. Michel musi leżeć w łóżku przez tydzień.			

11.5.2. Check whether you understand the dialogues 11.1.3. and 11.1.4.:

	prawda	nieprawda	brak informacji
Agnieszka odprowadza Basię do przychodni. Agnieszka spotyka Michela. Michel zadzwonił do Agnieszki po powrocie. Agnieszka nie wierzy, że Michel jest już w Polsce. Michel żałuje, że ma rodzinę w Polsce.			

11.5.3. Name the parts of human body in Polish:

....
....
....
....
....
....
....

11.5.4. Answer the question *Co pana (panią) boli?* naming the parts of human body.

11.5.5. You are sick and can not speak. With a gesture show your friend what hurts you. He (she) is supposed to guess and say it in Polish.

11.5.6. Ask your colleagues some questions in order to find out who has had a health problem in Poland. He or she should describe the problem he or she has had.

11.5.7. You call up the ambulance service because your friend does not feel well. The doctor on duty asks about the symptoms, your friend's name and the address:

— Pogotowie, słucham.

— ....
....

— Co go boli?

— ....
....

— Jak on(a) się nazywa?

— ....

— Jaki adres?

— ....

— Zaraz przyjedziemy.

11.5.8. Give your friend orders following the model:
Dlaczego rozmawiasz? Czy możesz przestać rozmawiać?
Dlaczego nie pijesz? Czy możesz zacząć pić?

Dlaczego nie piszesz? ....

Dlaczego nie czytasz? ....

Dlaczego czytasz gazetę? ....

Dlaczego nie słuchasz? ....

Dlaczego się śmiejesz? ....

Dlaczego piszesz? ....

Dlaczego mnie nie kochasz? ....

Dlaczego mnie nie lubisz? ....

Dlaczego gadasz? ....

11.5.9. Change the modality following the model:
Mogę płacić za mieszkanie. — Nie możesz, musisz.

Możemy mieszkać w hotelu. ....

Możesz zacząć studiować w Polsce. ....

Ona może mieszkać z nim. ....

Możecie zacząć pracować. ....

One mogą zacząć pisać pracę. ....

195

— On może jechać do Anglii. . . . .

— Możemy zacząć przygotowywać koncert. . . . .

11.5.10. Be more polite using the verb *móc* in the conditional mood:

Czy mogę (masc.) dostać zupy? . . . .

Czy możemy (masc.) napić się kawy? . . . .

Czy mogę (fem.) zatelefonować? . . . .

Czy możemy (fem.) iść do domu? . . . .

Czy mogę (fem.) pojechać do miasta? . . . .

11.6. Co o tym myślicie?

O KIM MARZĄ POLACY?

Czy wiecie, o kim marzą Polacy? Tygodnik "Wprost" informuje, że Polki marzą o Krzysztofie Ibiszu, spikerze telewizyjnym. A Polacy marzą o Edycie Górniak, piosenkarce. Czy znacie ich? Czy widzieliście ich? Czy wiecie, jak oni wyglądają?

Najładniejsze Polki, najprzystojniejsi Polacy

10 najładniejszych Polek

1. Edyta Górniak
2. Katarzyna Skrzynecka
3. Małgorzata Niemen
4. Maria Pakulnis
5. Katarzyna Figura
6. Izabella Scorupco
7. Aneta Kręglicka
8. Joanna Trzepiecińska
9. Katarzyna Kozaczyk
10. Grażyna Szapołowska

Wszystko wskazuje na to, że w Polsce ceni się kobiety raczej subtelne niż manifestujące swoją seksualność i wyraźnie nie pożąda się pań zbyt gwałtownie podkreślających, iż są wyzwolone.

10 najprzystojniejszych Polaków

Kobiety wybierają mężczyzn o nienagannych manierach, elokwentnych i pogodnych. Aleksander Kwaśniewski wyprzedził w sondażu m.in. nonszalanckiego brutala — Bogusława Lindę.

1. Krzysztof Ibisz
2. Andrzej Olechowski
3. Jan Englert
4. Aleksander Kwaśniewski
5. Bogusław Linda
6. Jerzy Zelnik
7. Marek Kondrat
8. Dariusz Kordek
9. Robert Gawliński
10. Daniel Olbrychski

Krzysztof Ibisz odbiega od stereotypowego wizerunku seksownego twardziela: jest szczupły i starannie ogolony. W dodatku sam siebie określa jako "pedantycznego pracoholika", całkowicie odcinając się od wizerunku rasowego *macho* z brylantyną na włosach i skłonnością do późnego wstawania.

(M. Mazur, *Tête-a-tête*, "Wprost" nr 17, 28 IV 1996)

Lekcja 12

12.1. Chcę, żeby ci było miło!

12.1.1. Robert chciałby porozmawiać z Agnieszką o propozycji pracy. Chce się z nią umówić na spotkanie. Dzwoni do państwa Nowaków, bo Agnieszki nie ma w domu.

Pani N.: Halo.

Robert: Dzień dobry pani. Mówi Robert. Czy mógłbym rozmawiać z Agnieszką?

Pani N.: Niestety, Agnieszki nie ma w domu. Nie wiem nawet, kiedy będzie. Może jest u siebie?

Robert: Nie, też jej nie ma. Bardzo chciałbym się z nią skontaktować.

Pani N.: W takim razie może coś przekazać?

Robert: Proszę jej powiedzieć, że zadzwonię do niej dziś wieczorem, ale późno. Mam ważną sprawę do omówienia.

Pani N.: Dobrze, przekażę.

Robert: Dziękuję bardzo. Do widzenia pani.

Pani N.: Do widzenia.

12.1.2. Mieszkanie państwa Nowaków. Pan Nowak chciałby dowiedzieć się, kto dzwonił.

Pan: Kto to dzwonił? Robert?

Pani: Tak. Szuka Agnieszki.

Pan: Pewnie jest gdzieś z Michelem.

Pani: Zapominasz, że on jest chory i nie może wychodzić.

Pan: W takim razie ona chętnie nim się opiekuje.

Pani: Proszę cię, nie żartuj.

Pan: Nie żartuję. Widzę tylko, że ona zakochała się w nim. Tymczasem wmawia sobie, że to pomoc i opieka... Biedny Robert, który nic nie widzi! To taki wartościowy chłopiec!

Pani: I Robert, i Agnieszka nie wiedzą chyba jeszcze, że to, co ich teraz łączy, to tylko przyjaźń.

12.1.3. Agnieszka jest u siebie w mieszkaniu. Za tydzień ma egzamin z literatury współczesnej. Przedtem musi jeszcze dużo przeczytać. Dzwonek do drzwi.

Agnieszka: Już otwieram. Kto tam?

Michel: To ja.

Agnieszka: Michel? Ty? To niemożliwe.

Michel: Dzień dobry. A właśnie że możliwe. To ja, ale nie sam. Z kwiatami, żeby ci podziękować za opiekę podczas choroby. Byłaś tak bardzo serdeczna i troskliwa, że wspominam tę chorobę z przyjemnością. Było mi tak dobrze! Dziękuję ci.

Agnieszka: Jestem naprawdę zaskoczona i nie wiem, co powiedzieć.

Michel: Nie musisz nic mówić. Chciałem tylko, żeby ci było miło.

Agnieszka: Jest mi bardzo miło. Te kwiaty to prawdziwa niespodzianka. Jestem naprawdę wzruszona. Proszę, wejdź do pokoju. Przepraszam za bałagan, ale właśnie czytam książki do egzaminu.

Michel: I słuchasz jakiejś interesującej muzyki...

Agnieszka: To stare piosenki Marka Grechuty, ale lubię je. A wiesz, że to ciebie powinno zainteresować. To przecież polska poezja śpiewana. O, na przykład ta piosenka do tekstu Gałczyńskiego. Proszę, posłuchaj.

12.1.4. Ocalić od zapomnienia

Ile razem dróg przebytych?
Ile ścieżek przedeptanych?
Ile deszczów, ile śniegów
wiszących nad latarniami?

Ile listów, ile rozstań,
ciężkich godzin w miastach wielu?
I znów upór, żeby powstać
i znów iść, i dojść do celu.

Ile w trudzie nieustannym
wspólnych zmartwień, wspólnych dążeń?
Ile chlebów rozkrajanych?
Pocałunków? Schodów? Książek? (...)

198

Twe oczy jak piękne świece,
a w sercu źródło promienia.
Więc ja chciałbym twoje serce
ocalić od zapomnienia.

Konstanty Ildefons Gałczyński
(1905–1953)
Pieśń III z 1953 r.

12.1.5. Mieszkanie Agnieszki. Michel uważnie wysłuchał piosenki Grechuty.

Michel: Nie wszystko rozumiem, ale piosenka podoba mi się. Jaki jest jej tytuł?

Agnieszka: *Ocalić od zapomnienia*. Taki, jak ostatnie słowa piosenki.

Michel: "Więc ja chciałbym twoje serce ocalić od zapomnienia". To piękne, wiesz?

Vocabulary

bałagan (m G bałaganu) *mess*
cel (m G celu) *aim, goal, purpose*
choroba (f G choroby) *illness, disease*
ciężki, -a, -e Adj. *heavy, weighty*
czytać + Ac. (czytam, czytasz, -ają Imperf.) *to read*; → **przeczytać**+Ac. (przeczytam, -sz, -ają Perf.) *to read*
dążenie (n G dążenia) *aspiration, pursuit*
dojść do+G (dojdę, dojdziesz Perf.) *to reach*
drzwi (pl. G drzwi) *door*
interesować + Ac. (interesuję, -esz Imperf.) *to interest, to concern*; → **zainteresować** + Ac. (zainteresuję, -esz Perf.) *to interest, to concern*
kochać + Ac. (kocham, -sz, -ają Imperf.) *to love*; → **zakochać się w** + L (zakocham się, -sz, -ają Perf.) *to fall in love*
kochać się w + L (kocham się, -sz, -ają Imperf.) *to be in love*
kontaktować + Ac., **z** + I (kontaktuję, -esz Imperf.) *to contact*; → **skontaktować** + Ac. **z** + I (skontaktuję, -esz Perf.) *to contact*
kwiat (m G kwiatu) *flower*
latarnia (f G latarni) *lantern, lamp*

łączyć + Ac., **z** + I (łączę, łączysz Imperf.) *to unite*
nad+I *over, above, on*
niespodzianka (f G niespodzianki) *surprise*
nieustanny, -a, -e Adj. *incesant, unceasing*
ocalać + Ac., **od** + G (ocalam, -sz, -ają Imperf.) *to save, to rescue*; → **ocalić** + Ac., **od** + G (ocalę, ocalisz Perf.) *to save, to rescue*
oko (n G oka, pl. oczy) *eye*
omówienie (n G omówienia) *discussion*
opieka (f G opieki) *care, protection, custody*
otwierać + Ac. (otwieram, -sz, -ają Imperf.) *to open*; → **otworzyć** + Ac. (otworzę, otworzysz Perf.) *to open*
pewnie, pewno *certainly, for sure*
pieśń (f G pieśni) *song*
piękny, -a, -e Adj. *beautiful, handsome, lovely*
piosenka (f G piosenki) *song*
pocałunek (m G pocałunku) *kiss*
podczas+G *during*
podobać się, to podoba mi się *I like it*
poezja (f G poezji) *poetry*
pomoc (f G pomocy) *help*

199

posłuchać + G (posłucham, -sz, -ają Perf.) *to listen to sth (for a while)*; → **posłuchaj** (Imperat.) *listen*

powstawać (powstaję, powstajesz Imperf.) *to stand up, to rise*; → **powstać** (powstanę, powstaniesz Perf.) *to stand up, to rise*

promień (m G promienia) *ray*

przebyty -a, -e *passed, crossed*

przedeptany -a, -e *trampled*

przyjaźń (f G przyjaźni) *friendship*

przyjemność (f G przyjemności) *pleasure*

przykład (m G przykładu) *example*

razem *together*

rozkrajany -a, -e *sliced*

rozstanie (n G rozstania) *separation, parting*

schody (pl. G schodów) *stairs*

serdeczny, -a, -e Adj. *cordial, hearty*

słowo (n G słowa) *word*

sprawa (f G sprawy) *affair, matter*

ścieżka (f G ścieżki) *path, footpath*

śpiewany, -a, -e *sung*

świeca (f G świecy) *candle*

tekst (m G tekstu) *text*

troskliwy, -a, -e Adj. *careful, attentive*

trud (m G trudu) *pains*

twe = twoje

tymczasem *meanwhile*

tytuł (m G tytułu) *title*

u siebie *at her (his) place*

umawiać na + Ac. (umawiam, -sz, -ają Imperf.) *to make an appointment*; → **umówić na** + Ac. (umówię, umówisz Perf.) *to make an appointment*

upór (m G uporu) *obstinacy*

wartościowy, -a, -e Adj. *valuable*

więc *now, well, so*

wiele, wielu *many, much*

wiszący, -a, -e *hanged*

wmawiać + Ac. (wmawiam, -sz, -ają Imperf.) *to make sb believe sth*

wspominać + Ac. (wspominam, -sz, -ają Imperf.) *to remember, to mention*; → **wspomnieć** + Ac. (wspomnę, wspomnisz Perf.) *to remember, to mention*

wspólny, -a, -e Adj. *common*

współczesny, -a, -e Adj. *contemporary*

wychodzić (wychodzę, wychodzisz Imperf.) *to go out, to come out*

wzruszony, -a, -e *moved*

zapominać + Ac. (zapominam, -sz, -ają Imperf.) *to forget*; → **zapomnieć** + Ac. (zapomnę, zapomnisz Perf.) *to forget*

zapomnienie (n G zapomnienia) *oblivion*

zaskoczony, -a, -e *surprised*

zmartwienie (n G zmartwienia) *worry, grief*

znów, znowu *again*

źródło (n G źródła) *source*

żartować z + G (żartuję, -esz Imperf.) *to joke*

Warto zapamiętać te słowa!
ZAWODY

EDUKACJA: l. uczeń (szkoły podstawowej); 2. uczeń (szkoły średniej); 3. nauczyciel (szkoły podstawowej); 4. student (uniwersytetu); 5. profesor uniwersytetu. **SŁUŻBA ZDROWIA:** 6. lekarz; 7. pielęgniarka; 8. dentysta; 9. chirurg. **WOJSKO:** 10. żołnierz; 11. oficer. **KOŚCIÓŁ:** 12. ksiądz; 13. zakonnica; 14. zakonnik. **HANDEL:** 15. sprzedawczyni, ekspedientka; 16. klient. **ROLNICTWO:** 17. rolnik, chłop; 18. gospodyni. **PRACA FIZYCZNA:** 19. robotnik; 20. elektryk; 21. kierowca; 22. murarz; 23. górnik. **USŁUGI:** 24. kelner; 25. fryzjer; 26. kucharz; 27. sprzątaczka. **POLICJA:** 28. policjant. **BIURO:** 29. urzędnik; 30. urzędniczka; 31. sekretarka. **HIERARCHIA:** 32. dyrektor, kierownik; 33. pracownik. **INTELIGENCJA:** 3. nauczyciel; 5. profesor; 34. inżynier; 6. lekarz; 35. malarz; 36. pisarz.

12.2. Gramatyka jest ważna

12.2.1. Genitive plural of nouns

Compare the nominative sg. and genitive pl. forms:

	Nom. sg.		Gen. pl.	Ending
To jest	*pan Nowak.* *profesor.* *student.* *pocałunek.* *chleb.* *śnieg.* *list.*	*Nie ma*	*panów Nowaków.* *profesorów.* *studentów.* *pocałunków.* *chlebów.* *śniegów.* *listów.*	*-ów*
	liść. *gość.* *koń.*		*liści.* *gości.* *koni.*	*-i*
	lekarz. *listonosz.*		*lekarzy.* *listonoszy.*	*-y*
	deszcz.		*deszczów.*	*-ów*
To jest	*Polka.* *Francuzka.* *godzina.*	*Nie ma*	*Polek.* *Francuzek.* *godzin.*	*Ø*
droga. *książka.* *pani.*			*dróg.* *książek.* *pań.*	
miłość. *złość.*			*miłości.* *złości.*	*-i*
rzecz.			*rzeczy.*	*-y*
To jest	*słowo.* *zdanie.* *zmartwienie.* *rozstanie.*	*Nie ma*	*słów.* *zdań.* *zmartwień.* *rozstań.*	*Ø*

N o t e that in the genitive two endings predominate: *-ów, Ø-* (zero).

The ending *-ów* is normally applied to masculine nouns ending in a hard conso-nant. Feminine and neuter nouns whose nominatives end in *-a, -i* (fem.) and *-o, -e* (neut.) take the zero ending. Since what remains at the end of a word after the ending disappears are clusters of consonants which are difficult to pronounce, the zero ending (*Ø*) is accompanied by the following alternations:

Polka — Polek	Ø : e
książka — książek	Ø : e
droga — dróg	o : ó
ręka — rąk	ę : ą
święto — świąt	ę : ą

It is time now to admit that there are in Polish less usual feminine nouns, which end the nominative in the soft consonant (*miłość*) or the hardened consonant (*rzecz*). As with masculine nouns, feminine nouns whose nominative sg. forms end in a soft consonant (*ś, ć, ź, dź, ń, l*), in genitive plural take the ending *-i*. Masculine and feminine nouns ending in nominative sg. in a hardened consonant (*c, cz, dz, rz, ż, sz*) take the ending *-y* in the genitive plural.

Note that the genitive plural form of the feminine nouns ending in a soft or hardened consonant is identical with the genitive and locative singular forms of these nouns. Remember some of the irregular forms of genitive plural:

dzień	*dni*
tydzień	*tygodni*
miesiąc	*miesięcy*
rok	*lat*
przyjaciel	*przyjaciół*
brat	*braci*
ojciec	*ojców*
człowiek	*ludzi*

12.2.2. Accusative plural of masculine personal nouns

The accusative plural form of masculine personal nouns is identical with the genitive plural of these nouns, e.g.:

To jest profesor.	*Nie ma profesorów.* (Gen.)
	Znam profesorów. (Acc.)
To jest student.	*Nie ma studentów.* (Gen.)
	Lubię studentów. (Acc.)
To jest gość.	*Nie ma gości.* (Gen.)
	Lubię gości. (Acc.)
To jest lekarz.	*Nie lubię lekarzy.* (Gen.)
	Znam lekarzy. (Acc.)

12.2.3. Genitive plural of modifiers

To jest nowy student.	*Nie ma nowych studentów.*
To jest dobry kolega.	*Nie ma dobrych kolegów.*
To jest tania książka.	*Nie ma tanich książek.*
To jest droga rzecz.	*Nie ma drogich rzeczy.*
To jest mój gość.	*Nie ma moich gości.*

The genitive plural of the modifiers is formed by adding the ending -ych to the stems with a hard consonant at the end (except -k, -g), and the ending -ich to the stems with a soft consonant or -k, -g at the end.

12.2.4. Use of genitive after the word *ile*

Examples given in the lesson show that the genitive plural is used in the same syntactic structures as the genitive singular.

There are contexts, however, which prefer either the genitive plural, or the genitive singular. One such case occurs with the use of the genitive after the word *ile*.

Polish *ile* does not require that the speaker attend to the fact whether he or she is refering to countable or uncountable nouns. In both cases we use the same word *ile*. However, when it appears together with nouns in the genitive singular, it indicates that the speaker does not want to know their exact number. Whenever it is used with nouns in the genitive plural, it indicates that the speaker is interested in the exact number of things he refers to, e.g.:

ile + Gen. sg.	*ile* + Gen. pl.
Ile mleka wypiłeś?	*Ile godzin pisałeś?*
Ile zupy zjadłeś?	*Ile dni byłaś w Gdańsku?*
Ile piwa kupiłeś?	*Ile tygodni chorowałeś?*

Of course, it may happen that the speaker wants to know the exact quantity of beer or milk, as measured, for example, in bottles. In such a case he will use another type of question:

Ile butelek mleka wypiłeś?
Ile butelek piwa kupiłeś?

Compare those questions with the following:

Ile paczek papierosów kupiłeś?

where there are two nouns in the genitive plural.

In the poem by K. I. Gałczyński, quoted in this lesson, we can find rhetorical questions with the word *ile*, e.g.: *Ile listów? Ile rozstań? Ile wspólnych zmartwień?* These questions do not require any precise answer. They suggest the answer *"dużo"*.

12.2.5. Syntax of the verb *chcieć*

12.2.5.1. *Chcę pić, chce mi się pić*

The verb *chcieć* followed by an infinitive is used whenever we refer to an inclination to do something, and it is the speaker who wishes to perform the action, e.g.:

Chcę pisać.
Chcę jeść.
Chcę iść do kina.

204

The speaker is a subject in both actions.

In Polish, there is another way of conveying this information: the verb *chcieć* appears then in its impersonal form *chce się*, the subject is expressed by the dative of the proper pronoun, and an infinitive concludes the clause, e.g.:

Chcę pić.	*Chce mi się pić.*
Chcesz jeść.	*Chce ci się jeść.*
On chce pić.	*Chce mu się pić.*
Ona chce jeść.	*Chce jej się jeść.*

The expression *chce mi się pić* is used frequently in colloquial Polish.

12.2.5.2. Chcę, żebyś pojechał

If the speaker wants another person to perform an action, then after the verb *chcieć* we employ the conjunction *żebym, żebyś, żeby, żebyśmy, żebyście, żeby* followed by the former active past participle, e.g.:

Mówię do ciebie: Proszę pojechać ze mną do Gdańska.
Proszę, żebyś pojechał ze mną do Gdańska.
Chcę, żebyś pojechał ze mną do Gdańska.
Lektorka mówi do Michela: "Proszę napisać zadanie na jutro".
Chcę, żeby pan napisał zadanie na jutro.
Proszę, żeby pan napisał zadanie na jutro.
Agnieszka mówi do Michela: "Proszę posłuchać tej piosenki".
Chcę, żebyś posłuchał tej piosenki.
Proszę, żebyś posłuchał tej piosenki.

Other examples :

Agnieszka chce, żeby Michel posłuchał piosenki.
Michel chce, żeby Agnieszce było miło.
Chciałem tylko, żeby ci było miło.

N o t e: The form *(chcę), żebyś pojechał* resembles very much the conditional mood, but it differs from it, as the morpheme *-byś* can not be combined with the verb. It is permanently connected with the conjunction *że*.

Because the forms like *żebyś pojechał* are most commonly used in wishes, we will call them "the wishing mood".

The syntactic scheme of such forms is as follows:

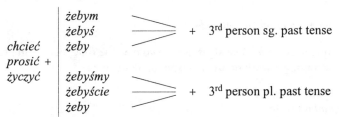

The choice of the proper form (*żebym, żebyś*, etc.) depends upon the person, who is supposed to perform the action, e.g. *żebyś* refers to the listener (you).

Here, Polish syntax differs very much from English, as is illustrated by the diagram below:

I want	you	to meet	him.
Chcę,	*żebyś*	*poznał*	*go.*

12.3. Jak to powiedzieć?

12.3.1. Expressing positive feelings

12.3.1.1. Expressing positive feelings as a reaction to other people's behaviour

formal contact	informal contact
Jest pan bardzo miły.	*Jesteś miły. Jesteś bardzo miły.*
Jest pani bardzo miła.	*Jesteś miła. Jesteś bardzo miła.*
Jest pani bardzo serdeczna.	*Jesteś bardzo serdeczna.*
Jest pan troskliwy.	*Byłaś tak bardzo serdeczna i troskliwa.*
Lubię z panem rozmawiać.	*Lubię z tobą rozmawiać.*
Lubię z panią tańczyć.	*Lubię z tobą tańczyć.*

12.3.1.2. Expression of one's own feelings

Jest mi bardzo miło.
Wspominam to z przyjemnością.
Wspominam tę rozmowę z przyjemnością.
Czuję się tu bardzo dobrze = Jest mi tu bardzo dobrze.
Czułem się tak dobrze = Było mi tak dobrze.

Lubię Marka Grechutę.
Lubię stare piosenki.
Piosenka podoba mi się.

Jestem naprawdę wzruszona.
Jestem taki szczęśliwy!
Jestem taka szczęśliwa!
Lubię cię.
Bardzo cię lubię.
Kocham cię.

12.3.2. Expressions: *podoba mi się* and *lubię*

In Polish, the expression *podoba mi się* is used to convey the first positive impression implied by confronting a work of art, a person, or a city, e.g.:

*Gdańsk **bardzo podoba mi się**.*
*Ta piosenka **podoba mi się**.*
*Film **podobał mi się** bardzo.*
*Dziewczyna **spodobała mi się** od pierwszego wejrzenia.*

206

We say *podoba mi się* when we refer to person's appearance:

Piotr bardzo podoba mi się.
Jego oczy podobają mi się bardzo.
Jego twarz podoba mi się bardzo.

The verb *lubić* is employed whenever, due to closer contacts, we develop warm feelings towards something, e.g.:

Mieszkałam w Gdańsku dwa lata. Mogę powiedzieć, że **lubię Gdańsk.**
Często słucham piosenek Grechuty. **Lubię poezję śpiewaną.**
Bardzo lubię Piotra. *To mój najlepszy przyjaciel.*

The verb *lubić* is used when we talk about meals that we like or not, e.g.:

Bardzo **lubię zupę grzybową.**
Nie **lubię bigosu.**
Lubię zieloną sałatę.
Bardzo **lubię pączki.**
Czy **lubisz piwo?**

The verb *lubić* is also used to define the actions which we often do, which we like doing or which seem pleasant to us:

On lubi się spóźniać.
Lubi długo spać.
Bardzo lubi pić.
Nie lubię dużo jeść.

12.3.3. Telephone conversations

12.3.3.1. Answering the telephone

Halo.
Słucham.
Uniwersytet Jagielloński, słucham.

12.3.3.2. Asking for the stranger's identity

Kto mówi?
Przepraszam, ale kto mówi?

12.3.3.3. Introducing oneself

Mówi Robert. Tu Robert.
(Tu) mówi Robert Kowalski.

12.3.3.4. Calling the proper person

Czy mogę rozmawiać z panem Janem Nowakiem?
Chciałbym prosić do telefonu pana Nowaka.

Przy telefonie. (= This is he/she; Speaking)
Zaraz poproszę.
Pana Nowaka nie ma w biurze.
Męża nie ma w domu.

12.3.3.5. Conveying information

— *Czy coś przekazać?*   — *Proszę jej przekazać, że mam dla niej książkę.*
— *Może coś przekazać?*   — *Proszę jej powiedzieć, że zadzwonię wieczorem.*

12.3.3.6. Finishing a conversation

Przepraszam, muszę już kończyć. Cześć.
To wszystko. Dziękuję za rozmowę.
Do widzenia.
Dziękuję pani bardzo. Do widzenia.

12.4. Powiedz to poprawnie!

12.4.1. Ask for fruits and vegetables using nouns in the genitive plural:
    Example: *Czy ma pani jabłka? Proszę dwa kilo **jabłek**.*

Czy ma pani pomidory? Proszę kilo . . . .

Czy ma pan gruszki? Proszę dwa kilo . . . .

Czy ma pani śliwki? Proszę kilo . . . .

Czy ma pani grzyby? Proszę pół kilo . . . .

Czy ma pani pieczarki? Proszę kilo . . . .

Czy ma pani cytryny? Proszę pół kilo . . . .

Czy ma pani banany? Proszę kilo . . . .

Czy ma pani pomarańcze? Proszę kilo . . . .

Czy ma pani ogórki? Proszę dwa kilo . . . .

12.4.2. Use nouns in the genitive plural:
    Example: *Ile **godzin** (godzina) pisałeś test?*

Ile . . . . (dzień) byliście w Warszawie? Ile . . . . (tydzień)
byłaś w Kijowie? Ile . . . . (miesiąc) byłeś w Polsce? Ile . . . .
(rok) studiowaliście w Polsce?

12.4.3. Answer the questions using nouns in the genitive plural:
    Example: *Czy są w tej grupie Polki? Nie, **nie ma tu Polek**.*

Czy są w tej grupie Australijki?

Nie, ...

Czy są w tej grupie Francuzki?

Nie, ...

Czy są w tej grupie Japonki?

Nie, ...

Czy są w tej grupie Chinki?

Nie, ...

Czy są w tej grupie Koreanki?

Nie, ...

Czy są w tej grupie Rosjanki?

Nie, ...

Czy są w tej grupie Amerykanki?

Nie, ...

Czy są w tej grupie Kanadyjki?

Nie, ...

12.4.4. Complete sentences with subordinate clauses following the model:

Example: *Mówię do ciebie: "Proszę pojechać ze mnę do Gdańska". Proszę, żebyś pojechał ze mną do Gdańska.*

Mówię do pana: "Proszę pojechać do Warszawy".

Proszę, ...

Mówię do pani: "Proszę zatelefonować do mnie jutro".

Proszę, ...

Mówię do państwa: "Proszę napisać zadanie na jutro".

Proszę, ...

Mówię do was: "Proszę przeczytać ten tekst".

Proszę, ...

On mówi do nas: "Proszę przyjść na moje imieniny".

On prosi, ...

Ona mówi do was: "Proszę przyjść do mnie na kawę".

Ona prosi, ...

12.4.5. Answer the questions following the model:

Example: *Czy on chce pić? Tak, bardzo chce mu się pić!*

Czy ona chce pić?

Tak, ...

Czy wy chcecie pić?

Tak, ... (my)

Czy ty chcesz pić?

Tak, ... (ja)

Czy oni chcą pić?

Tak, ...

Czy ty chcesz jeść?

Tak, ... (ja)

Czy one chcą jeść?

Tak, ...

Czy wy chcecie jeść?

Tak, ... (my)

Czy on chce jeść?

Tak, ...

12.4.6. Answer the questions following the model:
   Example: *Dlaczego nie pijesz? — Nie chce mi się pić.*

Dlaczego nie jecie?

....

Dlaczego nie śpisz?

....

Dlaczego on nie pracuje?

....

Dlaczego ona nic nie gotuje?

....

Dlaczego nic nie mówisz?

....

Dlaczego nie piszecie?

....

12.4.7. Complete the sentences following the model:
   Example: *Ona chce, żebym (ja) był jutro w domu.*

Profesor chce, ... (my) napisali zadanie na jutro. Chcę, ...
(wy) poszli w niedzielę do teatru. Życzymy ci, ... (ty) była szczęśliwa.
Życzę panu, ... (pan) był zdrowy. Proszę, ... (państwo)
byli tu o 10:00. Proszę, ... (panowie) napisali do mnie.

12.4.8. Fill out the blanks with appropriate prepositions and conjunctions (compare with the dialogue 12.1.3.)

Agnieszka jest ...... domu .... czyta teksty literackie, ... ma egzamin
..... literatury współczesnej! Ktoś dzwoni .... drzwi. Agnieszka otwiera .....
widzi, ... to Michel. Michel przyszedł .... niej .... kwiatami,
.... podziękować .... opiekę .... choroby. Agnieszka
nie wie, ... powiedzieć. Michel mówi jej, ... chciał, ... było jej miło.

12.5. Czy umiesz to powiedzieć?

12.5.0. Do you remember what happened in the last lesson? Say it in Polish.

12.5.1. Check whether you understand the dialogues 12.1.1. and 12.1.2.:

	prawda	nieprawda	brak informacji
Robert nie chce rozmawiać z Agnieszką o pracy.			
Robert telefonuje do rodziców Agnieszki.			
Matka Agnieszki wie, kiedy ona będzie w domu.			
Robert mówi, że zadzwoni do Agnieszki dziś wieczorem.			
Agnieszka jest teraz z Michelem.			
Agnieszka zakochała się w Michelu.			
Robert wie, że Agnieszka kocha Michela.			

12.5.2. Check whether you understand the dialogues 12.1.3.–12.1.5.:

	prawda	nieprawda	brak informacji
Agnieszka czyta literaturę współczesną.			
Michel przyszedł, żeby podziękować za opiekę.			
Agnieszka jest bardzo zaskoczona, ale jest jej miło.			
Agnieszka słucha starych piosenek Grechuty.			
Michel mówi, że piosenka nie podoba mu się.			
Michel nie wie, kto to jest K. I. Gałczyński.			

12.5.3. You call up your professor to tell him that you will be absent for one week. Give a reason for your absence.

— Halo.

— . . . .

— Przy telefonie.

— . . . .

— A, to pan(i). Słucham.

— . . . .

— A dlaczego?

— . . . .

— Kolega weźmie tekst dla pana/pani. Proszę go przeczytać w domu i zrobić zadanie.

— . . . .

— Do widzenia.

12.5.4. You call up your friend. He/she is absent. Leave a message.

— Halo.

— . . . .

— Dzień dobry.

— . . . .

— Adama nie ma w domu. Będzie wieczorem. Coś przekazać?

— . . . .

— Dobrze, powiem. Proszę jeszcze powtórzyć, kto mówi.

— . . . .

— Do widzenia.

12.5.5. You call up your friend to invite him/her to a party:

— Halo.

— . . . .

— Cześć. Co słychać?

— . . . .

— Wszystko w porządku.

— . . . .

— Kiedy to będzie?

— . . . .

— Dobrze. W sobotę mogę przyjść. A kto tam będzie?

— . . . .

— Gdzie będzie ta impreza?

— . . . .

— Jak tam dojechać?

— . . . .

— Dziękuję ci bardzo za zaproszenie. Do zobaczenia w sobotę.

— . . . .

12.5.6. Use the verbs *lubić, kochać*, or the expression *podoba mi się* following the model:
Zupa pomidorowa? Bardzo lubię zupę pomidorową.

Polska?

. . . .

Sałata?

. . . .

Gdańsk?

. . . .

Wino?

....

Moja siostra?

....

Polskie piosenki?

....

Amerykańskie filmy?

....

Mój kolega?

....

Nasza lektorka?

....

Jej oczy?

....

12.5.7. Ask your classmates some questions in order to find someone who

    a) had mostly positive feelings about Poland,
    b) likes this textbook,
    c) has visited Poland.

12.5.8. Write a fifteen-sentence paragraph about somebody you like the best. Stress your positive feelings toward this person.

12.5.9. How do you understand the poem *Ocalić od zapomnienia?* Write a ten--sentence paragraph.

12.6. Co o tym myślicie?

MĘŻCZYZNA I KOBIETA W RODZINIE

Mężczyźni i kobiety. Mężczyzna, kobieta i dzieci. Mężczyzna i kobieta w rodzinie. Kto tu jest silniejszy? Mężczyzna? A może kobieta — reprezentantka "słabej płci"? Ciekawe informacje na temat sytuacji w rodzinie polskiej opublikował tygodnik "Wprost". Oto niektóre tezy:

Rodzina bez głowy

Tradycyjna tożsamość ojca, męża, pana domu odchodzi w przeszłość. W dzisiejszej Polsce mężczyźni coraz częściej nie potrafią poradzić sobie z podstawowymi wyzwaniami, zarobić na godziwe życie dla siebie i rodziny. Zamiast walczyć, ustępują, tchórzą, uciekają w alkoholizm. Jeśli wierzyć policyjnym raportom, potrafią jedynie demonstrować przewagę fizyczną nad żoną i dziećmi. O intelektualnej nie może być już mowy — stracili życiową zaradność, a w wielu wypadkach hart, zdrowy rozsądek i elementarną przyzwoitość.

— Polki są o wiele lepiej przygotowane do przewodzenia i bardziej wykształcone niż mężczyźni.

Poza tym mężczyźni są słabsi fizycznie — o ile Polka ma przed sobą przeciętnie 76 lat życia, o tyle Polak jedynie 67.

Gdy kobiety odnoszą sukcesy, pozycja mężczyzny w rodzinie zaczyna się ograniczać jedynie do działań pomocniczych: przynieś, wynieś, kup, załatw.

Mimo braku wzorców pozytywnych, powszechna jest opinia, że w Polsce nie występuje zjawisko kryzysu rodziny. Sytuacja nie uległa zmianie od 1963 r., gdy Zygmunt Bauman opublikował wyniki badań nad hierarchią wartości Polaków. Chociaż realizacja modelu szczęśliwej rodziny jest utrudniona ze względów ekonomicznych, panuje zgodne przekonanie, że "we dwójkę łatwiej" i to skłania do wspólnego życia.

— Można więc paradoksalnie stwierdzić, że kryzys ekonomiczny podniósł rangę rodziny — uważa prof. Kozakiewicz.

(A. Witoszek, *Rodzina bez głowy*, "Wprost" nr 52 z 25 XII 1994)

Czy się zgadzacie z tymi tezami? Dlaczego artykuł ma tytuł *Rodzina bez głowy*?

Lekcja 13

13.1. Samodzielne opinie, samodzielne decyzje

13.1.1. Dom studencki. Pokój Petera i Michela. Jest u nich Robert. Rozmawiają o decyzji Roberta.

Robert: Wiecie, że pojutrze mam podjąć decyzję?

Michel: Jeszcze nie podjąłeś?

Robert: Jeszcze nie. Jeszcze się zastanawiam. To moja pierwsza samodzielna decyzja i dlatego.

Michel: Moim zdaniem to duża szansa. Sam wiesz, jak tu trudno o pracę. Właściwie po studiach mógłbyś być bezrobotny.

Robert: To chyba przesada. Dobry ekonomista zawsze sobie coś znajdzie.

Michel: Dobry — tak. Ale młody i bez doświadczenia?...

Peter: Myślę, że każdy z nas powie ci pewnie to samo. Przecież każdy podjął decyzję, że pojedzie za granicę, żeby się uczyć. Tylko że ja na przykład przyjechałem do Polski, a ty masz wyjechać z Polski. Ale co to za różnica!?

Robert: I nie żałujesz tej decyzji?

Peter: Różnie było, ale nie żałuję. Dowiedziałem się dużo o Polakach, ale i o sobie bardzo dużo. To ważny rok w moim życiu.

13.1.2. Robert jest u Agnieszki. Rozmawia wreszcie z nią o propozycji pracy.

Agnieszka: A czy rozmawiałeś ze swoimi rodzicami?

Robert: Tak, dzwoniłem do ojca.

Agnieszka: I co on na to?

Robert: Uważa, że to duża szansa. I że powinienem spróbować.

Agnieszka: A mama?

Robert: Ona się martwi, że zajęty tą pracą, nie skończę studiów, że będę sam w obcym świecie... Przy okazji dowiedziałem się od ojca, że zawsze byłem jej oczkiem w głowie.
Agnieszka: Zawsze tak myślałam. To jasne, że ona kocha cię bardzo.
Robert: Ale dlaczego nie powiesz mi, co ty myślisz o tej możliwości!?
Agnieszka: Ja?... Powinieneś się skoncentrować na pracy dyplomowej, skończyć studia i wyjechać do Anglii. Przecież tego chcesz.
Robert: Chcę. Ale spodziewałem się, że będziesz przeciw.

13.1.3. Studenci czytali na zajęciach tekst "Świat w oczach Polaków" z podręcznika "Zrozumieć Polskę". Na zadanie mają napisać, jacy ich zdaniem są Polacy. Oto zadanie Michela:

„Jacy są Polacy? Zastanawiałem się nad tym, kiedy mieszkałem we Francji. Wtedy ludzie znad Wisły to była duża, nieznana grupa. Mówiło się o nich, że są gościnni, spontaniczni, szczerzy. Czasem, że nietolerancyjni. Potem zrobili karierę jako ludzie solidarni.

Po kilku miesiącach pobytu w Polsce wiem, że ludzie bywają tu gościnni, spontaniczni, szczerzy, tak jak bywają nietolerancyjni, niegospodarni, niesolidarni.

Po kilku miesiącach pobytu w Polsce mogę powiedzieć, jacy są studenci i profesorowie, jacy są chłopcy i jakie dziewczyny, kierowcy, taksówkarze, konduktorzy, pracownicy w biurach. Mogę powiedzieć, bo z nimi mam kontakty. Ale naprawdę nie umiem powiedzieć, jacy są Polacy. Tym bardziej, że znalazłem rodzinę w Polsce i coraz bardziej czuję się Polakiem.

Na szczęście dla mnie okazało się, że Polacy są różni. I niestereotypowi!"

Vocabulary

bezrobotny, -a, -e Adj. *unemployed*

biuro (n G biura) *office*

bywać (bywam, -sz, -ają Imperf.) *to be sometimes, to be often, to frequent*

co za, co to za różnica? *what difference is this?*

decyzja (f G decyzji) *decision*

doświadczenie (n G doświadczenia) *experience*

dowiedzieć się + G, **o** + L (dowiem się, dowiesz, dowiedzą Perf.) *to inquire*

duży, -a, -e Adj. *big, large, great*

dyplomowy, -a, -e Adj. *diploma*; → **praca dyplomowa** *thesis, dissertation*

gościnny, -a, -e Adj. *hospitable*

granica (f G granicy) *border*; → **wyjechać za granicę** *to go abroad*

jako *as*

jasne *clear*

kariera (f G kariery) *career*

każdy, -a, -e *every, each, everybody*

kierowca (m G kierowcy) *driver*

kilka, kilku *some, a few*

koncentrować się na + L (koncentruję się, -esz Imperf.) *to concentrate*; → **skoncentrować się na** + L (skoncentruję się, -esz Perf.) *to concentrate*

konduktor (m G konduktora) *conductor*

miesiąc (m G miesiąca) *month*

na przykład *for example*

niegospodarny, -a, -e Adj. *uneconomical, thriftless*

nietolerancyjny, -a, -e Adj. *intolerant*

nieznany, -a, -e *unknown*

oczko w głowie, być oczkiem w głowie *to be the light in sb's eyes*

okazywać (się) + I (okazuję się, -esz Imperf.) *to turn out, to become evident*; → **okazać (się)** + I (okażę się, okażesz Perf.) *to turn out, to become evident*

opinia (f G opinii) *opinion, recommendation*

oto *here*

pobyt (m G pobytu) *stay*

podejmować + Ac. (podejmuję, -esz Imperf.) *to take up, to take (a decision)*; → **podjąć** + Ac. (podejmę, podejmiesz Perf.) *to take up, to take (a decision)*

podręcznik (m G podręcznika) *textbook*

pojutrze *the day after tomorrow*

pracownik (m G pracownika) *worker, employee, clerk*

przeciw + D *against*

przesada (f G przesady) *exaggeration*

przy okazji *on that occasion*

rozumieć + Ac. (rozumiem, -sz, rozumieją Imperf.) *to understand*; → **zrozumieć** + Ac. (zrozumiem, -sz, zrozumieją Perf.) *to understand*

różnica (f G różnicy) *difference*

różnie Adv. *differently*

różny, -a, -e Adj. *different, distinct*

samodzielny, -a, -e Adj. *independent, self, reliant*

solidarny -a, -e Adj. *solidary*

spodziewać się + G (spodziewam się, -sz, -ają Imperf.) *to expect*

spontaniczny, -a, -e Adj. *spontaneous*

sprzedawca (m G sprzedawcy) *seller, shop-assistant*

stereotypowy, -a, -e Adj. *stereotyped*

świat (m G świata) *world*

szansa (f G szansy) *chance*

szczery, -a, -e Adj. *sincere*

szczęście (n G szczęścia) *happiness*; → **na szczęście** *fortunately*

taksówkarz (m G taksówkarza) *taxi driver*

umieć + Ac., + Infin. (umiem, umiesz, umieją Imperf.) *to know, to know how*

uważać (uważam, -sz, -ają Imperf.) *to think, to pay attention*

zadanie (n G zadania) *homework, task, exercise*

zajęty + I *busy with sb or sth*

zdanie (n G zdania) *opinion, view; sentence*; → **moim zdaniem** *in my opinion*

znad + G *from above, from*

Warto zapamiętać te słowa!
PRZYRODA

A. 1. ziemia; 2. powietrze; 3. woda. **B. DRZEWA:** 1. sosna; 2. świerk; 3. brzoza;
4. dąb; 5. las; 6. jabłoń; 7. grusza; 8. śliwa. **C. ROŚLINY:** 1. korzeń; 2. łodyga; 3. liść;
4. kwiat. **D. KWIATY:** 1. róża; 2. tulipan; 3. goździk. **E. OWOC(E):** 1. jabłko;
2. gruszka; 3. śliwka; 4. pomarańcza; 5. cytryna; 6. banan. **F. ZWIERZĘ, ZWIERZĘ-
TA (pl.):** 1. kot; 2. pies; 3. koń; 4. krowa; 5. świnia; 6. mysz (f); 7. słoń; 8. tygrys;
9. lew. **G. PTAKI:** 1. kura; 2. kaczka; 3. gęś; 4. wróbel; 5. orzeł. **H. RYBY:** 1. pstrąg;
2. karp. **I. OGRÓD:** 1. marchewka; 2. pietruszka; 3. cebula; 4. kalafior; 5. kalarepa;
6. pomidory; 7. ogórki; 8. czosnek.

13.2. Gramatyka jest ważna

13.2.1. Nominative plural of masculine personal nouns

V	Nom. sg.	V	Nom. pl.	alternations and ending	
To jest	*student.*	*To są*	*studenci.*		*t : ć*
	Francuz.		*Francuzi.*		*z : ź*
	sąsiad.		*sąsiedzi.*	*-i*	*d : dź*
	mężczyzna.		*mężczyźni.*		*z : ź*
	specjalista.		*specjaliści.*		*s : ś, t : ć*
	kolega.		*koledzy.*		*g : dz*
	pracownik.		*pracownicy.*		*k : c*
	konduktor.		*konduktorzy.*	*-y*	*r : rz*
	chłopiec.		*chłopcy.*		*e: Ø, pi : p*
	gość.		*goście.*	*-e*	
	Amerykanin.		*Amerykanie.*		

In the nominative plural of masculine personal nouns, there are three endings that dominate. Nouns ending in a hard consonant (except -*k*, -*g*, -*r*), take the -*i* ending which is accompanied by palatalization of the preceding consonant or consonants (see the alternations in the chart).

Nouns with the stem ending in -*k*, -*g*, -*r* take the -*y* ending, whereas *k* turns into *c*, *g* into *dz*, and *r* into *rz*. The same ending is taken by nouns with the suffix -*ec* (e.g. *chłopiec : chłopcy*).

The ending -*e* is taken by nouns ending in a soft or hardened consonant and nouns with the suffix -*anin*, which in Nom. pl. is changed into -*anie* (e.g.: *Amerykanin: Amerykanie*).

Unfortunately, this ending's distribution is disturbed by the customary use of the additional ending -*owie*, referring mainly to kinship among people and degrees; e.g.:

syn	*synowie*	
ojciec	*ojcowie*	
mąż	*mężowie*	*ą : ę*
dziadek	*dziadkowie*	*e : Ø*
wujek	*wujkowie*	*e : Ø*
profesor	*profesorowie*	
inżynier	*inżynierowie*	
uczeń	*uczniowie*	
pan	*panowie*	

These forms have to be learned by heart.

Remember that the nominative plural of the noun *brat* is *bracia*. It is formed irregularly.

13.2.2. Nominative plural of the modifiers of masculine personal nouns

To jest	*mój uczeń.*	To są	*moi uczniowie.*
	nasz syn.		*nasi synowie.*
	gościnny człowiek.		*gościnni ludzie.*
	spontaniczny chłopiec.		*spontaniczni chłopcy.*
	tolerancyjny student.		*tolerancyjni studenci.*
	nowy uczeń.		*nowi uczniowie.*
	wesoły pan.		*weseli panowie.*
	polski student.		*polscy studenci.*
	dobry ojciec.		*dobrzy ojcowie.*
	drogi mąż.		*drodzy mężowie.*

Modifiers whose stems end in a hard, soft, or hardened consonant, take the ending *-i* in the nominative plural. It is accompanied by palatalization, as shown in the chart below:

cons. in Nom. sg.	*p*	*b*	*m*	*w*	*ł*	*t*	*d*	*s*	*z*	*n*	*r*	*sz*	*ż*	*ch*	*k + i*	*g + i*
cons. in Nom. pl. of pers. nouns	*pi*	*bi*	*mi*	*wi*	*li*	*ci*	*dzi*	*si*	*zi*	*ni*	*rz + y*	*si*	*zi*	*si*	*c + y*	*dz + y*

Modifiers ending in *-ry*, *-ki*, *-gi* take the endings *-rzy*, *-cy*, *-dzy* in the nominative plural.

The nominative singular and plural forms of modifiers like *interesujący, uroczy* (charming) are identical, e.g.:

To jest interesujący student.
To są interesujący studenci.
To jest uroczy chłopiec.
To są uroczy chłopcy.

13.2.3. Using modifiers in nominative plural of masculine personal nouns

Generally speaking, the virile nouns constitute only 2.7% of all modifiers appearances. However, because they always refer to groups of people comprising at least one man, in such contexts they can not be replaced by any other forms, e.g.:

moi drodzy (heading of a letter)
kochani (heading of a letter addressed to one's family)
szanowni państwo (heading of a letter addressed to a group of people)
nasi sąsiedzi (men and women)
mili ludzie (men and women)
dobrzy ludzie (men and women)
źli ludzie (men and women)
nasi synowie (only men)

13.3. Jak to powiedzieć?

13.3.0. Having a conversation

13.3.1. Beginning the conversation

Czy wiesz, że jutro wyjeżdżam?
Czy wiecie, że jutro mamy podjąć decyzję?

Co myślisz | *o tej propozycji?*
            | *o tej książce?*
Czy podoba ci się ten film?
Czy podoba wam się ta książka?

13.3.2. Joining the conversation; expressing one's attitude

Moim zdaniem *to duża szansa.*
Moim zdaniem *to dobry film.*
Według mnie *to zła książka.*
Myślę, *że to nudny film.*
Myślę, *że każdy powie to samo.*

13.3.3. Controlling the conversation

Przepraszam, ale nie rozumiem dobrze.
Czy możesz powtórzyć?
Proszę powtórzyć.
Co mówisz?
Co pan powiedział?

13.3.4. Acknowledging

No tak. Tak.
Rzeczywiście. Oczywiście.
Jasne.
Naprawdę?
I co potem? I co dalej?

13.3.5. Finishing the conversation

To wszystko. Nie mam czasu, muszę kończyć.
To wszystko, co chciałem o tym powiedzieć.
To wszystko, co chciałem powiedzieć.
Dziękuję za uwagę.

13.4. Powiedz to poprawnie!

13.4.1. Use the nominative plural following the model:
Example: *To jest Polak i Polka.* ***To są Polacy.***

To jest Francuz i Francuzka.

. . . .

To jest Niemiec i Niemka.

. . . .

To jest Rosjanin i Rosjanka.

. . . .

To jest Słowak i Słowaczka.

. . . .

To jest Ukrainiec i Ukrainka.

. . . .

To jest Białorusin i Białorusinka.

. . . .

To jest Litwin i Litwinka.

. . . .

To jest Czech i Czeszka.

. . . .

To jest Amerykanin i Amerykanka.

. . . .

To jest Australijczyk i Australijka.

. . . .

To jest Brazylijczyk i Brazylijka.

. . . .

To jest Anglik i Angielka.

. . . .

13.4.2. Use the nominative plural of personal nouns and adjectives:
Example: *To jest mój uczeń.* ***To są moi uczniowie.***

To jest dobry student.

. . . .

To jest inteligentny chłopiec.

. . . .

To jest najlepszy kolega.

. . . .

To jest bliski przyjaciel.

. . . .

To jest starszy pan.

. . . .

To jest ulubiony syn.

. . . .

To jest ambitny profesor.

. . . .

To jest sympatyczny inżynier.

. . . .

To jest miły gość.

. . . .

To jest wesoły sąsiad.

. . . .

13.4.3. Answer the questions following the model:
Example: *Nie wiem, czy on mnie lubi. Wiem, że on cię lubi.*

Nie wiem, czy on lubi muzykę poważną.

Wiem, ...

Nie wiem, czy ona mnie kocha.

Wiem, ...

Nie wiem, czy film podobał mu się.

Wiem, ...

Nie wiem, czy oni nas akceptują.

Wiem, ...

Nie wiem, czy oni was lubią.

Wiem, ...

Nie wiem, czy chcesz spróbować.

Wiem, ...

13.4.4. Use the correct forms of the verb *podjąć* in the past tense:
Example: *Czy już (ty)* **podjąłeś** *decyzję?*

Czy pani już . . . . decyzję?

Czy oni już . . . . decyzję?

Czy my już . . . . decyzję?

Czy pan już . . . . decyzję?

On nie wie, że ja już . . . . decyzję.

Ona nie wie, że wy już . . . . decyzję.

13.4.5. Answer the questions using right words:
> Example: *Czy rozmawiałeś z rodzicami? Tak, dzwoniłem do ojca.*

Czy rozmawiałeś z rodzeństwem?

Tak, ...

Czy rozmawiałeś z dziadkami?

Tak, ...

Czy rozmawiałeś z dziećmi?

Tak, ...

Czy rozmawiałeś z wnukami?

Tak, ...

13.4.6. Use the correct forms of the word *decyzja*:
> Example: *To jest trudna decyzja.*

Nie podjąłeś jeszcze ....? Czekamy na pańską ....
Porozmawiajmy o twojej ....! Myślę, że pańskie ....
są interesujące. Nie zgadzam się z twoją ....! To twoja
samodzielna ....!

13.4.7. Answer the questions using personal pronouns in the genitive:
> Example: *Znasz dobrze Roberta? Niestety, nie znam go dobrze.*

Znasz dobrze Polaków?

Niestety, ...

Znasz dobrze Agnieszkę?

Niestety, ...

Znasz dobrze państwa Nowaków?

Niestety, ...

Znasz nas dobrze?

Niestety, ...

Znasz mnie dobrze?

Niestety, ...

Znam cię dobrze!

Niestety, ...

13.4.8. Answer the questions following the model:
> Example: *Czy lubisz zwierzęta? Tak, lubię psy.*

Czy lubisz drzewa?

Tak, ...

Czy lubisz kwiaty?

Tak, ...

Czy lubisz zwierzęta?

Tak, ...

Czy lubisz ptaki?

Tak, ...

13.5. Czy umiesz to powiedzieć?

13.5.0. Do you remember what happened in the last lesson? Say it in Polish.

13.5.1. Check whether you understand the dialogues 13.1.1. and 13.1.2.:

	prawda	nieprawda	brak informacji
Robert jeszcze nie podjął decyzji.			
Michel myśli, że ta praca to duża szansa.			
Peter myśli, że dobrze jest wyjechać za granicę.			
Dla Petera rok w Krakowie to był ważny rok.			
Robert jest bardzo ważny dla swojej matki.			
Agnieszka chce, żeby Robert wyjechał do Anglii.			
Agnieszka chce jechać z Robertem do Anglii.			

13.5.2. Check whether you understand the text 13.1.3.:

	prawda	nieprawda	brak informacji
Michel pisze zadanie o tym, jacy są Polacy.			
Michel zastanawiał się, jacy są Polacy, kiedy był we Francji.			
Michel wie, że ludzie w Polsce są gościnni i spontaniczni.			
Michel ma kontakty tylko ze studentami i profesorami.			
Michel nie czuje się jeszcze Polakiem.			
Michel chce zostać i pracować w Polsce.			

13.5.3. Find out what your friends think about studying abroad. Then write a ten-sentence paragraph entitled "Studia za granicą". Stress different opinions.

13.5.4. Ask your classmates some questions to find out what they think about working abroad.

13.5.5. You are discussing with your friend the difficulty of Polish language:

— Dla mnie język polski nie jest trudny.

— . . . .

— No tak, gramatyka jest inna. Ale moim zdaniem jest bardzo logiczna.

— . . . .

— Naprawdę?

— . . . .

— Ale mówisz po polsku. Czy podoba ci się ten język?

— . . . .

13.5.6. What have you learned about yourself:

a) studying Polish,
b) studying in Poland,
c) working in Poland.

Write a ten-sentence paragraph.

13.5.7. Express your opinion following the model:

— *Dustin Hoffman jest najlepszym aktorem amerykańskim.*
— *To chyba przesada.*

Warszawa jest największym miastem w Polsce.

. . . .

Język polski jest najtrudniejszym językiem na świecie.

. . . .

Ludzie w Polsce są gościnni.

. . . .

Polki mają niebieskie oczy.

. . . .

Maj jest najpiękniejszym miesiącem.

. . . .

Warszawa jest najpiękniejszym miastem w Polsce.

. . . .

Wszyscy Polacy są solidarni.

. . . .

13.5.8. Do you have a pet animal? Describe it and draw it.

13.5.9. What kind of tree do you like? Describe it and draw it.

13.5.10. Write a five-sentence paragraph about the best Polish fruit.

13.6. Co o tym myślicie?

CUDZOZIEMCY W POLSCE

Jesteście (lub będziecie) cudzoziemcami w Polsce. A czy wiecie, ilu cudzoziemców przyjeżdża co roku do Polski? Czy wiecie, jakie są cele ich pobytu w Polsce? Czy wiecie, jakie miasta najchętniej odwiedzają cudzoziemcy? Czy wiecie, dlaczego te miasta są najpopularniejsze?

Interesujące informacje na ten temat opublikował tygodnik "Polityka":

Witajcie nad Wisłą!

W 1995 roku przyjechało do Polski 82,2 mln cudzoziemców. Liczba ta obejmuje 63 mln przyjazdów na parę godzin na nadgraniczny bazar, jak i 19,2 mln osób, które spędziły w Polsce co najmniej jedną noc i zgodnie z definicją Światowej Organizacji Turystyki uznane zostały za turystów. Tym samym Polska awansowała na 9 miejsce w świecie pod względem liczby turystów zagranicznych.

Przyjazdy cudzoziemców do Polski w 1995 (w tys.)	
Razem wszystkie kraje	82 243,6
Niemcy	47 172,2
Kraje b. ZSRR	12 500,3
Czechy	15 102,1
Słowacja	4 351,2
Austria	372,1
Belgia	164,3
Dania	170,4
Francja	321,2
Holandia	358,9
Rumunia	181,1
Szwecja	197,7
USA	201,5
W. Brytania	191,8
Węgry	195,9
Włochy	171,9
Pozostałe kraje	591,0

Źródło: GUS

Cele pobytu w Polsce (w % badanych turystów, 1995 rok)	
Zakupy	27,5
Typowa turystyka	30,4
Interesy, służbowe	19,1
Odwiedziny u krewnych, znajomych	19,2
Tranzyt	6,4
Dorywcza praca	9,5
Motywy religijne	2,8
Odwiedziny w miejscu pochodzenia	3,6

Źródło: Badania Instytutu Turystyki

W 1975 r. Polskę odwiedziło 9,3 mln cudzoziemców, którzy oficjalnie wydali 154 miliony dolarów. Dwadzieścia lat później przyjechało ich już 82,2 mln i zostawiło 6,4 miliarda dolarów...!

Największe zainteresowanie dalej budzi "złoty trójkąt" polskiej turystyki, tj. trasa Kraków – Częstochowa – Oświęcim.

(M. Henzler, *Witajcie w Polsce*, "Polityka" nr 18, 4 maja (1996)

Lekcja 14

14.1. Co zrobią?
Epilog

Co zrobi Robert? Wyjedzie do Anglii, czy nie? Wyjedzie z Agnieszką czy sam? A Agnieszka? Czy jej ojciec ma rację, że Robert jest tylko jej przyjacielem? Że zakochała się w Michelu?

Jest koniec roku akademickiego. Czas decyzji nie tylko dla Roberta i Agnieszki. Jest to czas decyzji dla Michela, Petera i ich kolegów.

Co zrobią? Jakie miejsce w ich życiu będą miały roczne studia w Polsce? Wielu studentów wyjedzie z Polski, ale Peter zostanie tu. Będzie studiował język i literaturę rosyjską na Uniwersytecie Jagiellońskim. To jego decyzja, że będzie studiował to, co go bardzo interesuje, co zaczął studiować w Niemczech, i że będzie to robił w Polsce. W ten sposób pozna dobrze dwie kultury słowiańskie.

Michel też będzie w Polsce. Mówi, że chyba tylko przez rok, bo ma ciekawą propozycję pracy w firmie polsko-francuskiej. Chce tu być, żeby lepiej poznać swoją nową rodzinę, żeby lepiej poznać język i kulturę polską. Żeby lepiej poznać Polskę.

Koledzy mówią, że Michel bardzo interesuje się Polską, ale jeszcze bardziej — Agnieszką. Zwłaszcza od momentu, kiedy dowiedział się, że Robert wyjedzie do Anglii. Teraz on chce zaopiekować się Agnieszką!

14.2. Dziesięciu wielkich Polaków

1. Mieszko I (urodzony między 920 a 940, zmarł w 992) — pierwszy historyczny książę z dynastii Piastów. Zjednoczył ziemie polskie. W 966 przyjął chrzest i w ten sposób wprowadził naród polski w krąg kultury zachodnio-europejskiej (pochodzenia łacińskiego).

2. Kazimierz Wielki (1310–1370) — ostatni król polski z dynastii Piastów. Dbał o rozwój gospodarki kraju i jego obronność. Skodyfikował prawo oraz zreformował wojsko i skarb państwa. W 1364 założył w Krakowie, pierwszy w Polsce, uniwersytet. O Kazimierzu Wielkim mówi się, że "zastał Polskę drewnianą, a zostawił murowaną".

3. Mikołaj Kopernik (1473–1543) — wielki astronom, matematyk, ekonomista i lekarz. Urodzony w Toruniu, działał we Fromborku i w Olsztynie. W dziele "De revolutionibus orbium coelestium" wyłożył heliocentryczną teorię budowy świata. O Koperniku mówi się: "wstrzymał słońce, poruszył ziemię, polskie wydało go plemię".

4. Tadeusz Kościuszko (1746–1817) — wybitny generał polski i amerykański, bohater narodowy. W latach 1775–1789 brał udział w wojnie o wolność USA. Po powrocie do Polski był naczelnikiem w czasie powstania przeciw Rosji w 1794, w którym po raz pierwszy brali udział chłopi. Zmarł na emigracji w Szwajcarii.

5. Adam Mickiewicz (1798–1855) — największy poeta polski, uważamy za wieszcza narodowego. Po studiach w Wilnie został zesłany do Rosji. Od 1829 żył i pisał w Paryżu. W latach 1841–1844 był profesorem w Collège de France. Autor poezji lirycznej, ballad, romansów, sonetów i poematów. Jego największym dziełem jest poemat "Pan Tadeusz", zaczynający się od słów:

> *Litwo! Ojczyzno moja! Ty jesteś jak zdrowie.*
> *Ile cię trzeba cenić, ten tylko się dowie,*
> *Kto cię stracił. Dziś piękność twą w całej ozdobie*
> *Widzę i opisuję, bo tęsknię po tobie.*

6. Fryderyk Chopin (Szopen, 1810–1849) — najwybitniejszy kompozytor polski. Urodził się w Żelazowej Woli, a kształcił w Warszawie. Po wyjeździe z Polski żył i tworzył na emigracji w Paryżu. Stworzył indywidualny styl w muzyce, łączący muzykę romantyczną z tradycjami polskiej muzyki ludowej (koncerty, mazurki, polonezy, walce, ballady i pieśni).

7. Maria Skłodowska-Curie (1867–1934) — wielka uczona polska, zajmująca się fizyką i chemią, dwa razy otrzymała nagrodę Nobla. Studiowała i prowadziła badania na emigracji w Paryżu, gdzie poślubiła Piotra Curie, uczonego francuskiego. Autorka pionierskich prac z chemii jądrowej. Odkryła dwa pierwiastki chemiczne: polon i rad. Była pierwszą kobietą, która wykładała jako profesor na Sorbonie.

8. Józef Piłsudski (1867–1935) — polityk, twórca niepodległej Polski po 123 latach rozbiorów. Dowódca Legionów Polskich od 1914. Od 1918 Tymczasowy Naczelnik Państwa, a w latach 1919–1922 Naczelnik Państwa. W 1926 dokonał zamachu stanu i wprowadził rządy sanacji.

9. Witold Gombrowicz (1904–1969) — wybitny pisarz polski, tworzący głównie na emigracji: od 1939 w Argentynie, a od 1964 we Francji. W swoich powieściach ("Ferdydurke", "Trans-Atlantyk", "Pornografia", "Kosmos") i dramatach ("Ślub", "Operetka") demaskował mity i konwencje współczesnej kultury. Choć nie jest uważany za największego pisarza polskiego, to właśnie on zyskał największe uznanie krytyki międzynarodowej.

10. **Jan Paweł II** (Karol Wojtyła, ur. 1920) — arcybiskup krakowski, który od 1978 jest papieżem kościoła rzymsko-katolickiego. Największy autorytet moralny we współczesnym świecie, wspierający pokój między narodami oraz rozwój społeczeństw i jednostek ludzkich. Autor poezji, dramatów, prac teologicznych i encyklik. Papież-pielgrzym, który odwiedził wiele krajów.

14.3. Polska

Polska to państwo w Europie środkowej o powierzchni 312 000 km^2. Mieszka w nim około 40 milionów ludzi, z których 97,5% to Polacy.

Polska sąsiaduje na zachodzie z Niemcami, na południu z Czechami i Słowacją, a na wschodzie z Ukrainą, Białorusią i Rosją.

Na południu Polski są góry Karpaty i Sudety. Najwyższa część Karpat to Tatry. W Tatrach znajduje się Zakopane, nazywane "zimową stolicą Polski".

Większą część Polski zajmuje nizina. Płyną przez nią dwie największe polskie rzeki: Wisła (1047 km) i Odra (854 km).

Na północy Polski znajdują się Mazury i Pomorze, regiony pełne jezior. Mazury zwykle nazywa się "krainą tysiąca jezior".

Północną granicę Polski stanowi granica naturalna. Jest nią Morze Bałtyckie.

Największe polskie miasta to Warszawa, Łódź, Kraków, Katowice, Wrocław, Poznań, Szczecin, Gdańsk i Lublin.

Warszawa jest stolicą Polski.

Turyści najczęściej odwiedzają Warszawę (Stare Miasto, pałace królewskie w Wilanowie i w Łazienkach), Kraków (Stare Miasto, zamek królewski na Wawelu, dzielnica żydowska Kazimierz) z Wieliczką (kopalnia soli), Częstochowę (klasztor na Jasnej Górze ze słynnym obrazem Matki Boskiej Częstochowskiej) i Gdańsk (Stare Miasto, stary port).

Poza Polską mieszka około 12 milionów Polaków i obcokrajowców polskiego pochodzenia, nazywanych słowem "Polonia". Największe grupy polskie żyją na Litwie, Białorusi, Ukrainie, w Rosji, Kazachstanie i w Czechach, a największe grupy polonijne — w USA, Brazylii, Niemczech, Francji, Wielkiej Brytanii, Kanadzie i w Australii.

Poland – geographical map

Polish-English Dictionary

In the Polish-English dictionary, you will find all words appearing in the glossaries for the individual lessons, as well as in the tables illustrating thematic vocabulary. The dictionary does not repeat grammatical information given in the individual units, but rather gives the number of the lesson or table in which the word was introduced, so that you can look up necessary information, check the context in which the word occurs, or remind yourself of the semantic field to which it belongs.

To facilitate differentiation between adjectives and adverbs, these have been provided with appropriate labels, e.g. *ładny, ładna, ładne* Adj.; *ładnie* Adv. Verbs have been given together with their semantic patterns and an indication of whether the verb is perfective or imperfective, e.g. *prosić + Acc. o + Acc. Imperf.* Beside the nominative of nouns and pronouns whose stem changes, the genitive form, containing the altered stem, is given, e.g. *on, jego*; *ojciec, ojca*. In the case of nouns having completely different stems in the singular and the plural, both forms have been given, e.g. *rok*, pl. *lata*.

A

a L.1	and (indicates contrast)
adidasy pl. T.9	sneakers
aerobik T.4	aerobics
akademik L.2	dormitory
akceptować + Ac., akceptuję, -esz Imperf. L.11	to accept
albo L.6	or
ale L.1	but
ależ skąd! L.11	not at all!
ambitny Adj. L.1	ambitious
atak L.8	attack
autobus L.5	bus
autobusowy Adj. L.10	bus

B

babcia T.2	grandmother
babunia T.2	grandma
badać + Ac, badam, -asz, -ają Imperf. L.11	1. to examine, 2. to investigate

baleron T.5	smoked ham
bałagan L.12	mess
banan L.6	banana
bardzo Adv. L.1	very
bawić się + I, w + Ac., bawię, -isz Imperf. L.9	1. to play, 2. to have fun, to have a good time
befsztyk L.5	beefsteak
beret T.9	beret
bez + G L.9	without
bezpośredni Adj. L.10	direct
bezrobotny Adj. L.13	unemployed
biblioteka L.11	library
biceps T.11	biceps
biedny Adj. T.3	poor
biegać, biegam, -asz, -ają Imperf. T.4	1. to run, 2. to jog
biegle Ad. L.3	fluently
bielizna T.10	bed linen, underwear
bigos T.5	Polish dish made of sauerkraut, sausage and mushrooms
bilet L.4	ticket
biodro, pl. biodra T. 11	hip
biuro L.13	office
biustonosz T.9	bra
biznesmen L.3	businessman
bliski Adj. L.11	close, near
blisko Adv. L.4	near, closely
bluzka T.9	blouse
błyskawica T.7	lightning
bo L.5	because, for
Boże Narodzenie L.9	Christmas
bogaty Adj. T.3	wealthy, rich
boisko T.4	sports field, sports ground
boleć, only boli, bolą Imperf. L.11	to ache, to hurt
brać + Ac., biorę, bierzesz Imperf. L.6	1. to take, 2. to buy
brat T.2	brather
brew, brwi, pl. brwi T.11	eyebrow
broda T. 11	1. chin, 2. beard
brudny Adj. T.3	dirty, filthy
brzoza T.13	birch
brzuch T.11	belly
brzydki Adj. L.3, T.3	ugly
budowa T.11	build, physique
budynek, budynku L.7	building
bulion L.5	clear soup, consomme
bułka T.5	1. roll, 2. bun
burza T.7	storm, thunderstorm
but, pl. buty T.9	shoe, boot
butelka L.5	bottle

być, jestem, -eś, są Imperf. L.1 — to be

bywać, bywam, -asz, -ają Imperf. L.13 — to be present sometimes, to frequent

C

cały Adj. L.6 — whole

cebula T.13 — onion

cecha T.3 — feature, characteristic

cel L.12 — aim, goal, purpose

cena L.10 — price

chcieć + G or + Infin., chcę, -esz Imperf. L.2 — to want

chętnie Adv. L.2 — willingly, with pleasure

chirurg T.12 — surgeon

chleb L.5, T.5 — bread

chłop T.12 — 1. peasant, 2. fellow

chłopak T.1 — 1. boy, 2. boyfriend

chłopczyk T.1 — little boy

chłopiec, chłopca T.1, L.1 — 1. boy, 2. boyfriend

chmura T.7 — cloud

chociaż L.10 — although

chodzić na + Ac. or + Infin., chodzę, -isz Imperf. T.8 ~ chodzić na spacer, ~ chodzić spać — to walk, ~ to go for a walk, ~ to go to bed

choroba L.12 — illness, disease

chorować na + Ac., choruję, -esz Imperf. T.6 — to be ill, to be sick

chory Adj. T.3, L.8 — 1. ill, sick [man], 2. sore [throat], 3. bad [tooth]

chudy Adj. L.6 — lean

chwila L.9 — moment, while

chyba L.1 — probably, surely

ciągle Adv. L.5 — continually

ciało T.11 — body

ciastko L.4 — pastry, cookie, cake

ciasto L.5, T.5 — cake

ciężki Adj. L.12 — heavy, weighty

ciężko Adv. L.9 — heavily, hard

ciekawy Adj. L.4 — 1. curious, 2. interesting

cieszyć się z + G, cieszę, -ysz Imperf. L.1 — to be glad, to be happy

ciocia T.2 — aunt, auntie

co, czego L.1 ~ co to za różnica? — what, ~ what difference is that?

codzienny Adj. T.8 — everyday

coś, czegoś L.2 — something

córka T.2 — daughter

cudownie Adv. L.1 — wonderful

cytryna T.13 — lemon

człowiek, pl. ludzie T.1 — human being; man

czajnik T.10 — kettle

czapka T.9 — cap

czarujący Adj. L.7 — charming

czas L.5 — time

czasami L.5	sometimes
czasem L.5	sometimes
czekać na + Ac., czekam, -asz Imperf. L.1	to wait for
cześć! L.1	hi!
czerwiec, czerwca L.11	June
czerwony Adj. L.5	red
często Adv. L.6	often
czoło T.11	forehead
czosnek, czosnku T.13	garlic
czuć (się), czuję, -esz Imperf. L.9	to feel
czy L.1	conj. starting yes and no questions
czysty Adj. T.3	1. clean (hand), 2. clear (air), 3. pure (wool)
czytać + D + Ac. + o + L, czytam, -asz, -ają Imperf. L.3, T.8	to read
ćwiczenie L.9	exercise, drill

D

dać + Ac. + D., dam, -asz, dadzą Perf. L.6	to give
damski Adj. T.9	lady's, female
dawać + Ac. + D, daję, -esz Imperf. L.6	to give
dążenie L.12	aspiration, pursuit
dąb, dębu T.13	oak
decyzja L.13 ~ podjąć decyzję	decision, ~ to make a decision
deka L.6	10 grammes
denerować się + I, denerwuję, -esz Imperf. L.8	to be nervous, to be irritated
dentysta m T.12	dentist
deser L.5	dessert
deszcz L.7	rain
dla + G L.4	for
dlaczego L.3	why
dlatego L.5	that is why, because
dłoń f T.11	palm
długo Adv. L.3	for a long time
do [+ G] L.1	to
do widzenia L.2	good bye
dobry, lepszy Adj. L.1	good
dobrze Adv. L.3	well
dochodzić do + G, dochodzę, -isz Imperf. L.12	to reach, to arrive (letter)
dodatkowy Adj. L.7	additional
dojeżdżać do + G + I, dojeżdżam, -asz Imperf. L.10	to approach, to commute, to reach
dojechać do G + I, dojadę, dojedziesz Perf. L.10	to approach, to commute, to reach
dojść do + G, dojdę, dojdziesz Perf. L.12	to reach, to arrive (letter)
dokładnie Adv. L.6	exactly, precisely
doktor L.9	doctor, physician

dolegać, only dolega, dolegają, dolegało itd. — to bother, to give trouble, to pain
 Imperf. L.11

dom L.1 — house, home

doświadczenie L.13 — experience

dostać + Ac. od + G; dostanę, -esz Perf. L.5 — to get, to receive

dotąd L.4 — up to here, up to now, so far

dowcipny Adj. L.7 — witty

dowiedzieć się + G o + L, dowiem, -esz, — to learn about sth, to find sth out; to inquire
 dowiedzą Perf. L.13

dramat T.4 — drama

dres T. 9 — tracksuit

drogi Adj. L.9 — dear

drzewo T.13 — tree

drzwi pl. T.10 — door

dużo L.1 — much, many, a lot of

duży Adj. L.13 — big, large, great

dworzec, dworca L.10 — station, bus station, railroad station

dyplomowy Adj. L.13 ~ praca dyplomowa — diploma, ~ thesis

dyrektor L.8 — director

dyrygować + I, dyryguję, -esz Imperf. L.4 — to direct

dyskoteka T.4 — disco(theque)

dziadek, dziadka T.2 — grandfather

dziadkowie pl. T.2 — grandfather and grandmother

dziadziuś T.2 — grandpa

dziecko, pl. dzieci T.1 — child

dziennik T.4 — daily newspaper

dziennikarz L.3 — journalist

dzień, dnia L.1 — day

dziewczyna T.1 — 1. girl, 2. girlfriend

dziewczynka T.1 — little girl

dziękować + D + za + Ac., dziękuję, -esz — to thank for
 Imperf. L.2

dzisiaj L.4 — today

dziś L.4 — today

dzwonek, dzwonka L.2 — bell

dzwonić do + G, dzwonię, -isz Imperf. L.9 — to call, to ring up

dżem T.5 — jam

dżinsy pl. T.9 — jeans

E

edukacja T.12 — education

egzamin L.8 — examination, exam

ekonomia L.1 — economics

ekonomista m L.11 — economist

ekspedientka T.12 — saleswoman, salesclerk

elektryk T.12 — elektrician

etat L.10 ~ na pełny etat, ~ na pół etatu, — permanent post, ~ full-time, ~ part-time,
 ~ wolny etat — ~ job vacancy

F

fajnie Adv. L.1	great, good
fasolka T.5	beens (in tomato sauce)
faks, faksu L.8	fax
filharmonia L.4	concert hall
filiżanka T.10	cup
film L.3	film, moving picture, movie
filmowy Adj. L.4	film
firma L.11	firm, business, company
fotel T.10	armchair
fotografia T.10	photo
Francuz L.1	Frenchman
frytki, frytek pl. L.5	French fries
fryzjer T.12	hairdresser, barber

G

gabinet L.8	1. office, study, 2. cabinet
galareta L.5	jelly
gardło L.11	throat
garnek, garnka T.10	pot
garnitur T.9	suit
gaz L.10	gas
gdyby L.11	if
gdzie L.4	where
gdzieś L.5	somewhere
gęś T.13	goose
gimnastyka T.4	gymnastics, exercises
głodny Adj. L.5	hungry
głowa T.11, L.11	1. head, 2. brain, mind
gmina L.6	commune, municipality
godzina L.10	hour
golf T.9	polo-necked sweter, turtle-necked sweter
gościnny Adj. L.13	hospitable
gorączka L.11	fever
góra L.9	mountain
górnik L.6	miner
gospodyni T.12	1. hostess, 2. landlady, 3. famer's wife
gotować + Ac. w + L, gotuję, -esz Imperf. T.8	to cook, to boil
goździk T.13	carnation, pink
grać w + Ac., gram, -asz, -ają Imperf. T.4	to play
granica L.13, ~ wyjechać za granicę	border, boundry, limits, ~ to go abroad
gruby Adj. T.3	1. fat (man), 2. thick (book)
grudzień, grudnia L.9	December
grupa L.3	group
grusza T.13	pear tree
gruszka T.13	pear
grypa L.11	flu, influenza

238

H

halo L.1 — hallo
handel, handlu T.12 — trade, commerce
herbata T.5 — tea
hierarchia T.12 — hierarchy
historia L.1 — history
historyk L.1 — historian
hiszpański Adj. L.1 — Spanish
hotel L.2 — hotel

I

i L.1 — and
ile L.6 — how much, how many
imię, imienia L.2 — first name, Christian name
impreza T.4 — 1. event, 2. do
inżynier T.12 — engineer
informacja L.6 — information
instytut L.2 — institute
inteligencja T.12 — 1. intelligence, 2. intelligentsia
inteligentny Adj. L.1 — intelligent
interesować + Ac., interesuję, -esz Imperf. L.3 — to interest
interesować się + I, interesować, -esz Imperf. L.3 — to be interested in
intersujący Adj. L.3 — interesting
iść, idę, idziesz Imperf. L.4 — to go (on foot)

J

ja, mnie L.1 — I
jabłko L.6, T.13 — apple
jabłoń f T.13 — apple tree
jadalnia L.10 — dining room
jajko T.5 — egg
jak L.1 — how, like, as
jaki, jaka, jakie L.2 — what...like, what, which
jakiś, jakaś, jakieś L.1 — a, some, any
jako L.13 — as
jarzyna L.6 — vegetable
jasny L.13, ~ to jasne! — bright, light, clear; ~ that much is clear
jazz or dżez L.1 — jazz
jazzowy or dżezowy Adj. L.3 — jazz
jechać + I, jadę, jedziesz Imperf. L.1 — to go (by means of a vehicle), to go, to ride, to drive
jednak L.9 — however, but, yet, still
jedzenie L.5 — eating, food
jeść + Ac. + I.; jem, jesz, jedzą Imperf. L.5 — to eat
jeśli L.2 — if
jesień f T.7 — autumn, fall

jeszcze L.5	still, yet
jeździć + I; jeżdżę, jeździsz Imperf. L.5	1. to go (by means of a vehicle), 2. to travel 3. to run
język L.1, T.11	1. tongue, 2. language
już L.1	already

K

kaczka T.13	duck
kalafior T.13	cauliflower
kalarepa T.13	kohlrabi
kanapka L.5	snack, sandwich
kandydatura L.11	candidature
kapelusz T.9	hat
kariera L.13	career
kark T.11	nape of the neck
karp T.13	carp
karta L.5	1. card, 2. menu
kaszleć, kaszlę, -esz Imperf. L.11	to cough
katar L.11	runny nose, cold
kawa L.4, T.5	coffee
kawałek, kawałka L.5	piece, bit
kawiarnia L.2	cafe
kazać + D + Infin., każę, -esz Imperf. L.11	to order
każdy, każda, każde L.13	1. every, each, 2. everybody
kelner T.12	waiter
kiełbasa T.5	sausage
kiedy L.3	when
kiedyś L.2	sometime, once, at one time
kieliszek, kieliszka L.5	glass (of wine)
kierowca T.12	driver
kierownik T.12	manager
kilka, kilku L.3	some, a few, several
kino T.4	1. cinema, movie theater, 2. the movies
klient T.12	customer, client
klub L.1	club
kłopot L.5	trouble, embarassment
kobieta T.1	woman
kochać + Ac., kocham, -asz, -ają Imperf. L.12	to love
kochać się w + L, kocham, -asz, -ają Imperf. L.12	to be in love with sb
kochać się z + I, kocham, -asz, -ają Imperf. L.12	to make love to sb
kochanie L.1	darling
kolacja L.2, T.5	supper, dinner
kolano T.11	knee
koleżanka T.1	colleague (female)
kolega, pl. koledzy m L.1	colleague (male), friend (male)

kolegium, pl. kolegia L.8	college
koło + G L.4	near, next to
komedia T.4	comedy
kompozycja L.4	composition
komunikacja L.5	1. transportation, transit, 2. communication
koncentrować się na + I, koncentruję, -esz Imperf. L.13	to concentrate on
koncert L.3	concert
konduktor L.13	conductor, ticket inspector
konkretny Adj. L.4	real, concrete
konserwa L.5	can, canned food
kontakt L.3	contact
kontaktować + Ac. z + I, kontaktuję, -esz Imperf. L.12	to contact
kontrola L.11	control
koń T.13	horse
kończyć + Ac. or Infin., kończę, -ysz Imperf. L.8	to end, to finish
kościół, kościoła T.12	church, Church
korzeń T.13	root
kostka L.6	bar
kosz T.10	basket
kosztować, only kosztuje, kosztują Imperf. L.6	to cost
koszula T.9	shirt
koszykówka T.4	basketball
kot T.13	cat
kotlet schabowy T.5	chop, pork chop
krawat T.9	tie
kredens T.10	cupboard
kręgosłup T.11	spine, backbone
krocze T.11	crotch
kroić + Ac. + I., kroję, kroisz Imperf. L.6	to cut, to slice
krowa T.13	cow
krzesło T.10	chair
książka L.4	book
ksiądz, księdza, pl. księża T.12	priest
księgarnia L.4	bookstore
kto, kogo L.1	who
ktoś, kogoś L.6	somebody, someone
który, która, które L.10	which
kucharz T.12	cook, chef
kuchnia T.10	1. kitchen, 2. cuisine, cooking
kultura L.3	culture
kupić + Ac. + D, kupię, -isz Perf. L.2	to buy
kupować + Ac. + D, kupuję, -esz Imperf. L.6	to buy
kura T.13	hen
kurs L.8	course, studies program

kurtka T.9	jacket
kwiat T.10, T.13	1. flower, 2. plant

L

lampka T.10	lamp, bedside lamp
las T.13	forest, wood
latarnia L.12	street lamp, lantern
lato T.7	summer
leżeć, leżę, -ysz Imperf. L.11	to lie
lekarz L.11	doctor, physician
lekceważyć + Ac., lekceważę, -ysz Imperf. L.11	to disregard, to scorn
lekcja L.5	lesson
lektorat L.9	(foreign language) class
lepiej Adv. L.3	better
lew, lwa T.13	lion
liceum, pl. licea L.6	secondary school, high school
liść T.13	leaf
list L.9	letter
lista L.2	list, register
listopad L.7	November
literatura L.1	literature
lody, pl. lodów L.5, T.5	ice-cream
lotnisko L.1	airport
lubić + Ac., lubię, -isz Imperf. L.3	to like
ludzie pl. L.1	people
lustro T.10	mirror

Ł

ładny Adj. L.1	pretty, cute
łatwo Adv.	easily
łazienka T.10	bathroom
łączyć + Ac. z + I, łączę, -ysz Imperf. L.12	to join, to link, to conect
łodyga T.13	stem, stalk
łokieć, łokcia T.11	elbow
łóżko L.11	bed
łydka T.11	calf
łyżeczka T.10	teaspoon
łyżka T.10	spoon

M

magnetowid T.10	video (cassette recorder)
majtki pl. T.9	panties
malarz T.12	painter
mało Adv. L.5	little
mama L.1, T2	mummy, mammy
mamusia L.2	mummy
mapa T.7	map

242

marchewka f. T.13	carrot
martwić się + I, martwię, -isz Imperf. L.8	to worry about sb, sth
marynarka T.9	jacket
marzenie L.3	dream, daydream
masło L.5, T.5	butter
matka L.1, T.2	mother
mąż, męża L.6	husband
męski Adj. T.9	men's, masculin
mężczyzna T.1	man
miasto L.4	city, town
mieć + Ac mam, -sz, mają Imperf. L.1	to have
między + I a + I L.9	between
miesiąc L.13	month
miesięcznik T.4	monthly
mięso T.5	meat
mieszkać w + L, mieszkam, -asz, -ają Imperf. L.2	to live, to stay
mieszkanie L.10, T.10	appartment
miło Adv. L.2	agreably, nicely, pleasantly
miłość f. L.7	love
miły Adj. L.2	nice
mineralny Adj. L.5	mineral
minuta L.8	minute
mleko T.5	milk
młody Adj. T.3	1. young, 2. new
możliwość f L.10	possibility
możliwy Adj. L.8	possible
można + Infin. [można było, można będzie] irregular verb L.4	one can, it is possible
móc + Infin., mogę, możesz Imperf. L.2	to be able to, can
mój, moja, moje L.2	my, mine
motywacja L.7	motivation
mówić + D + Ac. + o + L, mówię, -isz Imperf. L.3	to speak, to say, to tell
murarz T.12	bricklayer
musieć + Infin., muszę, musisz Imperf. L.4	must, to have to
muzyka L.3, T.4	music
my, nas L.2	we
myć się + I, myję, -esz Imperf. T.8	to wash (one self), to have a wash
myśleć o + L, myślę, -isz Imperf. L.3	to think
mysz f T. 13	mouse

N

na + Ac. or L. L.1, 2, 3	for, on, at, in
na pewno Adv. L.2	certainly, for sure
nad + I L.12, ~ nad morzem	over, above; on, ~ by the see
nadrobić + Ac., nadrobię, -isz Perf. L.8	to make up for
nadzieja L.8	hope

najpierw L.5	first (of all), in the first place
napisać + Ac. + I, napiszę, -esz Perf. L.6	to write
naprawdę L.3	truly, really, indeed
narzeczona T.6	fiancée
narzeczony T.6	fiancé
nasz, nasza, nasze L.2	our, ours
naszyjnik T.9	necklace
natychmiast L.11	at once, immediately
nauczyć + G + Ac., nauczę, -ysz Perf. L.3	to teach
nauczyć się + G, nauczę, -ysz Perf. L.3	to learn
nauczyciel T.12	teacher
nawet L.3	even
nazwać + Ac., nazwę, -esz Perf. L.6	to call, to name
nazywać + Ac, nazywam, -asz, -ają Imperf. L.6	to call, to name
niż L.10	than
nic, niczego L.4	nothing
nie L.1	no, not
niebieski Adj. L.7	blue
niebo T.7	1. sky, 2. heaven
niedziela L.5	Sunday
niegospodarny Adj. L.13	uneconomical, wasteful
niemiecki Adj. L.3	German
niemożliwy Adj. L.5	impossible
niespodzianka L.12	surprise
niestety L.4	unfortunately
nieśmiały Adj. L.9	shy, timid
nietolerancyjny Adj. L.13	intolerant
nieustanny Adj. L.12	incessant, continuous
nieznany Adj. L.13	unknown
nigdy L.10	never, not...ever
niski Adj. T.3	1. short (man), 2. low
no L.3	well, so, now, then
nóż, noża T.10	knife
noga T.11	leg
nos T.11	nose
nowy Adj. L.9	new

O

obcy Adj. L.5	foreign, strange
obiad L.5, T.5	1. lunch, 2. dinner
obiecywać + Ac. + D, obiecuję, -esz Imperf. L.11	to promise
obraz T.10	painting, picture
ocalać + Ac. od + G, ocalam, -asz, -ają Imperf. L.12	to save
ocalić + Ac. od + G, ocalę, -isz Perf. L.12 ~ ocalić od zapomnienia	to save, ~ to save sth from oblivion

244

ochota L.4	desire, willingness
oczko L.13, ~ być oczkiem w głowie	eye, ~ to be the apple in sb's eye
oczywiście	of course, sure
odkryć + Ac., odkryję, -esz Perf. L.7	to discover
odmawiać + D + G, odmawiam, -asz, -ają Imperf. L.4	to refuse
odpocząć, odpocznę, -esz Perf. L.9	to rest, to take a rest
odpoczywać, odpoczywam, -asz, -ają Imperf. L.9	to rest, to take a rest
odpowiedź f L.11	answer, reply
odprowadzać + Ac., odprowadzam, -asz, -ają Imperf. L.11	to accompany, to escort
odprowadzić + Ac., odprowadzę, -isz Perf. L.11	to accompany, to escort
odrabiać + Ac., odrabiam, -asz, -ają Imperf. T.8 ~ odrabiać zadanie	to catch up on, ~ to do homework
odwiedzić + Ac., odwiedzę, -isz Perf. L.2	to visit, to come to see
odwieźć + Ac. + I; odwiozę,-esz Perf. L.5	1. to take, 2. to give somebody a ride
odzież f T.9	clothing, wear
oferta L.11	offer
oficer T.12	officer
oglądać telewizję	to watch TV
ogórek, ogórka T.5	cucumber
ogród, ogrodu T.13	garden
ojciec, ojca L.1, T.2	father
okazja L.4	occasion, opportunity
okno T.10	window
oko, pl. oczy T.11	eye
około L.10	about, near
okolica L.6	neighbourhood
okropny Adj. L.11	horrible, terrible, awful
omówienie L.12	discussion, report
on, jego L.1	he
ona, jej L.1	she
opłata L.10	charge, fee
opad, pl. opady T.7	fall, drop, precipitation
opieka L.12	care, protection
opiekować się + I, opiekuję, -esz Imperf. L.11	to take care of sb, to look after sb
opinia L.13	1. opinion, view, 2. reputation, 3. recommendation
opowiadać + Ac. + D, opowiadam, -asz, -ają Imperf. L.7	to tell
opowiedzieć + Ac. + D., opowiem, -esz, opowiedzą Perf. L.1	to tell
orzeł, orła T.13	eagle
orzechowy Adj. L.4	nut
ostatni Adj. L.9	last

ostrożny Adj. L.9	careful, cautious
oszczędzać + G or + Ac., oszczędzam, -asz, -ają Imperf. L.10	to save, to spare
oszczędzić + G or + Ac., oszczędzę, -isz Perf. L.10	to save, to spare
oto, ~ oto jestem, ~ oto mój dom	~ here I am, ~ that's my house
otwarty Adj. L.2	open
otwierać + Ac. + D, otwieram, -asz, -ają Imperf. L.12	to open
otworzyć + Ac. + D, otworzę, -ysz Perf. L.12	to open
owoc L.6, T.5, 13	fruit
ożenić + Ac. z + I, ożenię, -isz Perf. T.6	to marry
ożenić się z + I, ożenię, -isz Perf. T.6	to get married (about a man)

P

pa! L.9	bye
padać, only pada, padało Imperf. L.7	it rains, it snows
palec, palca, pl. palce T.11	1. finger, 2. toe
pamiętać + Ac., pamiętam, -asz, -ają Imperf. L.1	to remember, to keep in mind
pan, pl. panowie L.1	1. Mister, sir, 2. you (formal)
pani, pl. panie L.1	1. Madam, Mrs., 2. you (formal)
pański Adj. L.11	your, yours (formal)
państwo L.2	1. Mr. and Mrs., Ladies and Gentlemen, 2. you [formal] 3. state
pas T.11	1. waist, 2. belt
paszport L.2	passport
patelnia T.10	frying pan
paznokieć, paznokcia T.11	1. fingernail, 2. toenail
pensja L.10	salary
pepsi cola L.4	pepsi cola
pewien, pewny Adj. L.10	sure
pewnie Adv. L.12	certainly, for sure
pewno Adv. L.2	certainly, for sure
pewny Adj. L.	sure
pępek, pępka T.11	navel
piątek, piątku L.4	Friday
picie L.5	drinking, drink
pić + Ac., piję, -esz Imperf. L.2	to drink
piec T.10	stove, oven
pieczarkowy Adj. L.5	mushroom
pielęgniarka T.12	nurse
pieniądze, pl. pieniędzy L.5	money
pierś, piersi T.11	1. chest, 2. breast
pies, psa T.13	dog
pieśń f L.12	song
pietruszka T.13	parsley

piękny Adj. T.3	beautiful
pięta T.11	heel
pilny Adj. L.3	diligent, hardworking
piłka, ~ piłka nożna T.4	ball, ~ football
ping-pong T.4	ping-pong
piosenka L.12	(pop) song
pisać + Ac. + I, piszę, -esz Imperf. L.3, T.8	to write
pisarz T.12	writer
piwo L.2, T.5	beer
plan L.4	plan
plecy pl. L.11	back
płacić za + Ac., płacę, -isz Imperf. L.6	to pay
płaszcz T.9	coat
pływać (+ I), pływam, -asz, -ają Imperf. T.4	1. to swim [man], 2. to sail [ship]
po + L L.11	to, up to, for, on
pobyt L.13	stay
południe L.4 ~ po południu	1. noon, 2.south, the South, ~ in the afternoon
po prostu L.10	simply
pocałunek, pocałunku L.12	kiss
pochodzenie L.6	origin, descent
pociąg L.10	train
poczekać na + Ac., poczekam, -asz, -ają Perf. L.4	to wait for
podchodzić do + G, podchodzę, -isz Imperf. L.10	to come near
podczas + G	during
podejmować + Ac., podejmuję, -esz Imperf. L.13	to take, to take up, to take (a desicion)
podjąć + Ac., podejmę, -esz Perf. L.13	to take, to take up, to take (a decision)
podkoszulek, podkoszulka T.9	undershirt
podniecony Adj. L.10	excited
podobać się, only podoba, podobają Imperf. L.4, ~ koncert ci się podobał? ~ to podoba mi się	to like, ~ did you like the concert? ~ I like it
podobny Adj. L.7	similar, alike
podręcznik L.13	textbook
podróż f L.11	travel, trip
poezja L.3	poetry
pogoda T.7	1. weather, 2. sunny weather
pojechać + I, pojadę, pojedziesz Perf. L.6	to go
pojutrze L.13	the day after tomorrow
pokój, pokoju L.2, T.10	1. room, 2. peace
pokroić + Ac. + I, pokroję, pokroisz Perf. L.6	to cut, to slice
Polak	Polish man, Pole
polecać + Ac. + D, polecam, -asz Imperf. L.6	to recommend
polecić + Ac. + D, polecę, -isz Perf. L.6	to recommend

policja T.12	police
policjant T.12	policeman, police officer
policzek, policzka T.11	cheek
polityka L.3	politics
Polka L.3	Polish woman, Pole
polonijny Adj. L.8	Polonia, foreigners of Polish origin
Polska	Poland
polski Adj. L.1	Polish
pomagać + D w + L, pomagam, -asz, -ają Imperf. L.6	to help, to aid
pomarańcza T.13	orange
pomidor L.5, T.5, 13	tomato
pomnik L.4	monument
pomoc f L.6	help
pomóc + D w + L or Infin., pomogę, pomożesz Perf. L.6	to help, to aid
pomysł L.4	idea
poniedziałek, poniedziałku L.11	Monday
pończocha T.9	stocking
pośladek, pośladka T.11	buttock
pora L.5, ~ pora roku	time, ~ season
porozmawiać z + I, o + L, porozmawiam, -asz, -ają Perf. L.8	to talk with sb, to have a talk, to chat
posłuchać + G, posłucham, -asz, -ają Imperf. L.12	1. to listen to (for a while), 2. to obey
pospieszny Adj. L.10 ~ pociąg pospieszny	hurried, haste, ~ fast train
postanawiać + Ac., postanawiam, -asz, -ają Imperf. L.11	to decide, to resolue
postanowić + Ac., postanowię, -isz Perf. L.11	to decide, to resolue
poszukać + G, poszukam, -asz, -ają Perf. L.11	to search for, to look for
poszukiwać + G, poszukuję, -esz Imperf. L.11	to search for, to look for
potem L.2	later, next, then, afterwards
potrzebować + G potrzebuję, -esz Imperf. L.11	to need
poważny Adj. L.4	1. serious, 2. classical [music]
powiedzieć + Ac. + D, powiem, -esz, powiedzą Perf. L.6	to speak, to say, to tell
powietrze T.7	air
powrót, powrotu L.9	return
powstać, powstanę, -esz Perf. L.12	to stand up, to rise
powstawać, powstaję, -esz Imperf. L.12	to stand up, to rise
poza tym L.3	besides
pozdrawiać + Ac., pozdrawiam, -asz, -ają Imperf. L.9	to greet, to give sb kind regards
pozdrowić + Ac., pozdrowię, -isz Perf. L.9	to greet, to give sb kind regards

248

poznać + Ac., poznam, -asz, -ają Perf. L.2 — to get to know, to meet, to become acquainted with

poznawać + Ac., poznaję, -esz Imperf. L.1 — to recognize

pożegnać + Ac., pożegnam, -asz, -ają Perf. L.11 — to say goodbye to sb

pożegnać się z + I, pożegnam, -asz Perf. L.11 — to say goodbye to sb

pożegnanie L.9 — farewell, leave-taking

pójść, pójdę, pójdziesz Perf. L.2 — to go (on foot)

półka T.10 — shelf

półroczny Adj. L.11 — 1. half-yearly, 2. six-month

poźniej Adv. L.2 — later

późno Adv. L.4 — late

prababcia T.2 — great-grandmother

praca L.5, ~ praca fizyczna — work, job, ~ manual work

pracować, pracuję, -esz Imperf. L.5, T.6 — to work

pracownik T.12 — worker, employee

pradziadek, pradziadka T.2 — great-grandfather

pradziadkowie T.2 — great-grandfather and great-grandmother

pralka T.10 — washing machine

prasa T.4 — press

prawda L.5 — truth

prawdziwy Adj. L.2 — true

prawie — almost, nearly

prawnuczka T.2 — great-granddaughter

prawnuk T.2 — great-grandson

prąd L.10 — current, electricity

problem L.3 — problem

profesor L.1 — professor

program L.8 — program

promień, promienia L.12 — ray

propozycja L.11 — proposal

prosić + Ac. o + Ac., proszę, prosisz Imperf. L.1 — to ask

proszę! — please!

próbować + G or + Ac. or Infin., próbuję, -esz Imperf. L.11 — to test, to try (to do sth)

prysznic T.10 — shower

prywatka T.4 — party

prywatny Adj. L.5 — private

przebyty Adj. L.12 — passed, crossed

przecież L.3 — after all, yet, still

przeciw + D — against

przeczytać + Ac., przeczytam, -asz, -ają Perf. L.11 — to read

przed + I L.9 — 1. before, 2. in front of

przedeptany Adj. L.12 — trampled on

przedramię, przedramienia T.,11 — forearm

przedstawić + D + Ac., przedstawię, -isz Perf. L.2	to introduce
przedtem L.3	before
przejść + Ac., przejdę, przejdziesz Perf. L.11	to go through, to pass by, to cross
przekazać + Ac. + D, przekażę, -esz Perf. L.9	to transfer, to give a message, to pass on
przekazywać + Ac. + D, przekazuję, -esz Imperf. L.9	to transfer, to pass on, to give a message
przepraszać + Ac. za + Ac., przepraszam, -asz Imperf. L.1	to be sorry
przepraszam! L.1	excuse me!
przesada L.13	exaggeration
przesiadać (się) z + G na + Ac., przesiadam, -asz, -ają Imperf. L.10	to change (trains)
przesiąść (się) z + G na + Ac., przesiądę, -esz Perf. L.10	to change (trains)
przeszkadzać + D w + L, przeszkadzam, -asz, -ają Imperf. L.8	to disturb
przeszkolenie L.11	training, reeducation
przez + Ac. L.10	through, across
przeziębiać się, przeziębiam, -asz, -ają Imperf. L.11	to catch cold
przeziębić się, przeziębię, -isz Perf. L.11	to catch cold
przeziębiony Adj. L.11 ~ jestem przeziębiony	to have a cold, ~ I have a cold
przychodnia L.11	out-patient clinic, community helth center
przyjaciel T.1	friend (male)
przyjaciółka T.1	friend (female)
przyjaźnić się z + I, przyjaźnię, -isz Imperf. L.10	to be friends
przyjaźń f L.12	friendship
przyjąć + Ac.; przyjmę, -esz Perf. L.5	1. to engage, 2. to admit
przyjemność f L.12	pleasure
przyjęcie L.7	reception, party
przyjść, przyjdę, przyjdziesz Perf. L.7	to come, to arrive
przykład L.12 ~ na przykład	example, ~ for example
przykro Adv., ~ przykro mi	sorry, ~ I am sorry
przynajmniej L.10	at least
przyroda T.7, T.13	nature
przystawka L.5	hors d'oevre, appetizer
przystojny Adj. L.1	good-looking, handsome
pstrąg L.5, T.13	trout
ptak T.13	bird
pyszny Adj., L.6	excellent, delicious
pytać + Ac. o + Ac., pytam, -asz, -ają Imperf. L.10	to ask

250

R

raczej L.4	rather
rada L.9	1. (a piece of) advice, 2. council
radio T.10	radio
radzić + D + Ac., radzę, radzisz Imperf. L.8	to advise
ramię, ramienia T.11	1. arm, 2. shoulder
rano Adv. L.9	in the morning
raz L.4, ~ w takim razie	1. time, 2. once, ~ in that case
~ jeszcze raz	~ one more time
razem [z + I] L.12	together
recepcja L.2	reception desk
recepcjonista L.10	receptionist
recepta L.11	prescription
regał T.10	bookshelf
requiem Lat. L.4	requiem [a piece of music]
restauracja L.5	restaurant
rezygnować z + G, rezygnuję, -esz Imperf. L.8	to give sth up, to resign from [one's post]
ręcznik T.10	towel
ręka, pl. ręce T.11	hand
rękawiczka, rękawiczki T.9	glove(s)
robić + Ac. + I.; robię, -isz Imperf. L.5 ~ robić zakupy	to do, to make, ~ to shop
robotnica L.6	(female) worker
robotnik T.12	worker
rodzeństwo T.2	brothers and sisters, siblings
rodzice pl. T.2	parents
rodzić (się), rodzę, -isz Imperf. L.6	1. to give birth to, to bear, 2. to be born
rodzina L.6	family
rogalik T.5	croissant
rok, pl. lata L.1	year
rolnictwo T.12	agriculture
rolnik T.12	farmer
rondel, rondla T.10	saucepan
rosnąć, rosnę, rośniesz Imperf. T.6	1. to grow, to grow up, 2. to rise
roślina T.7, T.13	plant
rosyjski Adj. L.3	Russian
rozbierać + Ac., rozbieram, -asz, -ają Imperf. L.11	1. to undress, 2. to take apart
rozbierać się, rozbieram, -asz, -ają Imperf. L.11	to take off one's clothes
rozkrajany Adj. L.12	sliced
rozmawiać z + I, o + L, rozmawiam, -asz Imperf. L.1	to talk
rozmowa L.4	conversation
rozrywka T.4	entertainment
rozstanie L.12	parting, separation

rozumieć + Ac., rozumiem, -esz, -eją Imperf. L.3	to understand
również L.9	also, too, as well
równocześnie Adv. L.8	at the same time, simultaneously
róża T.13	rose
różnica L.13	difference
różnie Adv. L.13	differently
różny Adj. L.13	different, distinct
rtęć T.7	mercury
ryba T.13	fish
ryż T.5	rice
rzeczywiście Adv. L.4	really

S

sałata L.5	1. lettuce, 2. salad
sam, sama, samo L.3	alone
samochód L.5	car
samodzielny Adj. L.13	independent, self-reliant
sąsiadka L.2	neighbour (female)
schody pl. L.12	stairs
sekretariat L.8	1. secretarial staff, 2. secretary's office
sekretarka T.12	secretary
sens L.9 ~ to nie ma sensu	sense, meaning, ~ it doesn't make sense
ser L.5, T.5, ~ ser biały or żółty	cheese, ~ cottage cheese or hard cheese
serce L.8	heart
serdecznie Adv. L.9	cordially
serdeczny Adj. L.12	cordial, bosom, warm, hearty
sernik L.4	cheesecake
siadać na + L, siadam, -asz, -ają Imperf. L.8	to sit down. to take a sit
siatkówka T.4	volleyball
się L.1	oneself
siostra T.2	sister
skąd L.1	where from
składać życzenia, składam, -asz, -ają Imperf. L.9	to wish
skakać, skaczę, -esz Imperf. T.4	to jump
skala T.7	1. scale, 2. range
skarpeta, skarpetka T.9	sock
sklep L.6	shop, store
skoncentrować się na + I, skoncentruję, -esz Perf. L.13	to concentrate on
skontaktować + Ac. z + I, skontaktuję, -esz Perf. L.12	to contact
skończyć + Ac. or Infin.; skończę, -ysz Perf. L.5	to end, to finish
slipy pl. T.9	briefs
słabo Adv. L.3	weakly, poorly

słodki Adj. L.4	sweet
słoń T.13	elephant
słońce T.7	sun, sunshine
słowiański Adj. L.3	Slavic
słowo L.12	word
służba T.12 ~ służba zdrowia	service, ~ health service
słuchać + G, słucham, -asz, -ają Imperf. L.3	to listen
słychać L.1 ~ co słychac?	to be heard, ~ what's up? (US), how are things? (Brit.)
sobota L.7	Saturday
solidarny L.13	solidary
sosna T.13	pine
spacerowć, spaceruję, -esz Imperf. L.11	to take a walk, to walk
spać, śpię, -isz Imperf. T.8	to sleep, to be asleep
specjalnie Adv. L.3	especially
specjalny Adj. L.6	special
spędzać + Ac., spędzam, -asz, -ają Imperf. L.9	to spend
spędzić + Ac., spędzę, -isz Perf. L.9	to spend
spieszyć się, spieszę, -ysz Imperf. L.4	to hurry, to be in a hurry
spodnie pl. T.9	pants
spożywczy Adj. L.6	consumable, grocery (store)
spodziewać się + G od + G, spodziwam, -asz, -ają Imperf. L.13	to expect, to be expecting sb/sth
spontaniczny Adj. L.13	spontaneous
sport T.4	sport(s)
spotkać + Ac.; spotkam, -asz, -ają Perf. L.5	to meet
spotkać się z + I, spotkam, -asz Perf. L.4	to meet
spotkanie L.4	meeting, appointment
spotykać + Ac., spotykam, -asz, -ają Imperf. L.7	to meet
spódnica T.9	skirt
sprawa L.12	affair, matter
sprawdzać + Ac., sprawdzam, -asz, -ają Imperf. L.6	to verify, to check
sprawdzić + Ac., sprawdzę, -isz Perf. L.6	to verify, to check
spróbować + G or Infin., spróbuję, -esz Perf. L.11	to test, to try (to do sth)
sprzątaczka T.12	cleaning lady
sprzedawczyni T.12	saleswoman, salesclerk
stąd	from here
stać się, ~ co się stało?	to happen, ~ what's wrong? what is the matter?
stary Adj. T.3	old
starzeć się, starzeję, -esz Imperf. T.6	1. to age (about a man), 2. to go stale
stereotypowy Adj. L.13	stereotyped
stopa T.11	foot
stół, stołu T.10	table
stracić + Ac., stracę, -isz Perf. L.8	to lose

strasznie Adv. L.5	terribly, awfully
studencki Adj. L.1	student
student L.1, T.12	student (male)
studentka L.1	student (female)
studia pl. L.5	study, studies
studiować + Ac., studiuję, -esz Imperf. T.6, L.1	to study
styczeń, stycznia L.9	January
sukienka T.9	dress
surówka z + G. T.5	salad
sweter, swetra T.9	sweter
swój, swoja, swoje L.5	one's; pronoun replacing my, your, his etc.
sympatyczny Adj. L.1	likable
syn T. 2	son
sypialnia T.10	bedroom
sytuacja L.8	situation
szacunek, szacunku L.9	respect, esteem
szafa T.10	wardrobe
szafka T.10	cupboard, wall cupboard, kitchen cupboard
szalik T.9	scarf
szanowny Adj. L.9	respectable, honourable
szansa L.13	chance
szczery L.13	sincere, genuine
szczęście L.7, ~ na szczęście	1. good luck, 2. happiness, ~ fortunately
szczęśliwy Adj. L.11	1. happy, 2. lucky
szczupły Adj. T.3	1. slim (man), 2. slender
szafka nocna T.10	bedside table
szklanka T.10	glass
szkoła L.5	school
szkoda, jaka szkoda! L.2	what a pity!
sznycel, sznycla L.5	schnitzel, rissole
szpital L.8	hospital
sztuka L.1, T.4	1. art, 2. play
szukać + G, szukam, -asz, -ają Imperf. L.4	to look for
szyja T.11	neck
szynka T.5	ham

Ś

ścieżka L.12	path, footpath
ślicznie Adv. L.7	lovely
śliwa T.13	plum tree
śliwka T.13	plum
śniadanie T.5	breakfast
śnieg L.7	snow
śpiewany Adj. L.12	sung
świat L.13	world
świeca L.12	candle
świerk T.13	spruce

święto, pl. święta L.8	holiday
świnia T.13	pig

T

taboret T.10	stool
tak L.1	yes
taksówkarz L.13	taxi driver
talerz T.10	plate
talerzyk T.10	saucer
tam L.1	(over) there
tani Adj. L.10	cheap
taniec, tańca T.4	dancig, dance
tańczyć + Ac. z + I; tańczę, -ysz Imperf. T.4	to dance
tapczan T.10	sofa bed
targ L.6	market
tata L.1, T.2	dad
tatuś, tatusia L.2	dad
teatr T.4	theater
tekst L.12	text
telefon L.10, T.10	telephone, phone
telewizor T.10	TV set
temperatura T.7	1. temperature, 2. fever
temu L.3, ~ trzy lata temu, ~ tydzień temu	~ three years ago, ~ one week ago
ten, ta, to L.1	this, that
tenis T.4, ~ grać w tenisa	tennis, ~ to play tennis
tenisówki pl. T.9	tennis shoes
teraz L.1	now
termometr T.7	thermometer
test L.8	test
też L.1	also, too
tęcza T.7	rainbow
tłusty Adj., L.6	fat, greasy
to L.1	it
tort L.4	cream cake (Brit.), layer cake (US)
tragedia T.4	tragedy
tramwaj L.5	tram (Brit.), streetcar (US)
trenować + Ac.; trenuję, -esz Imperf. T.4	1. to train, to coach, 2. to be practicing in the gym
trochę L.3	a little, a bit
troskliwy Adj. L.12	careful, caring, loving
trud L.12	hardship, difficulty, pains
trudno Adv. L.8	hard, with difficulty
trudny Adj. L.4	difficult, hard
trzeba + Infin., irregular verb	it is necessary to/ that
tu L.1	here
tulipan T.13	tulip
tułów, tułowia T.11	trunk
twarz f T.11	face

twój, twoja, twoje L.5	your, yours (informal)
ty, ciebie L.1	you (informal)
tydzień, tygodnia L.8	week
tygodnik T.4	weekly
tygrys T.13	tiger
tylko L.3	only
tymczasem L.12	1. meanwhile, 2. for the meantime
tytuł L.12	title

U

u + G L.4 ~ u mnie	at, with, ~ at my place
ubierać się w + Ac.,ubieram, -asz, -ają Imperf. L.11	to get dressed
ubrać się w + Ac., ubiorę, ubierzesz Perf. L.11	to get dressed
ucho, 1. pl. uszy or 2. pl. ucha T.11	1. ear, 2. handle
uczeń, ucznia T.12	schoolboy, pupil, student
uczyć + G, uczę, -ysz Imperf. L.5	to teach
uczyć się + G, uczę, -ysz Imperf. L.3	to learn, to study
udać się + D + Infin., only uda się, udało się Perf. L.8	to be successful in making sth up, to be a success
udo T.11	thigh
ulubiony Adj.	favourite
umawiać (się) na + Ac., umawiam, -asz, -ają Imperf. L.12	to make an appointment
umiarkowany Adj. T.7	moderate, temperate
umieć + Ac. or + Infin., umiem, -esz, umieją Imperf. L.13, ~ umieć po polsku	1. to know, 2. to know how, ~ to know Polish
umierać [na + Ac.], umieram, -asz Imperf. T.6	to die, to die of
umówić (się) na + Ac., umówię, -isz Perf. L.12	to make an appointment
umrzeć [na + Ac.], umrę, umrzesz Perf. T.6	to die, to die of
umywalka T.10	washbasin
uniwersytet L.2	univeristy
upór, uporu L.12	obstinacy, stubborness
urodzić (się), urodzę, -isz Perf. L.6	1. to give birth to, to bear, 2. to be born
urosnąć, urosnę, urośniesz Perf. T.6	1. to grow, to grow up, 2. to rise
urzędniczka T.12	clerk, office worker (female)
urzędnik T.12	clerk, office worker (male)
usługa, pl. usługi T.12	1. favor, 2. servicespl.
usta pl. T.11	mouth
uszczęśliwiać + Ac., uszczęśliwiam, -asz, -ają Imperf. L.11	to make sb happy
uszczęśliwić + Ac., uszczęśliwię,-isz Perf. L.11	to make sb happy
uważać (na + Ac.), uważam, -asz, -ają Imperf. L.13	1. to think, 2. to mind sb, sth
uważnie Adv. L.10	attentively
uwielbiać + Ac., uwielbiam, -asz, -ają Imperf. L.4	to adore, to worship

W

w [+ Ac., or + L] L.1	in, at, on
wanna T.10	bathtub
warga T.11	lip
warto + Infin., irregular verb	it is worth
wartościowy Adj. L.12	valuable
wazon T.10	vase
ważny Adj. L.8	important
wcale L.3	at all
~ wcale nie L.11	not at all
wchodzić do + G, wchodzę, -isz Imperf. L.5	to come in, to enter
wciąż L.10	still
wejść do + G, wejdę, wejdziesz Perf. L.2	to enter, to come in
wesoły Adj. L.9 ~ wesołych świąt!	cheerful, ~ Merry Christmas!
wiadomość f L.9	news, a piece of information
wiatr T.7	wind
widelec, widelca T.10	fork
widzieć + Ac., widzę, -isz Imperf. L.3	to see
wieczór, wieczora L.2	evening
wiedeński, po wiedeńsku L.5	Vienna style
wiedzieć + Ac., wiem, wiesz, wiedzą Imperf. L.1	to know about sb., sth.
wiele, wielu L.12	many, much
wiersz L.3	verse, poetry
wierzyć w + Ac., wierzę, -ysz Imperf. L.9	to believe
wieszak T.10	peg, stand, coat rack, coat hanger
więc L.12	now, so, well
wigilia L.9	Christmas Eve
wino L.5, T.5	wine
wiosna T.7	spring
wiszący Adj. L.12	hanging, hanged
wizyta L.10	visit, appointment
wizytówka L.2	(business) card
właściwie Adv. L.3	exactly
właśnie L.1	just, exactly
włos, pl. włosy T.11	hair
wmawiać + Ac. + D, wmawiam, -asz, -ają Imperf. L.12	to make sb believe sth
wnuczek T.2	grandson
wnuczka T.2	granddaughter
wnuk T. 2	grandson
woda L.5, T.5	water
w ogóle L.3	in general
wojna L.6	war
wojsko T.12	armed forces, army, military service
woleć + Ac. or Infin., wolę, -isz Imperf. L.4	to prefer, to like better
wolne L.8	free time, day off, vacation
wolność f L.7	freedom

wołowy Adj. L.5	beef
wódka T.5	vodka
wracać z + G do + G na + Ac., wracam, -asz, -ają Imperf. L.1	to come back, to return
wreszcie L.1	at last
wróbel, wróbla T.13	sparrow
wrócić do + G na Ac., wrócę, -isz Perf. L.8	to come back, to return
wspaniale Adv. L.7	magnificently
wspominać Ac. (+ D), wspominam, -asz, -ają Imperf. L.12	1. to remember, 2. to mention
wspomnieć + Ac. (+ D), wspomnę, -isz Perf. L.12	1. to remember, 2. to mention
wspólny Adj. L.12	common
współczesny Adj. L.12	contemporary
wstawać, wstaję, -esz Imperf. T.8	to get up, to rise
wszyscy, wszystkie L.6	all (of us, of you), everybody, everyone
wszystko L.1	all, everything
wtedy L.8	then
wtorek, wtorku L.5	Tuesday
wujek, wujka T.2	uncle
wybierać się do + G, wybieram, -asz Imperf. L.5	1. to go to, 2. to go away
wyborczy Adj. L.11	electoral
wychodzić do + G, wychodzę, -isz Imperf. L.4, T.6	to go out, to go away
~ wychodzić za mąż za + Ac.	~ to marry, to get married (about a woman)
wychować + Ac., wychowam, -asz, -ają Perf. T.6	to bring up
wychowywać + Ac., wychowuję, -esz Imperf. T.6	to bring up
wyjątkowy Adj. L.4	exceptional
wyjazd L.9	departure
wyjechać do + G, wyjadę, wyjedziesz Perf. L.6	to go out, to go away
wyjeżdżać do + G, wyjeżdżam, -asz, -ają Imperf. L.6	to go out, to go away
wyjść do + G, wyjdę, wyjdziesz Perf. L.6	to go out, to go away, ~ to marry, to get
~ wyjść za mąż za + Ac.	married (about a woman)
wykład L.7	lecture
wyobrażać sobie + Ac., wyobrażam, -asz, -ają Imperf. L.11	to imagine, to figure out, to represent
wyobrazić sobie + Ac., wybrażę, wyobrazisz Perf. L.11	to imagine, to figure out, to represent
wyraz L.9 ~ wyrazy szacunku	word, ~ kind regards, compliments
wysoki Adj. T.3	1. tall (man), 2. high
wyzdrowieć, wyzdrowieję, -esz Perf. T.6	to get better
wziąć + Ac., wezmę, weźmiesz Perf. L.6	1. to take, 2. to buy
wzruszony Adj. L.12	moved

Z

z 1. + G or 2. + I L.1	1. from, to, 2. with
za + Ac. L.2	for
za + Adj., ~ za słodki	too, ~ too sweet
zaakceptować + Ac., zaakceptuję, -esz Perf. L.11	to accept
zachmurzenie T.7	clouds
zachód, zachodu L.10	West
zachorować na + Ac., zachoruję, -esz Perf. T.6	to be taken ill, to fall ill
zacząć + Ac., zacznę, zaczniesz Perf. L.3	to begin, to start
zadanie L.13	homework, exercise, task
zadzwonić do + G, zadzwonię, -isz Perf. L.9	to call, to ring up
zagraniczny Adj. L.5	foreign
zainteresowanie L.7	interest
zajęcia pl. L.8	1. classes, 2. timetable
zajęty Adj. L.8	1. busy (about a man), 2. taken, occupied
zakochać się w + L, zakocham, -asz, -ają Perf. L.12	to fall in love with sb
zakonnica T.12	nun
zakonnik T.12	friar
zakup, pl. zakupy L.6	purchase, shopping
zaległość f L.8, ~ mieć zaległości	backlog, ~ to be behind with sth
zamknięty Adj. L.2	closed
zamówić + Ac. , zamówię, -isz Perf. L.5	to order
zaopiekować się + I, zaopiekuję, -esz Perf. L.11	to take care of sb, to look after sb
zapamiętać + Ac., zapamiętam, -asz, -ają Perf. L.6	to remember, to keep in mind
zapłacić za + Ac., zapłacę, -isz Perf. L.6	to pay
zapominać + Ac. (or o + L), zapominam, -asz, -ają Imperf. L.12	1. to forget, 2. to leave behind
zapomnieć + Ac. (or o + L), zapomnę, -isz Perf. L.12	1. to forget, 2. to leave behind
zapomnienie L.12	oblivion
zapraszać + Ac. na + Ac. zapraszam, -asz, -ają Imperf. L.5	to invite
zaprzyjaźnić się z + I, zaprzyjaźnię, -isz Perf. L.10	to become friends
zapytać + Ac. o + Ac., zapytam, -asz, -ają Perf. L.10	to ask
zarabiać + Ac., zarabiam, -asz, -ają Imperf. L.10	to earn, to make money
zaraz L.6	at once, directly
zarobić + Ac., zarobię, -isz Perf. L.10	to earn, to make money
zaskakujący Adj. L.7	surprising
zaskoczony Adj. L.12	surprised

zastanawiać się nad + I, zastanawiam, -asz, -ają Imperf. L.10 — to think, to think sth over, to think about

zastanowić się nad + I, zastanowię, -isz Perf. L.10 — to think, to think sth over, to think about

zawieźć + D + Ac., zawiozę, zawieziesz Perf. L.2 — to carry, to convey

zawód, zawodu T.12 — 1. profession, 2. disappointment

zawsze L.3 — always, ever

ząb, zęba, pl. zęby T.11 — tooth

zbadać + Ac., zbadam, -asz Perf. L.11 — 1. to examine, 2. to investigate

zbierać + Ac., zbieram, -asz, -ają Imperf. L.6 — to collect, to gather

zbliżać się, zbliżam, -asz, -ają Imperf. L.9 — to approach, to near

zbliżyć się, zbliżę, -ysz Perf. L.9 — to approach, to near

zbudowany dobrze or źle Adj. T.3 — athletic (or not)

zbyteczny Adj. L.5 — superfluous, unnecessary

zdać + Ac., zdam, -asz, zdadzą ~ zdać egzamin Perf. L.9 — to pass, ~ to pass an exam

zdanie L.13, ~ moim zdaniem — 1. opinion, view, 2. sentence, ~ in my opinion

zdawać + Ac., zdaję, -esz ~ zdawać egzamin Imperf. L.9 — to pass, ~ to pass an exam

zdolny Adj. L.1 — able, clever, talented

zdrowy Adj. T.3 — healthy

ze L.1 — see z

zebrać + Ac., zbiorę, zbierzesz Perf. L.6 — to collect, to gather

zebranie L.8 — meeting

zgadzać się z + I, zgadzam, -asz, -ają Imperf. L.8 — to agree, to consent

zgłaszać + Ac. + D, zgłaszam, -asz, -ają Imperf. L.11 — to propose, to extend, to submit

zgłosić + Ac. + D, zgłoszę, zgłosisz Perf. L.11 — to propose, to extend, to submit

zgłosić się do + G, Perf. L.11 — to report (to sb), to apply

zielony Adj. L.5 — green

ziemia T.7 — earth, soil, ground

ziemniak T.5 — potato

zima T.7 — winter

zimno L.7 — cold

zimny Adj. L.7 — cold

złożyć życzenia, złożę, -ysz Perf. L.9 — to wish

zmartwienie L.8 — worry, trouble

zmartwiony Adj. L.8 — worried, troubled

zmęczony Adj. L.2 — tired

znać + Ac., znam, -asz, -ają Imperf. L.2 — to know (a person or a place, city etc.)

znaczyć, znaczę, -ysz Imperf. L.8 — to mean

znad + G L.13 — from above, from

znajdować + Ac., znajduję, -esz Imperf. L.6 — to find out

znajoma T.1 — a woman (I know)

znajomość f L.11 — knowledge (of sth), the know-how

znajomy T.1 — acquaintence

znaleźć + Ac., znajdę, znajdziesz Perf. L.6	to find
znów, znowu L.12	again
zobaczyć + Ac., zobaczę, -ysz Perf. L.1	to see
zostać 1. na + Ac. or 2. L, zostanę, zostaniesz Perf. L.2	1. to stay for, 2. to become
zresztą L.8	in any case, anyway, after all
zrobić + Ac., zrobię, -isz Perf. L.5	to do, to make
zupa L.5, T.5	soup
zwierzę, zwierzęcia T.7	animal
zwykle Adv. L.5	usually
zza + G	from behind

Ź

źle, gorzej Adv. L.11	wrongly, badly, poorly
źródło L.12	source

Ż

żaden, żadna, żadne L.5	no, none; neither
żakiet T.9	jacket
żałować + G, żałuję, -esz Imperf. L.11	1. to regret sth, 2. to feel sorry for sb
żartować z + G, żartuję, -esz Imperf. L.12	to joke, to make fun of sb
żeby	in order to
żenić Ac. z + I, żenię, -isz Imperf. T.6	to marry
żenić się z + I, żenię, -isz Imperf. T.6	to get married (about a man)
żołnierz T.12	soldier
żona L.1	wife
życie L.4	life
życzenie L.9	wish, desire
życzyć + D + G, życzę, -ysz Imperf. L.9	to wish
żyć, żyję,-esz Imperf. L.10	to live, to be alive

Posłowie

Podręcznik "Cześć, jak się masz?" jest rezultatem doświadczeń autora wyniesionych z nauczania początkujących. Stanowi kolejny krok w poszukiwaniu nowych metod nauczania języka polskiego jako obcego po podręczniku "Polska po polsku" (razem z J. Wróblem, Interpress, Warszawa 1986), a przed "Uczmy się polskiego", podręcznikiem do kursu wideo języka polskiego.

Na rozwiązania zaproponowane w niniejszym podręczniku złożyły się doświadczenia własne autora, szczególnie intensywne w okresie pracy w Stanford University (USA) w latach 1988–1990. Oprócz nich jednak duży wpływ na dobór materiału językowego oraz metod miały osiągnięcia metodyki i językoznawstwa stosowanego do nauczania języka polskiego jako obcego, przedstawione w tomie *Język polski jako obcy. Programy nauczania na tle badań współczesnej polszczyzny* (UJ, Kraków 1992). To z tego tomu pochodzi koncepcja systemu centralnego współczesnej polszczyzny, nauczanego w niniejszym podręczniku. To w tym tomie zawarto cztery programy nauczania języka polskiego jako obcego, z których trzy (gramatyczno-syntaktyczny, tematyczny i intencjonalno-pojęciowy) starano się wykorzystać w tym podręczniku.

O podręczniku "Cześć, jak się masz?" nie można powiedzieć, że stanowi realizację metodyczną tych trzech programów w całości. Niestety, nie było to możliwe do końca, głównie z powodu ograniczenia ilości lekcji do trzynastu. Autor musiał więc dokonać wyboru materiału i ułożyć go w takiej kolejności, która wydawała mu się najwłaściwsza.

Zakłada się, że na przerobienie jednej lekcji potrzeba od 8 do 12 godzin. Cały podręcznik powinien zostać przerobiony w ciągu jednego semestru na zajęciach w Polsce, a w ciągu jednego roku za granicą.

Nowością najbardziej widoczną w podręczniku jest oparcie go na dwu programach: gramatycznym i intencjonalno-pojęciowym, zwanym też komunikacyjnym. Spowodowało to, że każda lekcja ma dwa typy komentarza: tradycyjny komentarz gramatyczny, ukazujący funkcjonowanie systemu języka polskiego oraz komentarz komunikacyjny, pokazujący użycie języka polskiego w zależności od intencji mówiących, od pojęć, które chcą wyrażać, od sytuacji, w których się znajdują. Ten drugi komentarz znalazł się w podręczniku języka polskiego dla początkujących po raz pierwszy.

Oczywiście, problem nie polegał na zestawieniu obok siebie dwu programów, na napisaniu dwu komentarzy. Prawdziwy problem polegał na takim dopasowaniu programów komunikacyjnego i gramatycznego, by studenci w większości przypadków posługiwali się znanymi (tzn. objaśnionymi już) strukturami, by wiedzieli, co mówią, do kogo, jak mówią i dlaczego.

Reszta jest sprawą ćwiczeń i praktyki. W podręczniku znajdują się dwie grupy ćwiczeń: takie, które mają automatyzować posługiwanie się strukturami językowymi, i takie, których celem jest kształcenie używania języka do celów komunikacyjnych.

Lekcja w podręczniku rozpoczyna się od tekstów modelowych. Zwykle jest ich kilka. Stanowią je dialogi, bądź też teksty narracyjne, co jest uzależnione od rozwoju akcji, przedstawiającej życie w Polsce dwu obcokrajowców oraz ich polskich przyjaciół. Nie jest przypadkiem, że największy wpływ na rozwój akcji ma 20-letnia studentka iberystyki UJ, Agnieszka.

Stali bohaterowie zostali wprowadzeni po to, aby dzięki nim zbliżyć się do realnych aktów komunikacji, by cała ich historia miała początek i ciąg dalszy, by wreszcie była to historia spójna logicznie, co bardzo ułatwia najpierw rozumienie tekstów, a potem komunikację. Dodatkowym elementem ułatwiającym rozumienie globalne tekstów są rysunki, ukazujące uczestników aktu mowy i sytuację, w której się znajdują. Rysunków tych można używać także do ćwiczeń komunikacyjnych.

W osiągnięciu szczegółowego zrozumienia zdań i struktur ma pomóc słowniczek polsko-angielski, zamieszczony po tekstach. Wprowadza się w nim nowe słowa, które studenci winni zapamiętać.

Aby ułatwić proces zapamiętywania słownictwa, do każdej lekcji dodano tablicę rysunkową, ukazującą znaczenie słów należących do konkretnego centrum tematycznego. Zwykle jest to centrum tematyczne związane z tematem lekcji, co pozwala wykorzystać tablicę nie tylko w fazie prezentacji materiału leksykalnego, ale też w fazie utrwalania go i komunikacji na określony temat.

Nowe struktury gramatyczne i syntaktyczne są przedstawiane w komentarzu gramatycznym, posługującym się zwykle materiałem przykładowym znanym studentowi z tekstów modelowych. Zawarto go w części zatytułowanej "Gramatyka jest ważna".

Skomplikowane struktury zostały przedstawione w kilku lekcjach ze względu na to, że ich opanowanie to proces trwający w czasie. Taka kilkustopniowa ich prezentacja ma na celu pomóc studentom, którzy na opanowanie tych struktur potrzebują więcej czasu.

Nowe struktury powinny być stopniowo ćwiczone. Cel ten spełniają ćwiczenia gramatyczno-syntaktyczne, zawarte w części "Powiedz to poprawnie".

Osobno należy zwrócić uwagę na materiał gramatyczny zawarty w części pierwszej. Są to podstawowe informacje, znajdujące się zwykle w początkowych partiach podręczników, lecz traktowane tam raczej ogólnikowo. Tymczasem są to wiadomości podstawowe także w tym sensie, że ich opanowanie jest warunkiem przyswojenia innych, bardziej skomplikowanych wiadomości. Mówiąc o tym, zachęcamy do starannego ich przerobienia, a także do wracania do nich wtedy, gdy późniejsze informacje będą wymagały sięgnięcia do podstaw.

Komunikacja, a więc najpierw reprodukcja poznanych struktur, potem zaś produkcja nowych — to końcowy etap lekcji, etap stanowiący jej uwieńczenie. Dlatego też i komentarz komunikacyjny, i odpowiednie ćwiczenia winny być przerabiane na końcu, a więc już po opanowaniu przez studentów nowych słów i struktur gramatyczno-syntaktycznych. Tu kolejność nie może być dowolna, gdyż zachowanie proponowanej kolejności jest warunkiem udanej, satysfakcjonującej komunikacji.

Student będzie w stanie tworzyć nowe, oryginalne teksty pod warunkiem, że najpierw otrzyma ich budulec, a więc odpowiednie słowa i struktury gramatyczno-syntaktyczne.

Komentarz komunikacyjny każdej lekcji zawarto w części "Jak to powiedzieć?", ćwiczenia zaś w części zatytułowanej "Czy umiesz to powiedzieć?".

W drugiej części podręcznika lekcję kończą fragmenty oryginalnych tekstów prasowych, poruszające problemy współczesnej kultury polskiej i społeczeństwa polskiego. Teksty oryginalne są znacznie trudniejsze od tych zawartych w części pierwszej lekcji, zakłada się jednakże, że zainteresują one studentów na tyle, by zechcieli zadać sobie trud ich przeczytania, zrozumienia oraz iż zechcą podyskutować na ich temat.

Każdy z tematów może wywołać różne reakcje studentów, którzy powinni starać się wyrazić swe myśli i uczucia. To ta część odwołuje się do kreatywnego wysiłku studentów, do tego, że zechcą wyrażać swe oryginalne myśli w języku obcym, którego się uczą. Dlatego zatytułowano ją "Co o tym myślicie?"

Podręcznik nie zawiera specjalnych zadań do ćwiczenia wymowy. Dlatego bardzo ważne jest korzystanie z kasety zawierającej dialogi oraz z ćwiczeń zawartych w podręcznikach wymowy. Lektor powinien też zwracać uwagę na swoją wymowę, gdyż czytając teksty i mówiąc do studentów, tworzy model wymowy polskiej.

Ćwiczenia zawarte w części gramatycznej powinny być wykonywane pisemnie, te zaś, które podano w części komunikacyjnej — przede wszystkim ustnie, a dopiero potem — pisemnie. W sumie jednak w podręczniku zwraca się większą uwagę na mówienie po polsku niż na pisanie. Dzieje się tak i z tego powodu, że do nauczania pisania według tego podręcznika dr Robert Dębski przygotował specjalny program komputerowy, który nie został wydany.

Niniejsze wydanie stanowi trzecie wydanie tego podręcznika. Jest to wydanie poprawione i uzupełnione. Poprawiono w nim oczywiste błędy drukarskie i błędy w tabelach. W niektórych lekcjach uzupełniono ćwiczenia, a w drugiej części podręcznika dodano ćwiczenia kreatywne "Co o tym myślicie?" Dawną lekcję szóstą, zbyt trudną i długą, podzielono na dwie nowe lekcje: nową szóstą, koncentrującą się na aspekcie czasowników i nową siódmą, koncentrującą się na miejscowniku.

W drugim wydaniu zmieniono także ilustracje dialogów. Wszystkie rysunki do tego wydania wykonał pan Andrzej Piątkowski, współpracujący z Instytutem Polonijnym UJ od lat.

Przygotowując drugie wydanie, korzystałem z uwag kolegów z Instytutu Polonijnego UJ, którzy uczyli z tego podręcznika: pani Joanny Machowskiej, pani Danuty Gałygi i pana Stanisława Mędaka. Za wszystkie uwagi i sugestie serdecznie im dziękuję.

Podręcznik "Cześć, jak się masz?" jest używany także za granicą, gdzie pomoce do nauczania języka polskiego jako obcego nie są tak łatwo dostępne jak w Polsce. Z tego względu w wydaniu trzecim dodano rozdział "O", zawierający informacje o wymowie i grafii polskiej, które powinny być przerabiane stopniowo w trakcie zajęć z języka polskiego. Podręcznik został wzbogacony także o słownik polsko-angielski, zbierający około 1200 wyrazów polskich podanych w słowniczkach do lekcji i w tablicach tematycznych.

Aby poszerzyć znajomość Polski i jej kultury, do lekcji 14. dodano łatwy tekst o Polsce oraz sylwetki dziesięciu wielkich Polaków, których nazwiska powinni poznać także cudzoziemcy. Autor zakłada, że poszczególni wybitni Polacy będą prezentowani w trakcie lekcji języka polskiego.

Duży wpływ na dokonanie tych zmian w podręczniku miała rozmowa z prof. Leonardem Polakiewiczem w czasie spotkania polonistów amerykańskich w University of Buffalo w 1997. Za poczynione wówczas uwagi bardzo mu dziękuję.

Podręcznik ma stanowić pomoc na pierwszym etapie uczenia się języka. W trakcie nauki polszczyzny studenci winni korzystać ze słowników dwujęzycznych oraz gramatyk, napisanych w ich języku.

Na polecenie zasługują następujące słowniki, które ukazały się ostatnio:

Collins English-Polish Dictionary. Editor-in-Chief **prof. Jacek Fisiak**. Polska Oficyna Wydawnicza, Warszawa 1996.

Stanisław Mędak, *Słownik form koniugacyjnych czasowników polskich. Dictionary of Polish Verb Patterns.* Universitas, Kraków 1997.

Słownik angielsko-polski i polsko-angielski Collinsa istnieje także w wydaniu jednotomowym, znakomicie nadającym się dla początkujących.

Lektorzy mogą wykorzystywać w procesie nauczania następujące pomoce, które gorąco polecam:

W. Cockiewicz, A. Matlak, *Słownik aspektowy czasowników polskich (z tłumaczeniami na angielski).* UJ, Kraków 1995.

Z. Kaleta, *Gramatyka języka polskiego dla cudzoziemców.* UJ, Kraków 1995.

W. Martyniuk, *Samo życie. Plansze do ćwiczeń komunikacyjnych.* UJ, Kraków 1986.

S. Mędak, *Język polski à la carte. Wybór testów z języka polskiego dla obcokrajowców.* UJ, Kraków 1995.

W. Miodunka, *Prononciation polonaise pour les francophones.* UJ, Kraków 1987.

W. Miodunka, *Uczmy się polskiego. Let's learn Polish. Podręcznik do kursu wideo języka polskiego.* Część I i II (wraz z kasetami wideo). Polska Fundacja Upowszechniania Nauki, Warszawa 1996.

E. Rybicka, M. Szelc-Mays, *Słowa i słówka. Podręcznik do nauczania słownictwa i gramatyki dla początkujących.* Kraków 1997.

A. Seretny, *A co to takiego? Obrazkowy słownik języka polskiego.* UJ, Kraków 1993.

M. Szelc, *Słowa i rzeczy. Plansze do nauczania polskiego słownictwa tematycznego* UJ, Kraków 1989.

Wszystkim korzystającym z podręcznika *Cześć, jak się masz?* życzę sukcesów w uczeniu się języka polskiego —

Władysław T. Miodunka

JAK UŻYWAĆ PODRĘCZNIKA *CZEŚĆ, JAK SIĘ MASZ?*

Poradnik metodyczny

Lekcja	Kolejność przerabiania części lekcji	Ćwiczenia	Wymowa	Pisownia
0.	1. Wyrażenia polskie używane w klasie. 2. Polski alfabet 0.1. Relacje: litera – głoska 0.1.1–0.1.4.			
1.	1. Prezentacja bohaterów podręcznika. Teksty 1.1.1–1.1.4. Rodzaj, liczba i przypadek 1.2.2–1.2.6. Czas teraźniejszy czasowników *być* i *mieć* 1.2.7. Słownictwo: Człowiek.	1.4.1–8.	wymowa grup literowych 0.1.3.	
	2. Spotkania na lotnisku. Teksty 1.1.5–1.1.6. Powitania i pożegnania 1.3.1. Typy kontaktu językowego 1.3.2. 3. Liczebniki 1–10. Pytanie o wiek 1.3.3. Użycie słów *znajomy*, *kolega*, *przyjaciel*.	1.5.1–9.		pisownia spółgłosek syczących i szumiących 0.5.1.ab
2.	1. Przedstawianie się i przedstawianie kogoś. Teksty: 2.1.1, 2.1.4, 2.1.5. Komentarz 2.3.1–2.3.2. Słownictwo: Narody, państwa i ich mieszkańcy.	2.5.1–6.	spółgłoski twarde i miękkie 0.3.1	
	2. Propozycje. Teksty 2.1.2, 2.1.3, 2.1.6. Biernik lp. 2.2.1–2.2.3. Czas teraźniejszy koniugacji -ę, -esz 2.2.4.	2.4.1–9.		pisownia spółgłosek miękkich 0.5.1.c
	3. Słownictwo: Rodzina. Zdrobnienia 2.3.3. Użycie słowa *przepraszam* 2.3.4. 4. Powtórzenie lekcji 1 i 2.	2.5.7–11.		
3.	1. Zdobywanie informacji o kimś. Tekst 3.1.2. Czas przeszły 3.2.2. Narzędnik lp. i lmn. 3.2.3–3.2.6.	3.4.1–6.	spółgłoski dźwięczne i bezdźwięczne 0.3.3–4	
	2. Znajomość języków 3.1.3. Komentarz 3.3.10. Czas teraźniejszy koniugacji -ę, -isz 3.2.1. Sposoby zadawania pytań 3.3.1–3.3.8.	3.4.7–8. 3.5.1. 3.5.8–9.		
	3. Charakterystyka innych, opisywanie siebie. Tekst 3.1.1. Słownictwo: Cechy człowieka. Redakcja tekstu „Ja".	3.5.3–4. 3.5.10.	intonacja pytań	pisownia ż, rz 0.5.2.
	Powtórzenie lekcji 1–3. Test.			
4.	1. Zamawianie w kawiarni. Teksty 4.1.1–4.1.2. Dopełniacz lp. 4.2.1–4.2.4. Czasowniki ruchu, część I, 4.2.5.	4.4.1–5.	wymowa ę, ą 0.2.0	

267

Lekcja	Kolejność przerabiania części lekcji	Ćwiczenia	Wymowa	Pisownia
	2. Propozycje i reakcje na nie. Teksty 4.1.1, 4.1.3–4. Komentarz 4.3.1– 2. Wyrażanie stopnia pewności 4.3.3.	4.5.3–9.		pisownia samogłosek nosowych 0.2.1.
	3. Czasowniki ruchu w kontekście. Wzory zdań: *Jadę z Gdańska do Krakowa. Idę do kiosku po „Politykę". Idę do kina na polski film.* Słownictwo: Polskie miasta (mapa, s. 6). Rozrywki.	4.4.6–10.	Monolog: „Ja".	
	4. Powtórzenie lekcji 4.			
5.	1. Zapraszanie. Tekst 5.1.1. Komentarz 5.3.1. Zaimki dzierżawcze 5.2.1.	5.4.1–3. 5.5.3–11.		pisownia u, ó 0.5.3.
	2. Zamawianie w restauracji. Tekst 5.1.2–3. Komentarz 5.3.2. Słownictwo: Posiłki i potrawy. Zaimek *swój*.	5.4.4–5. 5.4.8.		
	3. Praca i dojeżdżanie do pracy. Tekst 5.1.4–5. Słownictwo: Dni tygodnia i części dnia. Czas przyszły czasownika *być*. 5.2.4. Czasowniki ruchu, cz. II, 5.2.5.	5.4.6–7. 5.4.9.	wymowa grup spółgłoskowych 0.3.4–5	
	4. Powtórzenie lekcji 5.			
6.	1. Robienie zakupów. Tekst 6.1.1–2. Komentarz 6.3.1–6.3.1.8. Słownictwo: Nazwy towarów.	6.5.3–8.	akcent w języku polskim 0.4.0,	
	2. Historia rodziny. Tekst 6.1.3–5. Słownictwo: Życie człowieka. Aspekt czasowników 6.2.1–4.	6.4.1–4. 6.4.7.	0.4.4.	
	3. Użycie czasowników niedokonanych z wyrazami *często*, *codziennie*: Często chodzę do tego sklepu. Zawsze kupuję tam jabłka. Komentarz 6.2.4.	6.4.2–3.		pisownia h, ch 0.5.4.
	4. Redakcja tekstu „Co (z)robiłem wczoraj?" lub „Co robię w soboty i niedziele?"		Monolog: „Historia mojej rodziny".	
	Powtórzenie lekcji 4–6. Test.			
7.	1. Rozmowa o nim. W kinie z nim. Tekst 7.1.1–2. Miejscownik lp. i lmn. 7.2.1–4. Słownictwo: Miasta polskie, europejskie i amerykańskie.	7.4.1–3.	wyjątki w akcentowaniu 0.4.1–3.	
	2. Pory roku i pogoda (tablica). Słownictwo: Nazwy miesięcy i pór roku 7.3.1.	7.4.4–10.		pisownia z y, i 0.5.5–7.
	3. Składanie życzeń. Tekst 7.1.3. Komentarz 7.3.2.	7.5.2–7.		
	4. Powtórzenie lekcji 7. Filmy w Polsce 7.6.			

Lekcja	Kolejność przerabiania części lekcji	Ćwiczenia	Wymowa	Pisownia
8.	1. Prośba o radę, doradzanie. Teksty 8.1.1–2, 8.1.4. Komentarz 8.3.1.1–3. Czasownik *powinien* 8.2.3. Użycie czasowników dokonanych i niedokonanych z czasownikami *prosić, musieć* itd. 8.2.4.	8.4.1–4. 8.5.11–12.		
	2. Wyrażanie czasu: godzina. Tekst 8.1.2. Komentarz 8.3.2.1–3. Słownictwo: Liczebniki porządkowe (1–25).	8.5.3–10.		
	3. Mianownik i biernik lmn. rzeczowników męskich nieosobowych, żeńskich i nijakich 8.2.1. Słownictwo: Życie codzienne.			Redakcja: „Co robię codziennie".
	4. Powtórzenie lekcji 8. K. Kieślowski i współczesny film polski 8.6.			
9.	1. Pisanie tekstu nieoficjalnego i pozdrowień. Tekst 9.1.2. Komentarz 9.3.1–3.	9.5.5–6.		
	2. Pisanie listu oficjalnego. Tekst 9.1.3. Czas przyszły 9.2.1.1–2, 9.2.2. Wyrażenia *nie ma, nie było, nie będzie* 9.2.3.	9.4.1–3. 9.5.4.		
	3. Wyrażanie uczuć. Tekst 9.1.1. Komentarz 9.3.4–6. Celownik zaimków osobowych w zdaniach: („Quo vadis" to dobry film.) *Podoba mi się bardzo.* (Kupiłem nowy sweter.) *Czy podoba wam się mój sweter?* Komentarz 9.2.4–5. Słownictwo: Nazwy odzieży.	9.4.4–7. 9.5.7–13.	Monolog: „Mój przyjaciel".	Redakcja: list oficjalny
	4. Pisarze polscy 9.6.			
	Powtórzenie lekcji 7–9. Test.			
10.	1. Planowanie podróży, kupowanie biletu. Tekst 10.1.1–3. Komentarz 10.3.5.1–4. Słownictwo: Miasta polskie i ich położenie 10.3.1–3. Położenie Polski (mapa). Powtórzenie godzin.	10.5.3–8.		
	2. Uczyć się i pracować w Polsce. Tekst 10.1.4. Stopniowanie przymiotników 10.2.5 – 7.	10.4.6–8.		
	3. Mieszkanie i jego urządzanie. Powtórzenie i podsumowanie przymiotników 10.2.1–4. Prefiksy czasownikowe i wyrażane przez nie relacje przestrzenne 10.3.4.	10.5.9–13. 10.4.1–5. 10.4.9–13.		
	4. Powtórzenie lekcji 10. Polskie tradycje 10.6.			Redakcja: „Moja najciekawsza podróż".

Lekcja	Kolejność przerabiania części lekcji	Ćwiczenia	Wymowa	Pisownia
11.	1. Wizyta u lekarza. Teksty 11.1.1–3. Słownictwo: Budowa ciała. Pytanie o pozwolenie 11.3.1–2, wydawanie poleceń 11.3.3. 2. Przypadkowe spotkania, nowe szanse. Tekst 11.1.4–5. Tryb przypuszczający, jego budowa i użycie 11.2.1–11.2.1.2 3. Stopniowanie przysłówków 11.2.2.1–2. Połączenia czasowników modalnych z bezokolicznikiem 11.3.5. 4. Powtórzenie lekcji 11. Popularni Polacy 11.6 i 14.2 (część)	11.5.3–9. 11.4.1–3. 11.4.7. 11.5.10.	Monolog: „Moje miasto".	
12.	1. Poszukiwanie Agnieszki. Tekst 12.1.1–2. Rozmowy telefoniczne 12.3.3.1–6. 2. Miła wizyta. Tekst 12.1.3. Wyrażanie uczuć pozytywnych 12.3.1.1–12.3.2. Składnia czasownika *chcieć* 12.2.5.1–2. 3. Ocalić od zapomnienia. Tekst 12.1.4–5. Dopełniacz lmn. 12.2.1–3. Użycie słowa *ile* 12.2.4. 4. Polskie rodziny 12.6.	12.5.3–5. 12.4.4–8. 12.5.6–8.		Redakcja „Ktoś, kogo chciałbym ocalić od zapomnienia".
	Powtórzenie lekcji 10–12. Test.			
13.	1. Ważne decyzje. Tekst 13.1.1–2. Prowadzenie rozmów 13.3.1–5. 2. Jacy są Polacy? Tekst 13.1.3. Mianownik lmn. rzeczowników osobowych 13.2.1–3. 3. Przyroda: rośliny i zwierzęta. Cudzoziemcy w Polsce 13.6.	13.4.3–7. 13.5.3–7. 13.4.1–2. 13.4.8. 13.5.8–10.		Redakcja „Czego dowiedziałem się o sobie w Polsce?"
14.	1. Co będzie z nimi dalej? Tekst 14.1. Powtórzenie czasów i trybów czasownika. 2. Wielcy Polacy (Cz. II) 14.2. Którzy z Polaków byli znani studentom przed rozpoczęciem nauki polskiego? 3. Polska. Tekst 14.3. Które miasta znają studenci? Gdzie chcieliby pojechać na wakacje? Gdzie mają rodzinę i przyjaciół?		Monolog: „Dlaczego uczę się polskiego?"	
	Egzamin końcowy.			

Uwaga: Do przerobienia podręcznika trzeba około 120 godz. zajęć, tzn. 30 tygodni po 4 godz. tygodniowo albo 10–12 tygodni po 12 godz. tygodniowo. Ponadto na opanowanie materiału student powinien poświęcić około 8–14 godz. tygodniowo.

Contents

Lekcja 0

Introduction to Polish pronunciation and spelling 9

Lekcja 1

1.1. Cześć, jak się masz? 19
    Vocabulary 21
    Warto zapamiętać te słowa! — CZŁOWIEK 23
    Czy umiesz już liczyć? 1–10 23
1.2. Gramatyka jest ważna 24
    1.2.1. Inflected and not inflected parts of speech 24
    1.2.2. Number and gender 24
    1.2.3. Case 25
    1.2.4. The mechanism of case forming 26
    1.2.5. Nominative singular of the noun and adjective 26
    1.2.6. Definiteness of nouns 27
    1.2.7. Verb: the infinitive and personal forms; tenses 28
    1.2.8. Personal pronouns 28
    1.2.9. Conjugation of the verbs *być, mieć* in the present tense.
           Conjugation *-m, -sz*. 28
    1.2.10. Syntactic structures 29
1.3. Jak to powiedzieć? 30
    1.3.1. Greetings and farewells 30
    1.3.2. Types of language contact. 31
    1.3.3. Asking for people's age 32
1.4. Powiedz to poprawnie! 32
1.5. Czy umiesz to powiedzieć? 34

Lekcja 2

2.1. Chcę pani przedstawić... 37
    Vocabulary 39
    Czy umiesz już liczyć? 11–20 39
    Narody, państwa i ich mieszkańcy 40
    Warto zapamiętać te słowa! — RODZINA 42
2.2. Gramatyka jest ważna 42
    2.2.1. Accusative singular of nouns 42
    2.2.2. Accusative singular of modifiers 43
    2.2.3. Accusative of personal pronouns 44
    2.2.4. Conjugation of the verb *chcieć* in the present tense.
           The *-ę, -esz* conjugation 44
    2.2.5. Syntactic structures 45
2.3. Jak to powiedzieć? 45
    2.3.1. Introducing oneself 45
    2.3.2. Introducing other people 46
    2.3.3. Using diminutives of names 46
    2.3.4. Using the expression *przepraszam* 47

2.4. Powiedz to poprawnie! 47
2.5. Czy umiesz to powiedzieć? 49

Lekcja 3

3.1. Jaki on jest naprawdę?.. 51
    Vocabulary 52
    Czy umiesz już liczyć? 20–100 53
    Warto zapamiętać te słowa! — CECHY CZŁOWIEKA 54
3.2. Gramatyka jest ważna 55
    3.2.1. Conjugation of the verb *mówić* in the present tense.
            Conjugation -*ę*, -*isz* 55
    3.2.2. Conjugation of verbs in the past tense 55
    3.2.3. Instrumental singular and plural of nouns 56
    3.2.4. Syntactic functions of the instrumental, part 1 57
    3.2.5. Instrumental singular and plural of modifiers 57
    3.2.6. Instrumental of personal pronouns 58
3.3. Jak to powiedzieć?.. 58
    3.3.0. Asking for information 58
    3.3.1. Identifying people and things 58
    3.3.2. Asking for an object 59
    3.3.3. Asking for place 59
    3.3.4. Asking for time 59
    3.3.5. Yes/no questions 59
    3.3.6. Asking for cause 59
    3.3.7. Asking for manner 59
    3.3.8. Asking for features (characteristics) 60
    3.3.9. Expressing surprise and disappointment 60
    3.3.10. National identification and language 60
3.4. Powiedz to poprawnie! 61
3.5. Czy umiesz to powiedzieć? 64

Lekcja 4

4.1. Masz ochotę na koncert?... 67
    Vocabulary 69
    Warto zapamiętać te słowa! — ROZRYWKI 70
    Czy umiesz już liczyć? 100–1000 72
4.2. Gramatyka jest ważna 72
    4.2.1. Genitive singular 72
    4.2.2. Syntactic functions of the genitive, part 1 72
    4.2.3. Genitive singular of modifiers 73
    4.2.4. Genitive of personal pronouns 74
    4.2.5. Verbs of motion, part 1 74
4.3. Jak to powiedzieć?.. 75
    4.3.1. Propositions 75
    4.3.2. Responding to propositions 75
    4.3.3. Expressing certainty and uncertainty 75
4.4. Powiedz to poprawnie! 76
4.5. Czy umiesz to powiedzieć? 78

Lekcja 5

5.1. Zapraszam cię na obiad 81
    Czy umiesz już liczyć? 1000–1000000 83
    Vocabulary 83
    Warto zapamiętać te słowa! — ŚNIADANIE, OBIAD, KOLACJA 85
5.2. Gramatyka jest ważna 86
    5.2.1. Possessive pronouns 86
    5.2.2. Pronouns *swój, swoja, swoje* 86
    5.2.3. Syntactic functions of genitive, part 2 87
    5.2.4. Future tense of the verb *być* 87
    5.2.5. The verbs of motion (continuation) 87
5.3. Jak to powiedzieć? 88
    5.3.1. Inviting to take part in events 88
    5.3.2. Asking to food and drink 89
    5.3.3. Toasts 90
    5.3.4. Expressing time: days of the week and parts of the day 91
5.4. Powiedz to poprawnie! 91
5.5. Czy umiesz to powiedzieć? 94

Lekcja 6

6.1. Chcę cię prosić o pomoc 97
    Vocabulary 99
    Warto zapamiętać te słowa! — ŻYCIE CZŁOWIEKA 100
6.2. Gramatyka jest ważna 101
    6.2.0. Aspect of verbs 101
    6.2.1. Significance of aspect 101
    6.2.2. Aspect versus tenses 101
    6.2.3. Forming perfective verbs 102
    6.2.4. The use of imperfective verbs with the adverbs *codziennie,*
            często. The expressions *raz dziennie, raz na tydzień* 107
6.3. Jak to powiedzieć? 107
    6.3.1. Shopping 107
6.4. Powiedz to poprawnie! 109
6.5. Czy umiesz to powiedzieć? 111

Lekcja 7

7.1. Dla mnie jest czarujący! 115
    Vocabulary 116
    Warto zapamiętać te słowa! — POGODA, PORY ROKU 118
7.2. Gramatyka jest ważna 119
    7.2.1. Locative singular and plural 119
    7.2.2. Syntactic functions of locative 120
    7.2.3. The locative singular and plural of adjectives and pronouns 121
    7.2.4. Locative of personal pronouns 122
    7.2.5. The present tense of the verb *życzyć* 122
7.3. Jak to powiedzieć? 123
    7.3.1. Expressing time: months and seasons 123
    7.3.2. Conveying your good wishes 123

7.4. Powiedz to poprawnie! 124
7.5. Czy umiesz to powiedzieć? 127
7.6: Co o tym myślicie? — Najlepsze filmy polskie, najpopularniejsze filmy
    zagraniczne 128

Lekcja 8

8.1. Nie wiem, co robić 129
    Vocabulary 131
    Warto zapamiętać te słowa! — ŻYCIE CODZIENNE 132
    Czy umiesz już liczyć? 1.–21. 133
8.2. Gramatyka jest ważna 133
    8.2.1. Nominative and accusative plural of masculine non-personal,
          feminine and neuter nouns 133
    8.2.2. Nominative and accusative plural of the modifiers combining
          with non-personal, feminine and neuter nouns 134
    8.2.3. Conjugation of the irregular verb *powinien, powinna* 134
    8.2.4. Use of infinitives of perfective and imperfective
          verbs after *prosić, musieć, trzeba, warto, powinien* 135
8.3. Jak to powiedzieć? 136
    8.3.1. Giving advice 136
    8.3.2. Expressing time and hour 136
8.4. Powiedz to poprawnie! 138
8.5. Czy umiesz to powiedzieć? 139
8.6. Co o tym myślicie? — Filmy Kieślowskiego 142

Lekcja 9

9.1. Wszystko będzie dobrze 143
    Vocabulary 146
    Warto zapamiętać te słowa! — ODZIEŻ 147
9.2. Gramatyka jest ważna 148
    9.2.1. Future tense of the imperfective verbs 148
    9.2.2. Future tense of the perfective verbs 149
    9.2.3. Forms *nie ma, nie było, nie będzie* 149
    9.2.4. The dative of personal pronouns and courtesy titles, and its use 150
    9.2.5. Forming adverbs from adjectives 151
    9.2.6. Use of adjectives and adverbs 151
9.3. Jak to powiedzieć? 151
    9.3.1. Writing letters — patterns 151
    9.3.2. Use of vocative in the headings 153
    9.3.3. Addressing envelopes 153
    9.3.4. Expressing hope 153
    9.3.5. Expressing concern and worry 154
    9.3.6. Expressing negative feelings 154
9.4. Powiedz to poprawnie! 154
9.5. Czy umiesz to powiedzieć? 157
9.6. Co o tym myślicie? — Popularność Kapuścińskiego 160

Lekcja10

10.1. Jak tam dojechać? 161
    Vocabulary 163
    Warto zapamiętać te słowa! — MIESZKANIE 164
10.2. Gramatyka jest ważna 165
    10.2.1. Use of prepositions with cases 165
    10.2.2. Prepositions naming places 165
    10.2.3. Prepositions expressing time 166
    10.2.4. Prepositions taking two cases 166
    10.2.5. Comparison of adjectives 167
    10.2.6. Syntax of comparison with adjectives 168
    10.2.7. Use of expressions *coraz* + comparative 168
    10.2.8. Complex sentences 169
10.3. Jak to powiedzieć? 169
    10.3.0. Expressing spatial relations 169
    10.3.1. Names of parts of the world 169
    10.3.2. Spatial relations in reference to other cities 170
    10.3.3. Spatial relations expressed by prepositions 170
    10.3.4. Spatial relations expressed by verb prefixes 171
    10.3.5. Travels 172
10.4. Powiedz to poprawnie! 173
10.5. Czy umiesz to powiedzieć? 176
10.6. Co o tym myślicie? — Kto lubi tradycję? 179

Lekcja 11

11.1. Zaopiekujesz się mną? 181
    Vocabulary 183
    Warto zapamiętać te słowa! — CZŁOWIEK — BUDOWA CIAŁA 185
11.2. Gramatyka jest ważna 186
    11.2.0. The conditional mood 186
    11.2.1. Construction 186
    11.2.1.1. Accent and movability of morphemes 187
    11.2.1.2. Functions ot the conditional 187
    11.2.2.1. Comparison of adverbs 188
    11.2.2.2. Syntax of comparisons with adverbs 189
11.3. Jak to powiedzieć? 190
    11.3.1. Asking for permission 190
    11.3.2. Rules for using *czy mogę, czy można* 190
    11.3.3. Giving orders 190
    11.3.4. Expressing possibility 191
    11.3.5. Combining modal verbs with infinitives 191
11.4. Powiedz to poprawnie! 192
11.5. Czy umiesz to powiedzieć? 194
11.6. Co o tym myślicie? — O kim marzą Polacy? 196

Lekcja 12

12.1. Chcę, żeby ci było miło! 197
    Vocabulary 199
    Warto zapamiętać te słowa! — ZAWODY 201
12.2. Gramatyka jest ważna 202
    12.2.1. Genitive plural of nouns 202
    12.2.2. Accusative plural of masculine personal nouns 203
    12.2.3. Genitive plural of modifiers 203
    12.2.4. Use of genitive after the word *ile* 204
    12.2.5. Syntax of the verb *chcieć* 204
12.3. Jak to powiedzieć? 206
    12.3.1. Expressing positive feelings 206
    12.3.2. Expressions: *podoba mi się* and *lubię* 206
    12.3.3. Telephone conversations 207
12.4. Powiedz to poprawnie! 208
12.5. Czy umiesz to powiedzieć? 211
12.6. Co o tym myślicie? — Mężczyzna i kobieta w rodzinie 213

Lekcja 13

13.1. Samodzielne opinie, samodzielne decyzje 215
    Vocabulary 216
    Warto zapamiętać te słowa! — PRZYRODA 218
13.2. Gramatyka jest ważna 219
    13.2.1. Nominative plural of masculine personal nouns 219
    13.2.2. Nominative plural of the modifiers of masculine personal nouns 220
    13.2.3. Using modifiers in nominative plural of masculine personal nouns 220
13.3. Jak to powiedzieć? 221
    13.3.1. Beginning the conversation 221
    13.3.2. Joining the conversation; expressing one's attitude 221
    13.3.3. Controlling the conversation 221
    13.3.4. Acknowledging 221
    13.3.5. Finishing the conversation 221
13.4. Powiedz to poprawnie! 222
13.5. Czy umiesz to powiedzieć? 225
13.6. Co o tym myślicie? — Cudzoziemcy w Polsce 227

Lekcja 14

14.1. Co zrobią? Epilog 229
14.2. Dziesięciu wielkich Polaków 229
14.3. Polska 231

Słownik polsko-angielski 233

Posłowie 263

Jak używać podręcznika *Cześć, jak się masz?* Poradnik metodyczny 267

The Kosciuszko Foundation
An American Center for Polish Culture
Promoting Educational and Cultural Exchanges and Relations
between the United States and Poland
Since 1925

**The Kosciuszko Foundation is a 501(c)(3) not-for-profit organization supported
by individuals, corporations and organizations to foster the knowledge
and appreciation of Polish culture through**

•

Exchange Program between Poland and the United States
for Advanced Study/Research or Teaching in the U.S. and
Graduate and Post Graduate Studies and Research in Poland
•
Year Abroad Program at the Jagiellonian University, Cracow
•
Tuition Scholarships for Polish Americans and Americans Pursuing
Polish Studies in the U.S.
•
Grants for Polish Film Festivals, Art Exhibitions and other significant
cultural events
•
Summer Language and Culture Programs in Cracow, Warsaw, Lublin, and Rome
•
Teaching English in Poland Program in conjunction with UNESCO and MEN
•
New Kosciuszko Foundation English-Polish and Polish-English Dictionary

---

15 East 65th Street, New York City, New York 10021-6501
Tel. (212) 734 - 2130 Fax (212) 628 - 4552
Warsaw Office:
ul. Nowy Swiat 4, Room 118, 00-497 Warsaw, Poland
Visit our Website at: HTTP://WWW.KOSCIUSZKOFOUNDATION.ORG

TOWARZYSTWO AUTORÓW I WYDAWCÓW
PRAC NAUKOWYCH UNIVERSITAS

REDAKCJA
al. 3 Maja 7
30-063 Kraków
tel./fax (0 12) 634 51 07
       (0 12) 423 47 69
       (0 12) 634 37 85

DYSTRYBUCJA
oraz
KSIĘGARNIA WYSYŁKOWA
ul. Żmujdzka 6B
31-426 Kraków

tel. (012) 413 91 36
fax (012) 413 91 25
e-mail:box@universitas.com.pl

ZAPRASZAMY DO
KSIĘGARNI INTERNETOWEJ

www.universitas.com.pl

Druk i oprawa:
Zakład Graficzny COLONEL sp. j.
30- 532 Kraków, ul. Dąbrowskiego 16
tel. 423-66-66, e-mail: biuro@colonel.com.pl